Locus Sacrificij S. Eliæ
Oppidum Karaq
Damon Ciuitas destructa
Schif el Rueban cauerna Religiosorum
Oppi: Tyr 32 Castrum peregrinorum
Oppidum Nouabi
Oppidum Curri Turria
Oppi: Aain hbud idest fons Siluæ
Oppi: Aain Gazal idest fons ceruæ
Magna origo aquarum
Cesarea Palestinæ destructa
Montes Ephraim

40. Ciuitas Genim
41. Campus magnus Esdrelon
42. Hierusalem
43. Ciuitas Naim
44. Mons Hermon
45. Torrens Cisson partim tendens ad mare galileæ partim ad mediterraneum
46. Fons dictus Mocata idest locus Occisionis Vbi Elias occidit Prophetas Baal
47. Turtura olim portus Rex Carmelitas Ludouicus ducit ab ortu
48. Mare Mediterraneum

LE CARMEL EN TERRE SAINTE

des origines à nos jours

LE CARMEL EN TERRE SAINTE

des origines à nos jours

par Silvano Giordano, ocd
photographies: Girolamo Salvatico, ocd

Il Messaggero di Gesù Bambino - Arenzano

Les Auteurs et l'Editeur remercient ceux qui ont rendu possible par leur disponibilité et leurs indications la réalisation de ce volume: en particulier la Gemini Graphic Systems de Milan pour l'assistance technique fournie dans le traîtement des images.

Le Carmel en Terre Sainte

Direction: P. Silvano Giordano, ocd
Projet et coordination: P. Girolamo Salvatico, ocd
Textes: Cardinal Anastasio Ballestrero; P. Alfonso Gil Blasco, ocd; P. Jésus Castellano, ocd; les Carmélites du Pater; les Carmélites de Bethléem; les Carmélites de Haïfa; les Carmélites de Nazareth; les Carmélites de S. Joseph; P. Roberto Fornara, ocd; P. Elias Friedman, ocd; P. Nilo Geagea, ocd; P. Silvano Giordano, ocd; P. Francisco Negral, ocd; P. Federico Ruiz, ocd; P. Fausto Spinelli, ocd; les Carmélites de Florence.
Desseins: Renzo Restani.
Références photographiques: P. Girolamo Salvatico ocd; Archive photographique Scala, 75; Archives Secretes Vatican, 72; P. Juan Luis Astigarraga ocd, 108; G. Como, 252; Duby Tal-Moni Haramaty, 137; P. Mauro Ravera ocd, 104; P. Fausto Spinelli ocd, 86, 87, 94, 96, 100, 101.
La photo de la page 5 représente l'écusson carmélitain réalisé en mosaïque par le Carmel du *Pater* de Jérusalem.

En couverture: Rome. Archives générales O.C.D. Dessein tracé par le Père Prosper du Saint Esprit. Il représente la baie de Haïfa et le promontoire du Mont Carmel, avec l'indication des lieux qui intéressent les Carmes.
Sur le *dos de la couverture*: Haïfa (Israël). Le couvent de "Stella Maris", sur le cap Carmel.
Couverture interieur: Conventuum fratrum Discalceatorum Ordinis B. Virginis Mariae de Monte Carmelo Congregationis Italiae Chorographica, et Topographica descriptio. Le tableau représente le Mont Carmel et la Galilée.
Etude graphique, mise en page et impression: Sagep, Gênes

ISBN 2-7122-0535-9

Au Cardinal
Anastasio Alberto Ballestrero
fils de Thérèse de Jésus
et de Jean de la Croix
nourri à la source du Mont Carmel
dans son activité en faveur de l'Ordre
et au service de l'Eglise Italienne et Universelle
la Province de Ligurie des Carmes Déchaussés
offre
en son 65ème anniversaire de Profession Religeuse et
20ème de Consécration épiscopale

Présentation

Dans leur cheminement de croissance et de maturation, les hommes ont besoin de revenir fréquemment à leurs origines, afin de rester en contact avec leurs racines familiales et culturelles. Car, de ces origines, ils tirent toujours la conscience de leur identité personnelle, qui persiste au-delà des mutations occasionnelles.

Les groupes humains éprouvent la même exigence de reparcourir l'histoire de leurs débuts, pour pouvoir s'identifier avec les idéaux et les valeurs qui les fondèrent. De cette façon, ils deviennent capables de surmonter l'usure du temps et ils peuvent affronter les défis que la vie leur propose. Il est ainsi possible de conjuguer la fidélité avec la créativité, la stabilité avec l'évolution, l'identité avec le changement, le passé avec le présent.

Le Carmel en Terre Sainte *est destiné surtout à aider les membres de la famille carmélitaine à entrer en contact avec leur passé et avec leur présence actuelle dans le contexte des origines, en prolongeant dans le temps le sens et la mission du groupe religieux suscité dans l'Eglise par l'action de l'Esprit.*

Ce livre, préparé avec le soin qui caractérise les publications du Sanctuaire de l'Enfant-Jésus d'Arenzano, *veut aider aussi d'autres lecteurs à étudier l'histoire d'un Ordre religieux qui a ses origines en Terre Sainte, et à connaître, à travers la richesse des illustrations, quelques aspects du terrain biblique dans lequel il enfonce ses racines. En même temps, un regard sur sa présence actuelle sur la terre de Jésus, permet d'en constater la permanence dans le cours de l'histoire.*

La connaissance des origines de l'Ordre et de sa spiritualité, aide à comprendre la vitalité avec laquelle il peut répondre aux défis de l'histoire. Né au Mont Carmel, avec une forte tendance érémitique, il dut affronter, quelques décennies plus tard, son transfert en Occident, en raison de la persécution musulmane. Ici, dans une sorte de re-fondation, mais sans négliger de mettre l'accent sur son caractère contemplatif et érémitique, il entra dans les schémas des Ordres mendiants.

Trois siècles plus tard, sainte Thérèse et saint Jean de la Croix, avec une profonde créativité, réalisèrent un autre type de fondation en faisant revivre, avec une vigueur renouvelée, sa vocation à la contemplation et à l'oraison. Sans se détacher des racines originelles, ils tracèrent une nouvelle voie qui marqua, décisivement, le développement du Carmel.

Actuellement, fidèle à l'oeuvre de Thérèse et de Jean, l'Ordre est appelé à répondre aux nécessités de l'inculturation et de la nouvelle évangélisation vers lesquelles l'Eglise nous pousse.

J'espère que la lecture de ce livre aidera tous les membres de la famille du Carmel, à comprendre et à mettre en pratique l'invitation de Jean-Paul II:

«La vie religieuse traverse aujourd'hui un mouvement très significatif de son histoire, en raison de l'ample et exigeant renouvellement qu'imposent les nouvelles conditions socio-culturelles au seuil du troisième millénaire de l'ère chrétienne. [...] Les fondateurs surent incarner, en leur temps, avec force et sainteté, le message évangélique. Il est nécessaire que, fidèles à l'inspiration de l'Esprit, leurs fils spirituels continuent dans le temps ce témoignage, en imitant leur créativité avec une fidélité mûrie au charisme des origines, en restant toujours attentifs aux exigences du moment présent» (*Discours aux participants au Congrès International sur la vie consacrée*, 22-27 Novembre 1993).

Rome, Pâques 1994

Père Camilo Maccise ocd
Préposé général

Introduction

L'idée de préparer le présent livre, méditée pendant des années et toujours renvoyée à une occasion meilleure, a pris corps en 1991, quand l'Ordre du Carmel a célébré le quatrième centenaire de la mort de saint Jean de la Croix.

Deux dates significatives, en rapport avec le Mont Carmel, nous revenaient alors à l'esprit: 1291, année où les Egyptiens conquirent Saint-Jean d'Acre, mettant ainsi fin à la présence politiquement organisée des «Francs» en Terre Sainte et, par suite, aux institutions religieuses latines, parmi lesquelles les Carmes; et 1631, année où le Carme Déchaux Prosper du Saint-Esprit, arrivant de Rome, réintroduisit l'Ordre dans les lieux où il était né quatre siècles auparavant. Dès lors, surmontant les bouleversements de l'histoire, la présence carmélitaine en Terre Sainte a été substantiellement assurée et elle jouit aujourd'hui de sa plus grande floraison.

Le présent volume, rassemblant des études réalisées depuis les débuts de notre siècle jusqu'à ce jour, veut reparcourir l'itinéraire de ces pèlerins qui, à la fin du XIIe siècle, se réunirent autour de la Source d'Elie, en donnant vie au mouvement qui, au siècle suivant, prendra le nom d'Ordre du Carmel. Il ne s'agit pas seulement d'un récit historique qui, en tant que tel, serait plutôt avare d'informations, mais il s'agit bien plus d'une visite attentive aux sources d'inspiration. En effet – et la méditation carmélitaine des premiers siècles de l'Ordre le démontre amplement – le désir de vivre sur la Terre de Jésus, l'imitation de Marie sa Mère, le zèle pour la gloire de Dieu, selon l'esprit du prophète Elie et de ses disciples, jouèrent un rôle important dans la définition de l'identité carmélitaine et continuèrent à soutenir la vie de l'Ordre, même quand les circonstances historiques rendirent impossible sa permanence dans ses lieux d'origine.

Après une parenthèse de plus de trois siècles, la présence de l'Ordre redevint une réalité, grâce à Prosper du Saint-Esprit, Carme Déchaux, c'est-à-dire membre de ce mouvement lancé par Thérèse de Jésus et Jean de la Croix, dans l'explicite intention de faire revivre l'esprit des origines: c'était, à cette époque, le courant le plus actif au sein du mouvement carmélitain. Prosper se mit en route, poussé par le souvenir des Pères d'autrefois – d'Elie aux ermites médiévaux – et par le désir d'affirmer une présence chrétienne au sein de l'Islam, traditionnellement antagoniste de la Chrétienté.

Un développement plus ample et plus diversifié ne fut possible qu'à partir du XIXe siècle, avec le déclin de la puissance turque et l'entrée des pays européens, France et Angleterre en particulier, dans le monde complexe du Moyen-Orient. Dans ce climat, à la traditionnelle présence masculine s'adjoignirent quatre communautés contemplatives féminines et deux instituts de vie active, récemment fondés, surtout dédiés à l'éducation des jeunes.

Situés, même géographiquement, autour du Mont Carmel et près des lieux les plus significatifs de la vie de Jésus en Terre Sainte, Pères, Moniales et Soeurs, chacun selon leurs propres caractéristiques, prolongent l'expérience des ermites du Moyen Age, précisément parce qu'ils s'inspirent des mêmes idéaux.

Le Carmel en Terre Sainte paraît en 1994, année où l'on commémore le quatrième centenaire de la mort de Nicolas de Jésus Marie Doria, premier Général des Carmes Déchaux qui, en introduisant le Carmel thérésien masculin et féminin à Gênes, sa ville natale, posa intentionnellement les premiers jalons pour une ouverture ultérieure aux pays d'Europe et d'Asie. Il est donc, lui aussi, à l'origine de la récupération du Mont Carmel. Au début de 1994, après une parenthèse d'environ deux siècles, en suivant le même itinéraire au départ de Gênes, les Carmes Déchaux sont retournés à Prague, couvent fondé au cours de la première expansion, et bien vite devenu le berceau de ce culte de l'Enfant-Jésus, qui a trouvé à Arenzano (province de Gênes) son centre de rayonnement.

Ces réalités, en même temps que tout ce qui bouillonne dans le vaste mouvement carmélitain, existent et progressent grâce à leur constante référence au Mont Carmel. Il est donc juste de revenir assidûment à la Source d'Elie, comme à une garantie d'authenticité et à une stimulation dans le cheminement quotidien.

Père Silvano Giordano ocd

Chapitre Premièr

Le Mont d'Elie

Bible et tradition carmélitaine

« Ta tête est semblable au Carmel» affirme l'époux du Cantique des Cantiques, exaltant la beauté de sa bien-aimée. En effet, dans la Bible, le Mont Carmel est utilisé comme symbole de beauté et de fécondité. «Lui est donnée la gloire du Liban, la splendeur du Carmel» est-il dit de l'épouse du Cantique.

Le Carmel est une montagne sacrée tour à tour dédiée au Dieu d'Israël, à Baal, à Zeus... Une tradition de cultes qui s'étend au cours des siècles et donne à cette montagne un caractère suggestif.

Le Carmel est le théâtre de la geste d'Elie, le plus grand de tous les prophètes à travers lequel se manifeste, à la cime de ce saint mont, la puissance du vrai Dieu, opposée à l'impuissance des idoles.

Le Carmel est le Mont de Marie. Les attributions de beauté et de sainteté typiques du Carmel, confluent, à travers les commentaires des Pères de l'Eglise et des écrivains ecclésiastiques, en la personne de la Mère de Dieu, élevée au-dessus de toutes les créatures en raison de sa collaboration à l'histoire du salut.

A l'époque des Croisades, quand le groupe des ermites latins s'établit sur les pentes du Mont Carmel, il rassemble et repense tous ces éléments, déjà longuement médités, et les intègre en un projet de vie.

1. Israël. Wadi el-Kelt. Monastère de Koziba. Grotte d'Elie, qui est représentée dans la fresque.

P. Roberto
Fornara

Le Mont Carmel dans la Bible

Dans le Nouveau Testament on ne trouve pas de trace du Mont Carmel: Il ne s'y déroule aucun épisode évangélique, bien que la Galilée tout entière serve de décor aux actions de Jésus. Il n'est jamais non plus employé comme symbole, même pas dans les nombreuses paraboles de Jésus ni dans les lettres de saint Paul, ni dans d'autres écrits néotestamentaires, (à vrai dire, des études plus ou moins récentes ont tenté de démontrer que le Carmel était un lieu néotestamentaire, mais elles n'ont pas encore fourni de démonstrations valables et convaincantes).

Dans le panorama de l'Ancien Testament, au contraire, le Carmel occupe une position de premier plan. Deux lieux bibliques sont connus sous ce nom: d'abord la plus célèbre chaîne de montagnes du Nord de la Palestine, puis un village situé sur le territoire de Judée, à une dizaine de kilomètres d'Hébron, qui donne son nom aux collines environnantes. Seul le premier nous intéresse: la montagne qui fut le théâtre d'importants événements de l'histoire vétérotestamentaire et qui, déjà dans la littérature biblique, est à la fois symbole et métaphore. C'est le lieu où s'installeront les premiers ermites carmélitains, et qui connaîtra un grand destin dans les écrits spirituels de l'Ordre. On ne peut pas nier qu'en ce qui concerne l'Ancien Testament, l'histoire du Carmel s'identifie presque exclusivement aux épisodes de la vie des prophètes Elie et Elisée: la tradition chrétienne a toujours perçu l'étroite corrélation qui unit la montagne de Palestine et le cycle d'Elie. C'est pourquoi Grégoire de Nysse pouvait écrire: *«Elie vécut sur le Mont Carmel qui est cé-*

2. *Le* Carmel *en Judée, au Sud d'Hébron.*

lèbre et illustre principalement en raison de la vertu et de la réputation de celui qui y vécut» (P.G, XLVI, 594). Laissons pourtant de côté cet aspect qui est l'objet d'un autre article. Nous recherchons simplement les autres apparitions du terme dans l'Ancien Testament, en essayant d'en saisir l'importance et la signification, surtout quand il devient — comme cela arrive pour beaucoup d'autres endroits ou d'autres réalités de la Palestine —, véhicule expressif et symbole pour renvoyer à une autre réalité.

Une première notation s'impose à propos de la réalité géographique dont nous parlons et de son importance pour les religions de tous les temps, en particulier pour celles de l'Antiquité.

Dans toutes les cultures — spécialement dans les cultures archaïques — la montagne a toujours été quelque chose de sacré, une réalité capable d'établir un contact plus direct avec la divinité, peut-être à cause de sa hauteur ou de l'inaccessibilité de quelques-uns de ses sommets. L'archéologie et d'autres sciences complémentaires ont démontré que le Mont Carmel était considéré dans l'Antiquité comme une zone sacrée. (Il sera inutile de répéter que lorsque nous employons le terme Mont Carmel, nous ne nous référons pas à une cime isolée mais à une chaîne montagneuse qui s'étend sur environ 25 kilomètres de longueur et six de largeur). Le fait que pour ce qui concerne l'époque des récits du cycle d'Elie, on n'ait pas retrouvé de traces d'installation humaine (les gens s'installaient plus volontiers dans les régions de plaines ou le long des côtes, encore que, lors de la conquête, les premières zones peuplées furent les montagnes de Juda) confirmerait précisément le caractère sacré du lieu, tandis que d'autres documents témoignent de la permanence du culte même en des époques plus tardives. Une inscription de la fin du IVe siècle avant Jésus-Christ parle par exemple du Carmel comme de *la montagne sacrée de Zeus*. Les historiens Tacite et Suétone attestent la présence d'un autel dédié à Zeus, et la découverte d'un pied votif portant une inscription en honneur de *Zeus Carmelus Heliopolitanus*, datable du IIe ou IIIe siècle après J.C., prolonge, plus tard, le témoignage de la permanence d'un culte au long des siècles. Si l'on en croit les chercheurs, il pourrait s'agir du pendant grec de l'antique culte de Baal, attesté dans la Bible à côté de celui de YHWH (cf. 1 R. 18/20-40; 2 R. 4/25).

Les philologues n'ont jamais réussi à se mettre d'accord sur l'étymologie exacte du nom Carmel et sur sa signification précise. La grande majorité des spécialistes rapproche le nom hébraïque *Karmel* de la racine *krm* (avec la seule adjonction du suffixe «l», phénomène assez commun dans la langue hébraïque) en établissant donc une certaine équivalence avec l'autre substantif *Kerem* qui signifie «vigne». Que *Karmel* indique précisément une vigne ou, comme le suggèrent souvent les traducteurs, un jardin, cela ne ressort pas toujours de façon évidente d'une lecture attentive des textes bibliques où l'on rencontre ce mot. Bien sûr, au cours des siècles et surtout dans la tradition spirituelle de l'Ordre, l'hypothèse expliquant l'origine de *Karmel* comme une contraction de *Kerem* + *'el* (*el* qui représente Dieu) ce qui voudrait donc dire «la vigne, le jardin de Dieu», a eu un grand succès. Pour suggestif que cela paraisse, cette hypothèse est absolument dépourvue d'un fondement grammatical et du support de textes qui puissent en quelque manière la confirmer. Déjà Origène, suivi en partie par Jérôme, avait fait travailler son imagination, en rapprochant, à cause d'une vague ressemblance, deux racines différentes et en donnant au Carmel la signification aussi obscure que fantaisiste de *«science de la circoncision»*. P. Joüon, plus rigoureux dans l'analyse philologique et surtout E. Friedman, plus sensibilisé au domaine de l'exégèse et de la culture hébraïques, ont le mérite d'avoir remis cette recherche sur des rails plus précis. Le terme

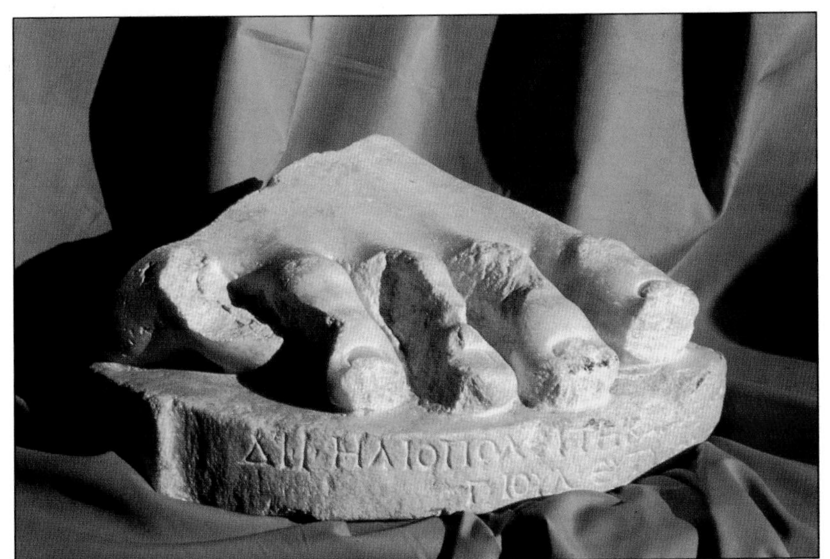

3

3. Haïfa. Monastère de Stella Maris. Musée, pied votif du IIe-IIIe siècle après Jésus-Christ, provenant de fouilles archéologiques effectuées au Mont Carmel. Il porte une inscription louant Jupiter Carmelus Heliopolitanus.

4. Haïfa. Le promontoire du Mont Carmel vu du littoral. En raison de sa forme, il est appelé par les Arabes anf-el-jebel: *le nez de la montagne.*

hébraïque *Karmel* indiquerait un type particulier de végétation, à mi-chemin entre le *midbar* (la steppe, zone plutôt aride et presque désertique) et le *Ya'ar* (forêt d'arbres de haut fût dont les montagnes du Liban avec leurs hauts cèdres pourraient donner un bon exemple). L'hébreu biblique désigne par *Karmel* un maquis riche de végétation mais composé surtout d'arbustes et d'arbrisseaux. Le sens exposé par Friedman coïncide avec la version offerte par la végétation du Mont Carmel: Qui a visité cette région se souviendra de cette typique végétation méditerranéenne, faite surtout de nombreux petits arbres et de fruits sauvages. Aujourd'hui encore, les habitations sont très rares et les villages druses très clairsemés, du fait que le terrain, bien qu'adapté au pâturage, ne se prête pas à l'agriculture. Les quelques cultures existantes ont été arrachées à la terre par la ténacité de l'homme, tandis que les pluies abondantes ont toujours favorisé la croissance d'une luxuriante végétation sauvage.

La Bible elle-même porte témoignage de ces diverses formes de végétation. L'emploi des trois termes cités est si souvent répété qu'en certains textes il apparaît comme une forme littéraire fixe (par exemple en Isaïe 32/15), où les trois types de végétation marquent une constante progression de magnificence et de fécondité.

Un texte a connu une grande faveur dans la tradition chrétienne, et surtout dans la spiritualité mariale du Carmel (le célèbre «caput tuum ut Carmelus» de la traduction latine): c'est celui du Cantique 7/6. En décrivant sa bien-aimée, d'une façon typiquement orientale, l'époux use de références géographiques pour représenter les diverses parties de son corps; au verset 6 il affirme: «Ton chef se dresse, semblable au Carmel, et ses nattes sont comme la pourpre». Quelques exégètes, prétendant restituer un plus grand parallélisme aux deux termes de comparaison, ne lisent pas *Karmel,* mais *Karmil* (pourpre): on ne comprend pas le motif d'une telle répétition. La référence géographique semble au contraire très naturelle, puisque jusqu'à ce moment la comparaison a été conduite avec des termes géographiques; la description de la bien-aimée est arrivée jusqu'au nez: pour qui connaît bien la configuration de la Palestine, il est facile d'évoquer à propos du nez de la jeune fille la forme caractéristique du promontoire du Carmel qui plonge dans la mer à Haïfa; les Arabes l'appellent *anf el-jebel* c'est-à-dire «le nez de la montagne». Naturel aussi le rappel de la végétation dense du Carmel qui descend vers le sud-est, à propos des cheveux, et l'étrangeté de la comparaison ne doit pas nous étonner plus que ça, car la poésie biblique se

5

6

5. Mont Carmel: typique végétation méditerranéenne, sur le versant Ouest.

6. La Bible exalte le Mont Carmel comme symbole de beauté et de fécondité exprimées par sa végétation florissante et bariolée.

situe à des années-lumière de notre sensibilité lyrique et esthétique; cf. Ct. 4/1: «tes cheveux comme un troupeau de chèvres, ondulant sur les pentes de Galaad». Revenant à notre texte, la traduction grecque des Septante et la Vulgate latine, qui traduisent littéralement, soutiennent notre interprétation géographique. La tradition hébraïque a toujours interprété et relié le verset en question avec le Carmel et le prophète Elie, en se servant d'allitérations et de jeux de mots pour une interprétation allégorique: «Le Saint, béni soit-Il, dit à Israël: Ta tête (*ro'shek*) est au-dessus de toi comme le Carmel; les pauvres (*rashim*) au milieu de toi Me sont chers comme Elie qui gravit les pentes du Mont Carmel» (*Cant. Rabba* VII 6,1). D'autre part une telle comparaison n'est pas totalement étrangère au langage biblique qui peut jouer — et c'est bien ce qu'il fait en ce cas — sur le double sens du terme *ro'sh* (chef, tête d'une personne, mais aussi promontoire): l'expression *«ro'sh Kakkarmel»* est employée plusieurs fois pour désigner soit le promontoire du Carmel (celui qui descend sur Haïfa), soit quelque cime de la chaîne de montagnes.

La vive sensibilité poétique des auteurs bibliques joue donc avec l'image du Carmel pour évoquer l'idée de la beauté et de la fécondité. A cause de sa riche végétation, du vert de ses arbres et de ses arbustes, de la grande variété de sa flore et de sa faune, le Carmel est précisément dans la Bible une terre de grande et rare beauté. Les prophètes s'en servent souvent dans cette optique. Le cas d'Isaïe 35/1-2 est tout à fait typique; voulant décrire par des images impressionnantes la gloire du triomphe de Jérusalem et la joie du retour à Sion, le poète écrit *«que se réjouissent désert et terre aride, qu'exulte et fleurisse la steppe, qu'elle porte fleurs comme jonquilles, qu'elle exulte et crie de joie. La gloire du Liban lui est donnée, la splendeur du Carmel et de Saron. On verra la gloire du Seigneur, la splendeur de notre Dieu»*. L. Alonso Schökel note à ce propos: *«Fleurir est comme la joie de la végétation, qui s'exprime en formes et en couleurs. La magnificence des arbres et des plantes est comme un reflet de la gloire et de la beauté du Seigneur»*.

Si l'histoire de l'homme et le monde de la nature sont pour l'Israélite en premier lieu une théophanie, une manifestation de Dieu, ou mieux encore une épiphanie, transparence de sa beauté et de sa splendeur, on comprend aussi qu'il recoure au Carmel comme à l'image la plus naturelle qu'il ait à sa disposition pour chanter la splendeur de la gloire divine.

Remarquons que l'éclat et la beauté du Carmel et de sa végétation sont utilisés aussi comme symbole de la beauté de la nouvelle Jérusalem, ils dépassent donc ceux de la ville sainte elle-même. En vérité, le prophète ne devait rien connaître de plus merveilleux que le Carmel à l'apogée de son éclat.

Terre d'une rare beauté, le Mont Carmel devient aussi, grâce à ses cimes couvertes de végétation, à son maquis touffu, à la richesse de ses espèces végétales, un symbole de fécondité, de fertilité, de charme et de prospérité. Il ne s'agit pas d'une affirmation absolue, puisque, — on l'a déjà dit — les collines du Carmel ne se prêtent pas à l'agriculture, mais c'est leur caractère plutôt adapté au pâturage (cf. Jer. 50/19) avec la prédominance d'une flore spontanée, sauvage, sans intervention de l'homme, qui confirme l'exactitude de la

7-9 Fleurs du Carmel.

7

comparaison. Mettant l'homme en garde contre les alliances purement humaines, en l'invitant à se convertir et à placer sa confiance uniquement dans l'Alliance avec Dieu, le prophète Isaïe présente en quelques versets (32/15-20) les fruits féconds de la conversion et de l'effusion de l'Esprit: *«le désert deviendra un maquis (Karmel) et le maquis sera considéré comme une forêt; le droit demeurera dans le désert et la justice habitera dans le maquis»* v.15-16, cf. également 29/17. C'est la puissance de Dieu, le rétablissement d'une juste relation avec Lui, qui peut garantir à l'homme la fécondité et la prospérité. Même si le nom *Karmel* est employé comme nom commun pour désigner précisément un maquis, la traduction grecque des Septante a préféré concrétiser l'image en la rapportant au Mont Carmel: *«Le désert deviendra le Carmel, et le Carmel sera considéré comme une forêt; le droit demeurera dans le désert et la justice habitera dans le Carmel»*. Notons que la Règle carmélitaine s'inspire de ce texte et cite expressément le verset 17 à propos du silence. Même si le Législateur puise dans la version latine qui ne parle pas du tout du Mont Carmel, il serait intéressant d'étudier si quelque contact a été possible avec le texte hébraïque ou avec le texte grec: de la Bible, l'auteur de la Règle aurait tiré l'image d'un Carmel transfiguré par la puissance de Dieu, où la paix et la sécurité viendraient du fait qu'on met sa confiance uniquement en Lui. Mais ceci outrepasse les limites de notre recherche.

8

9

Etude du symbolisme du Carmel

La même idée de fertilité et de richesse est exprimée par opposition en Isaïe 33/9: *«En deuil, la terre languit, dans la honte, le Liban se dessèche, Saron semble une steppe, le Bashân et le Carmel sont pelés»*, (cf. Am. 1/4; Na. 1/4). De même Jérémie 4/26, annonçant l'invasion de l'ennemi, présente le danger d'une solitude et d'une désolation totales; ici également la reddition et la défaite sont décrites avec l'image du maquis (*Karmel*) devenu un désert. Mais c'est plus sûrement en Jr 2 que le prophète d'Anatot se rapproche le plus de notre thème. Dieu adresse une accusation à son peuple et dans ce but rappelle l'histoire passée, les hauts-faits de son amour. Il l'a fait sortir du pays d'Egypte, Il l'a guidé et soutenu à travers des déserts des terres hostiles et inhabitées pour l'amener finalement jusqu'à la Terre Promise. Pour décrire cette terre (v. 7) le prophète use de nouveau du terme Karmel; le verset en question pourrait être traduit: *«mais je vous ai conduits dans une terre de délices»* (plutôt que, selon le sens littéral, «dans la région du Carmel»; encore une fois la traduction grecque préfère le sens concret et dit «je vous ai conduits au Carmel») *«pour que vous en mangiez les fruits»*. Dans ce passage, l'idéalisation et le symbolisme atteignent leur sommet; la terre que Dieu avait promise à son peuple après l'épreuve du désert est ainsi présentée: *«pays de torrents et de sources, d'eaux qui sourdent de l'abîme dans les vallées comme dans les montagnes, pays de froment et d'orge, de vigne, de figuiers et de grenadiers, pays d'oliviers, d'huile et de miel, pays où le pain ne te sera pas mesuré et où tu ne manqueras de rien, pays où il y a des pierres de fer et d'où tu extrairas, dans la montagne, le bronze»* (Dt 8/7-9). Le livre du Deutéronome lui-même, après avoir rappelé l'épreuve du désert, invite le peuple à ne pas s'enorgueillir des dons qu'il recevra, mais à reconnaître à l'origine de tous ces biens la main puissante et miséricordieuse du Dieu-Sauveur.

Déjà présent dans les textes sur la conquête de la Terre Promise (Cf. Jos. 12/22, où Yokneam du Carmel, antique cité cananéenne apparaît dans la liste des territoires vaincus par Josué) et placé comme ligne de frontière sud-occidentale du territoire de la tribu d'Aser lors de la division du territoire (cf. Josué 19/26), cité également dans le récit de la campagne d'Holopherne (cf. Jdt 1/8), le Mont Carmel revient donc dans toute la littérature vétéro-testamentaire (cf. aussi 2 Chr. 26/10), à l'exception des écrits sapientiaux. Mais s'il est parfois présent en tant que théâtre d'événements historiques ou point de référence de la géographie biblique, il acquiert sa plus grande importance dans la littérature prophétique où il devient image et symbole. En plus des textes cités, voir par exemple Mi. 7/14, où *Karmel* sert à montrer — par sa végétation touffue — l'isolement du peuple. Chez Is. 10/18 les hauts arbres de la forêt (*ya'ar*) offrent l'image des soldats armés de flèches et de lances de bois, tandis que la *broussaille* (karmel) représente le reste compact de l'infanterie assyrienne, destinée à être brûlée tout entière par le feu du Seigneur, flambant comme un incendie qui aurait pris au plus épais de la forêt. (Cf. encore Is. 16/10; 37/24; Jer. 46/18; 48/33). Lieu sacré qui favorise le contact immédiat avec la divinité, le Carmel n'assume certainement pas dans la Bible l'importance que revêtent d'autres montagnes comme le Sinaï, mais grâce à ses caractéristiques il devient une réalité capable d'exprimer, de symboliser et de signifier. Bien qu'il ne soit pas toujours facile de distinguer quand le texte biblique se réfère au Carmel nom propre ou à un nom commun (la broussaille, le maquis), les divers indices dont nous disposons nous permettent de saisir la valeur symbolique du Carmel dans la Bible: il s'agit d'un vrai symbole et, comme tout vrai symbole est, par nature, surtout eschatologique, il n'épuise pas ses potentialités dans sa réalité actuelle mais il renvoie toujours à quelque chose de plus, à quelque chose qui se trouve au-delà de ses limites concrètes, il nous pousse à diriger nos regards au-delà des horizons apparents, il rappelle, à qui le contemple, ce monde transcendant et cette initiative divine que les divers carmels, en tous lieux, en tous temps, sont appelés à révéler.

10

10. Haïfa. Mont Carmel. Les ruches gardées par les Carmes Déchaux du monastère Stella Maris.

11

11. Mont Carmel: raccourci panoramique sur le versant Sud-Ouest.

P. Roberto
Fornara

Elie, Elisée et le Mont Carmel

Une légende hébraïque raconte que, lorsque le prophète Elie vivait sur le Mont Carmel, il avait l'habitude de quitter de temps en temps sa grotte pour se promener le long de la montagne et prier Dieu. Il n'emportait jamais de nourriture, se confiant totalement à la Providence divine. Un jour — poursuit l'histoire — il traversa par hasard un champ de melons. Il demanda au propriétaire l'autorisation d'en goûter un et n'obtint d'autre réponse qu'une raillerie: «Ce ne sont pas des melons mais des pierres éparses!» ricana le patron. Courroucé, le prophète maudit ce champ et immédiatement les fruits se changèrent en autant de petites pierres ovales, éparpillées sur le terrain.

La légende, qui explique de cette manière fantaisiste, l'origine de quelques caractéristiques visibles aujourd'hui encore sur les pentes du Mont Carmel, n'est qu'un des nombreux exemples de la manière dont la tradition hébraïque a su maintenir vivant son rapport au prophète Elie, toujours vu en lien étroit avec l'environnement géographique du Carmel. Le Nouveau Testament témoigne déjà du processus qui attribue au prophète une importance toujours plus grande dans l'histoire du peuple hébreu. Mais il est suivi de près, puis largement dépassé, par la tradition rabbinique des premiers siècles. On peut constater que la liturgie a définitivement consacré ce lieu.

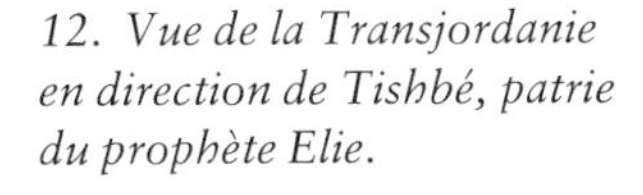

12. Vue de la Transjordanie en direction de Tishbé, patrie du prophète Elie.

12

13. Mont Carmel. Vue d'ensemble du lieu où la tradition situe le sacrifice d'Elie. En haut le petit couvent d'El-Muhraqa (le Sacrifice). Sur le plateau se seraient réunis le peuple et les prophètes de Baal, convoqués par Elie.

14. Détail du puits d'El-Muhraqa.

13

14

Dans l'Ancien Testament, le *«cycle d'Elie»* a été incorporé aux livres des Rois (1 R.17-19; 21; 2 R.1-2). Ces chapitres racontent les divers épisodes dont le prophète est le protagoniste, depuis sa brusque apparition, comme s'il était sorti du néant, jusqu'à son enlèvement, tout aussi mystérieux, dans le ciel, sur un char de feu. Dans toute cette production littéraire, le seul épisode explicitement situé par la Bible au Mont Carmel est la célèbre dispute avec les prophètes de Baal, où Elie joue le rôle de défenseur de la religion israélite contre toute possible contamination et contre toute forme de syncrétisme.

Le contexte historique

Elie, originaire de Tishbé, en Transjordanie, vit au IXe siècle avant J.-C. dans le Royaume du Nord. Le souvenir de David est désormais lointain, David le premier roi d'Israël, qui avait fait de Jérusalem la capitale du royaume et le centre unificateur de toute la nation. Il est bien loin aussi, le souvenir de son fils, le sage Salomon, sous la conduite duquel l'unité du peuple avait été renforcée, et Israël avait pu ainsi connaître une période de grande splendeur et de puissance militaire. A sa mort, le royaume s'était divisé en deux: les royaumes du Nord et du Sud avaient emprunté des routes différentes.

Le royaume du Nord commence aussi à connaître des périodes plutôt turbulentes et tourmentées: les règnes de Jéroboam 1er et de ses successeurs immédiats ne peuvent certes pas se définir comme exemplaires en ce qui concerne la paix, la transparence et la stabilité politique. Quand Omri, usurpateur à l'égal de ses prédécesseurs, monte sur le trône, la situation commence à changer. S'étant emparé du pouvoir vers 882 avant J.-C., il fait construire une nouvelle ville, Samarie, dans une position stratégique, près de la route de la mer, et il y transfère la capitale de son royaume. Du point de vue militaire, commence pour Israël (le royaume du Nord) une période d'organisation et de grande puissance qui durera longtemps (cf. 1 R. 22/39 à propos du fils d'Omri Achab); Omri réussit à fortifier ses frontières, tient tête aux Araméens, reconquiert Moab, comme en témoigne la célèbre Stèle de Mesha. Même si la Bible ne nous fournit pas grande documentation au sujet de ce roi, parce qu'elle n'est pas intéressée par la transmission d'une chronique fidèle et détaillée de l'histoire d'Israël, nous devons supposer que sa figure fut assez importante puisque après quelques décennies les annales assyriennes parlent encore d'Israël comme de la «terre» ou de «la maison d'Omri».

La politique d'Omri comporte un vaste programme d'alliances qui assurent au Pays une époque de paix et de stabilité. Dans ce but, sont contractés quelques mariages entre des membres de maisons royales. La nièce du roi, Athalie, épousera Joram, roi de Juda (le royaume du Sud) uniquement pour sanctionnner un pacte d'alliance. De notre point de vue, est plus important le mariage d'Achab, fils d'Omri, avec Jézabel princesse phénicienne, fille du roi-prêtre de Tyr, Itbaal. De cette manière, le royaume d'Israël s'assure paix et aide de la part de voisins particulièrement incommodes et insidieux, tels que pouvaient l'être les Phéniciens, installés dans ce qui est à peu près le Liban actuel; mais ceci devait être chèrement payé du point de vue religieux. En effet, dans une société sacrale comme celle de ce temps-là, les pouvoirs ne sont pas rigoureusement séparés et, quand le roi est aussi prêtre, il est clair que les lignes politiques et diplomatiques s'entrecroisent inévitablement avec les lignes religieuses, au point d'influencer très sérieusement et de dicter le comportement religieux du peuple. Cela s'avérera en particulier quand le jeune Achab montera sur le trône (vers 874 avant J.-C.) et qu'il manifestera, si l'on en croit les récits bibliques, une certaine faiblesse à l'endroit de sa femme. L'entêtement et l'influence politique de Jézabel permettront à la religion des Phéniciens de pénétrer profondément en Israël. Nous savons qu'à Samarie, nouvelle capitale, a été élevé un temple en l'honneur de Baal (cf. 1 R. 16/32) et que sur le Mont Carmel existait au moins un autel qui lui était dédié.

En une telle situation de confusion et de syncrétisme religieux, Elie est le prophète choisi par Dieu pour ramener le peuple dans un rapport vrai avec Lui et pour restaurer la fidélité à l'Alliance. Le fameux épisode de sa confrontation avec les prophètes de Baal, raconté au chapitre 18 du premier livre des Rois, est le seul récit de la vie d'Elie qui trouve expressément son cadre au Mont Carmel. Le choix de cette localisation s'explique facilement par le contexte historique et par la position géographique de cette chaîne: placée exactement sur la frontière entre le royaume d'Israël et le territoire des Phéniciens, la montagne sacrée résumait bien la situation du peuple, encore fidèle à la religion de ses pères mais attiré en même temps par les nouveaux cultes de Baal. La partie sud-orientale, qui s'ouvre sur la plaine de Yisréel connaissait un culte israélite plus pur; le promontoire nord-occidental qui descend dans la Méditerranée était orienté au contraire vers le culte de Baal. En ce moment historique si particulier, la montagne, comme le coeur du peuple, était divisée entre le Dieu des Hébreux et Baal.

La divinité que la Bible appelle Baal n'est pas identifiable avec une certitude absolue. Il ne semble pas qu'on puisse accepter l'hypothèse d'une divinité locale *Baal Karmel* ou *Baal Hadad* dispensateur de la pluie chez quelques tribus de Canaan. Il s'agit plutôt de *Baal Melgart,* dieu de Tyr; le voisinage géographique et l'influence de la reine Jézabel expliqueraient bien cette solution. Le nom *Baal* en hébreu signifie simplement «patron, seigneur» ou même «mari» et dans l'Orient antique il désignait plusieurs divinités ou plus probablement diverses manifestations locales d'une unique divinité.

Les fouilles de la ville d'Ugarit nous ont fourni un abondant matériel pour la connaissance de cette religiosité. L'élément constant semble être le fait de voir en Baal le dieu de la tempête, de la pluie, des grands phénomènes météorologiques, et surtout de la fécondité. Pour les populations cananéennes, c'est lui qui donne la pluie et les fruits de la terre. C'est pourquoi, dans la mythologie cananéenne, son nom et son culte sont associés à la nature, aux cycles de la vie et de la mort; quand Baal meurt, la terre aussi meurt; quand il revient à la vie, avec les pluies d'automne, il rend la fertilité à la terre et les cycles productifs peuvent retrouver leur vitalité.

Sur cet arrière-plan, se déroule l'épisode de la lutte d'Elie contre les prophètes de Baal, certainement basé sur une histoire remontant à la fin du IXe siècle avant J.-C., mais exposé avec un grand art dramatique par un rédacteur de l'école deutéronomique à l'époque de l'exil babylonien (après 587 av. J.-C.). Le décor du récit du 1er livre des Rois inclut aussi la situation tragique provoquée par une longue famine et une sécheresse dont nous parle aussi l'historien Flavius Josephe. C'est précisément l'urgente nécessité de la pluie et de nouvelles récoltes, ainsi que le dilemme qui se posait de savoir qui en était le vrai dispensateur, qui ouvre le rideau sur la confrontation mise en scène par Elie contre ses adversaires.

Le sacrifice sur le Mont-Carmel

Le récit de 1 Rois 18/20-40 commence par la convocation du peuple sur le Carmel. On peut avec une quasi-certitude situer l'événement dans la zone d'el-Muhraqa, sur les pentes sud-orientales de la chaîne montagneuse, comme l'a amplement démontré E. Friedman et comme le retient la tradition: «*Les caractéristiques du lieu conviennent à tous les détails de la narration biblique*» (R. de Vaux).

«Jusqu'à quand boiterez-vous des deux pieds?» est la provocation du prophète au peuple. «Si le Seigneur est Dieu, suivez-le! Si au contraire c'est Baal, suivez ce dernier» (1R. 18/21). Le danger à combattre est le syncrétisme. Pratiquer une religion déterminée s'exprime en hébreu par l'idée de suivre: «aller à la suite d'un dieu» «marcher en sa présence» (cf. 1R. 18/18; Jer. 2/23). D'où l'invitation à marcher en vérité, en évitant de miser sur deux tableaux. La proposition du prophète, seul en face de 450 prophètes de Baal — peut-être pour signifier aussi l'unicité du Dieu d'Israël en opposition à la multiplicité et à la prolifération des idoles — est de préparer deux holocaustes pour les deux divinités, que l'on invoquera à tour de rôle. «La divinité qui répondra en envoyant son feu sera le vrai Dieu» (v. 24); la confrontation n'est donc pas entre deux dieux mais entre le vrai Dieu et le néant, entre le Dieu d'Israël et une illusion!

Dans ce but, le narrateur se complaît à présenter, avec un certain sourire, les inutiles efforts qu'accomplissent les prophètes de Baal, du matin jusqu'à l'après-midi, en invoquant leur dieu, en poussant de grands cris, en sautant, en dansant et même en se tailladant la chair avec des épées et des lances, selon une coutume habituelle, attestée par divers textes (cf. *Anet,* 25 et suivants). Mais l'accroissement des efforts ne produit rien d'autre que le sentiment de leur inutilité: «mais il n'y eut ni voix, ni réponse» (v. 26), jusqu'à ce qu'Elie commence à se moquer d'eux (cf. v. 27).

Le calme et la sereine description des détails des actions accomplies par Elie (v. 30-37) s'opposent violemment à l'agitation convulsive et frénétique des baalistes. Le prophète reconstruit d'abord l'autel du Seigneur qui avait été démoli, en prenant douze pierres, du nombre des tribus d'Israël. Pourtant, il agit à l'époque où, déjà, l'unité des tribus qui avaient constitué la nation était brisée. A un peuple divisé, il adresse un geste prophétique d'unité, il ramène aux racines de son histoire son peuple égaré, perdu entre tant de nouvelles divinités, sans aucun point de référence sûr. Le Dieu d'Elie n'est pas une nouveauté, comme le sont les idoles introduites en Israël, mais Il est le Dieu du peuple, le Dieu de l'Alliance avec ses pères.

Sa référence évidente est Josué qui renouvela l'Alliance (cf. Jos. 4/24) et Moïse, dépositaire de la primitive alliance (cf. Ex. 20/2-25). Toute l'histoire d'Elie est du reste rapportée selon une typologie mosaïque précise, comme le manifestent le voyage à l'Horeb pour renouveler l'alliance dans le sillage d'Ex 34, la marche de 40 jours dans le désert (1R. 19/8) pour évoquer les 40 ans de marche du peuple d'Israël vers la Terre Promise, ou encore le pain et l'eau (1 R. 19/6,8) renvoyant à la manne et à l'eau miraculeuse qui avaient nourri et désaltéré Israël pendant l'Exode. De même la mention de Jacob-Israël (1R. 18/31) renvoie à l'élection et à la bénédiction du patriarche (cf. Gn. 32/29; 35/1-10).

Après avoir préparé le sacrifice, Elie le fait arroser abondamment d'eau, jusqu'à former un petit canal autour de l'autel. La certitude du prophète d'obtenir la victoire apparaît ici absolue, si nous situons son geste dans le contexte de sécheresse prolongée dans lequel il est accompli. A l'invocation d'Elie, simple, dépouillée, essentielle en comparaison des longues danses rituelles et des hurlements des prophètes de Baal, «le feu du Seigneur tomba et dévora l'holocauste et le bois, et il absorba l'eau qui était dans le canal» (1R. 18/38). Le *feu du Seigneur* est probablement un éclair, annonciateur d'un orage proche et donc de la fin de la sécheresse, mais c'est aussi le symbole du dieu Baal! Non seulement le Seigneur est vainqueur, mais encore il tourne en dérision son adversaire inexistant en choisissant comme manifestation de sa victoire les caractéristiques du vaincu! L'expression «feu du Seigneur» (*esh Adonaï* en hébreu) produit en outre

15

15. Sienne. Cloître de l'Université, autrefois couvent des Carmes. G. Natale Nasini, Le sacrifice d'Elie, *fresque remontant au début du XVIIIe siècle.*

une assonance avec l'épithète d'Elie, homme de Dieu (*ish Elohim,* 1R.17/24): Elie l'homme toujours guidé par la Parole de Dieu (cf. 1R. 17/2-5, 8-10, 24; 18/1-2) le prophète «qui brûle de zèle (jalousie) pour le Seigneur des armées» (1R. 19/10,14), pour le «Dieu jaloux» (Ex. 20/5), apparaît ici comme le vrai feu qui éclaire le peuple au milieu des ténèbres de l'idolâtrie, consume, purifie, et allume l'enthousiasme des fidèles. Et tel l'imaginera précisément le Siracide: «le prophète Elie se leva comme un feu» (Sir 48/1-11).

Désormais la vérité s'est imposée, et les assistants sont contraints d'admettre l'aveuglement de leur coeur et la stupidité de leur attitude: «Le Seigneur est Dieu! Le Seigneur est Dieu!» (1R.18/39). Le nom même que porte le prophète est presque un programme. (*Elie* signifie «mon Dieu est vraiment le Seigneur»). Il s'impose dans les faits avec la force de l'évidence. Le massacre des prophètes de Baal qui en résulte est décrit avec une impressionnante froideur et d'une manière très crue qui répugne à notre sensibilité: il a inspiré surtout l'iconographie byzantine et russe, tandis qu'il a trouvé peu d'accueil dans l'art occidental. Ce carnage doit être compris à la lumière de tout l'épisode: les prophètes fidèles à Dieu ont été précédemment exterminés par la reine Jézabel (cf. 1 R. 18/13), à la lumière aussi de la mentalité et des lois de l'époque et surtout du modèle mosaïque: le zèle de Moïse avait été encore plus impitoyable et sanguinaire que celui d'Elie (cf. Ex. 32/25-29; Nb. 25/1-5).

Le rétablissement du peuple dans la vérité de son rapport avec Dieu permet de voir aussi l'heureuse conclusion du problème de la sécheresse. Celle-ci qui si longtemps avait fait souffrir le peuple n'était que l'apparence extérieure d'un mal bien plus profond: le peuple avait rompu sa relation avec Dieu pour se confier à de vaines idoles stériles. Les versets 41-46 qui suivent immédiatement le récit du sacrifice du Carmel décrivent en effet le retour de la pluie. Le petit nuage qui monte de la mer «comme une main d'homme» (v. 44) fut interprété plus tard par la tradition carmélitaine comme une préfiguration de la Vierge Marie. La liturgie semble faire de même en réservant à la solennité du 16 juillet la lecture de ce passage de la Bible. C'est la même «main de Dieu» qui guide et entraîne Elie dans une condition presque extatique dans sa course miraculeuse devant le char du roi (v. 46). Sous la conduite sûre de cette main, la seule qui dirige l'Histoire, la seule capable de donner la vraie bénédiction, la seule qui puisse rendre féconds les efforts de l'homme, l'itinéraire du prophète se poursuit dans les chapitres suivants.

Le prophète Elisée

L'éclatante victoire remportée par Elie au Mont Carmel ne parvient pas à déraciner les infiltrations idolâtres en Israël. L'expérience suivante d'Elie le démontre. Contraint de fuir, de crainte des réactions de Jézabel, il doit s'apercevoir que suivre Dieu ne signifie pas connaître seulement des moments d'exaltation et de victoire, mais aussi passer à travers l'insécurité, l'humiliation, l'échec, la persécution, le conflit intérieur (cf. 1R. 19). D'autres passages bibliques le démontrent aussi, desquels on peut déduire que non seulement le culte de Baal ne finit pas là, mais qu'il pénètre même et devient florissant dans le territoire de Juda, c'est-à-dire dans le royaume du Sud, à cause d'Athalie, fille d'Achab et épouse de Joram (cf. 1R. 22/52-54; 2 R. 3/1-3, 10/16-18).

L'élément prophétique est pourtant la voix constante qui maintient vive au milieu du peuple de Dieu l'exigence de fidélité à l'alliance et qui entretient le souvenir de l'amour fidèle du Seigneur pour encourager continuellement le peuple élu à la conversion. Parmi ces voix prophétiques, les livres des Rois font référence à une autre figure d'importance notable, bien qu'un peu

16

17

18

19

16. Tell Qassis, à la forme arrondie caractéristique.

17. La cime rocheuse du Sinaï, le Mont de la Théophanie.

18. Mont Sinaï. Petite vallée du prophète Elie. Selon la tradition, le prophète vécut en cet endroit son expérience de Dieu. Quelques cyprès s'élèvent à côté d'un puits d'eau fraîche.

19. La vallée du Jourdain à proximité du village de Mehola, patrie du prophète Elisée.

moindre qu'Elie. Il s'agit du prophète Elisée. Autour de son nom et de ses actions, se forma bien vite un cycle de récits semblable à celui d'Elie et qui est contenu aujourd'hui dans les chapitres 2 à 13 du Second Livre des Rois.

Moins denses du point de vue théologique et plus pétries d'éléments miraculeux et de détails hagiographiques, les histoires relatives à Elisée conservent cependant le style et le caractère prophétique du cycle d'Elie. On parle déjà d'Elisée dans 1Rois 19/19-21 pour raconter comment Elie l'appela: quelques versets qui évoquent les exigences radicales de disponibilité et de promptitude typiques des épisodes semblables dans les Evangiles (cf. Mt. 4/18-22; Lc 9/57-62). Mais le vrai cycle d'Elisée commence vraiment à l'enlèvement d'Elie emporté au ciel, qui le désigne comme son successeur (2R/1-18) et relate une série d'interventions miraculeuses du prophète qui, comme son maître, a maille à partir avec la maison royale du Royaume du Nord.

Le Mont Carmel a aussi sa place dans la topographie des activités d'Elisée. Bien qu'un certain nombre de textes nous induise à penser qu'il avait fixé sa demeure à Samarie (cf. 2R. 5/3; 6/18-23), l'épisode exposé en 2R. 4/8-37, nous le présente comme «l'homme de Dieu sur le Mont Carmel» (v. 25). Une femme de Shunem dont le fils est mort décide de demander l'aide du prophète et part précisément pour le Carmel; l'objection de son mari: «Pourquoi vas-tu chez lui aujourd'hui? Ce n'est pas la néoménie ni le shabbat!» (v.23) nous fait penser qu'il existait sur le Carmel un sanctuaire où il était normal de se rendre à l'occasion des fêtes ou de circonstances particulières. Tout cela concorde pleinement avec ce que nous apprennent la tradition et l'archéologie sur le Carmel, montagne sacrée, peu habitée et lieu de culte. De même, en 2R. 2 /25 nous lisons qu'Elisée «alla de là au Mont Carmel, puis il revint à Samarie».

F. Foresti va plus loin en avançant l'hypothèse que la localité biblique de *Gilgal* (2R. 2/1), d'où part Elie en compagnie d'Elisée pour son dernier voyage avant d'être enlevé dans un tourbillon de feu, serait située sur le Carmel, à l'endroit où Elie avait défait les prophètes de Baal. *Gilgal* est un nom commun, en hébreu, qui désigne un cercle de pierres dressées le plus souvent dans un but de culte. Il pourrait donc bien se rapporter à l'autel érigé par Elie en 1Rois 18/31. A ce propos, nous trouvons suggestive l'hypothèse d' E. Friedman qui identifie le cercle de 12 pierres à un monument mégalithique, dont nous possédons du reste de nombreux témoignages dans les chroniques des pèlerins jusqu'en 1846: c'est ici sur le Carmel qu'Elie avait obtenu le feu du ciel, c'est d'ici qu'il repart, accompagné de son successeur pour son ultime voyage vers les steppes de Moab, où le feu du ciel descendra de nouveau pour l'emporter.

Le cycle d'Elisée lui-même a affaire avec le Mont Carmel. Pourtant, à la différence de son maître, Elisée est lié à un cercle de disciples. Ce n'est qu'en tenant compte des liens étroits qui unissent les deux prophètes vétérotestamentaires et du décor de leur activité, que nous pouvons facilement comprendre comment l'idéal d'Elie a bien pu se frayer un chemin d'une façon aussi naturelle parmi les fils du Carmel en y prenant des dimensions aussi vastes et profondes.

P. Elias
Friedman

Le Mont Carmel

Le terme *Carmel* dans la Bible a diverses significations: une couleur rouge pourpre, ou bien «de frais grains de froment» ou même d'«orge». Attribué au Mont Carmel, c'est à l'origine un nom commun qui indique une surface étendue couverte d'une dense végétation de maquis. Telle est en effet la flore caractéristique du Mont Carmel qui se maintient verte toute l'année, car elle est arrosée en été par la rosée abondante fournie par la vapeur d'eau que le vent d'ouest apporte de la mer. Autrefois, la faune y était particulièrement variée: à l'abri des broussailles vivaient des hyènes, des chats sauvages, des renards, des loups, des chacals et des serpents. Plusieurs visiteurs signalèrent même des panthères.

Dès la plus haute antiquité, l'homme aussi y établit sa demeure: à 23 kilomètres au sud d'Haïfa, à Wadi Hurara (Nahal Hame'arot), on peut visiter des grottes dans lesquelles, entre 1929 et 1934, l'archéologue Dorothy Garrod trouva de nombreux restes d'une espèce humaine connue sous le nom d'*Homo Carmelensis*. Le Mont Carmel est une région de collines et de petites vallées, en forme de triangle isocèle, pourvu d'un sommet en angle obtus qui prolonge les montagnes de Samarie vers le Nord-Ouest. Sa superficie est d'environ 150 km^2; la latitude du Cap Carmel est de 32-51° Nord, la longitude de 32-37° Est.

L'angle Nord-Ouest du triangle, appelé «le promontoire», se termine par le Cap

20

20. Cap Carmel, limite méridionale de la baie d'Haïfa. Il est dominé par l'ensemble architectural du couvent de Stella Maris des Pères Carmes Déchaux.

21. *Jérusalem, Musée Rockefeller. Restes de l'*Homo Carmelensis*, provenant des grottes de Wadi Murara.*

22-23. *Mont Carmel. Wadi Murara. Grottes préhistoriques dans lesquelles, entre 1929 et 1934, furent découverts des restes d'une espèce humaine dénommée* Homo Carmelensis.

24. *Israël. Wadi Fara. La laure de saint Chariton, un des initiateurs de la vie monastique en Terre Sainte.*

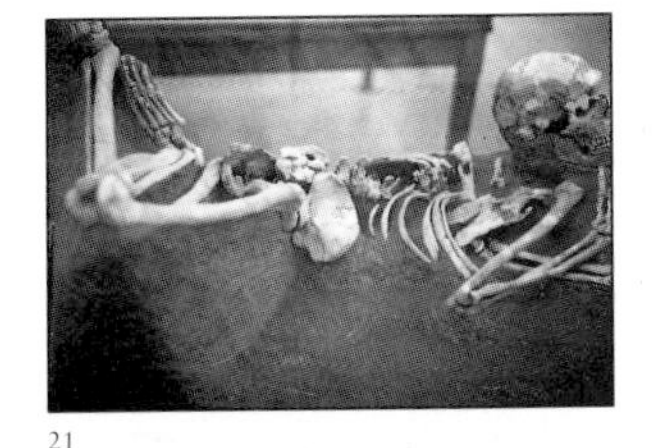

21

22

23

Carmel (Rosh Hakarmel) et il constitue la limite méridionale de la baie d'Haïfa. A mi-côte, à 150 mètres du niveau de la mer, s'étend une terrasse, connue comme «l'esplanade du promontoire». Au-dessus d'elle se dressent le phare d'Haïfa et le couvent *Stella Maris,* sanctuaire principal de l'Ordre des Carmes Déchaux.

24

La carte de Roehricht

En 1895 un historien, R. Roehricht, publia dans la revue Zeitschrift des Deutschen Palästinavereins *une carte qui représentait les possessions croisées du Moyen-Orient. Il la datait de 1235 environ. Dans son schématisme, elle semble être un aide-mémoire, une série de notes qui rappellent aux voyageurs les endroits qui méritent une visite. Le fragment reproduit ici représente la portion de côte qui, d'Akko, ou de St-Jean d'Acre, va jusqu'à la ville de Césarée. Sur ce fragment on peut voir l'itinéraire parcouru par ceux qui préféraient, en route vers Jérusalem, suivre la voie qui courait le long de la mer.*

A l'extrémité supérieure, sur le bord de la Méditerranée, est indiquée la ville portuaire d'Achon (Akko), ainsi que son nom antérieur, Ptolemaïde. En descendant vers le Sud, on traverse le petit torrent Kishon ainsi décrit: «Iste torrens, qui parvus est, dividit Siriam et Palestinam, id est Terram Sanctam quae est versus Austrum et Palestinam quae est versus Aquilonem». Dès qu'on a dépassé Cayfas Casale, correspondant à l'actuelle Haïfa, on rencontre la petite agglomération d'Anne Casale. Le cartographe a marqué Capharnaüm, en bas, à l'intérieur des terres: il s'agit de Capharnaüm maritime, qu'il ne faut pas confondre avec le village du même nom en Galilée cité dans les Evangiles. En réalité, ce centre doit être placé entre Anne Casale et Tirus minor casale. Au contraire, cette dernière localité, dite aussi St-Jean d'Acre, où s'élevait le monastère grec du même nom, se trouvait à l'écart, dans une petite vallée, plutôt qu'au bord de la mer.

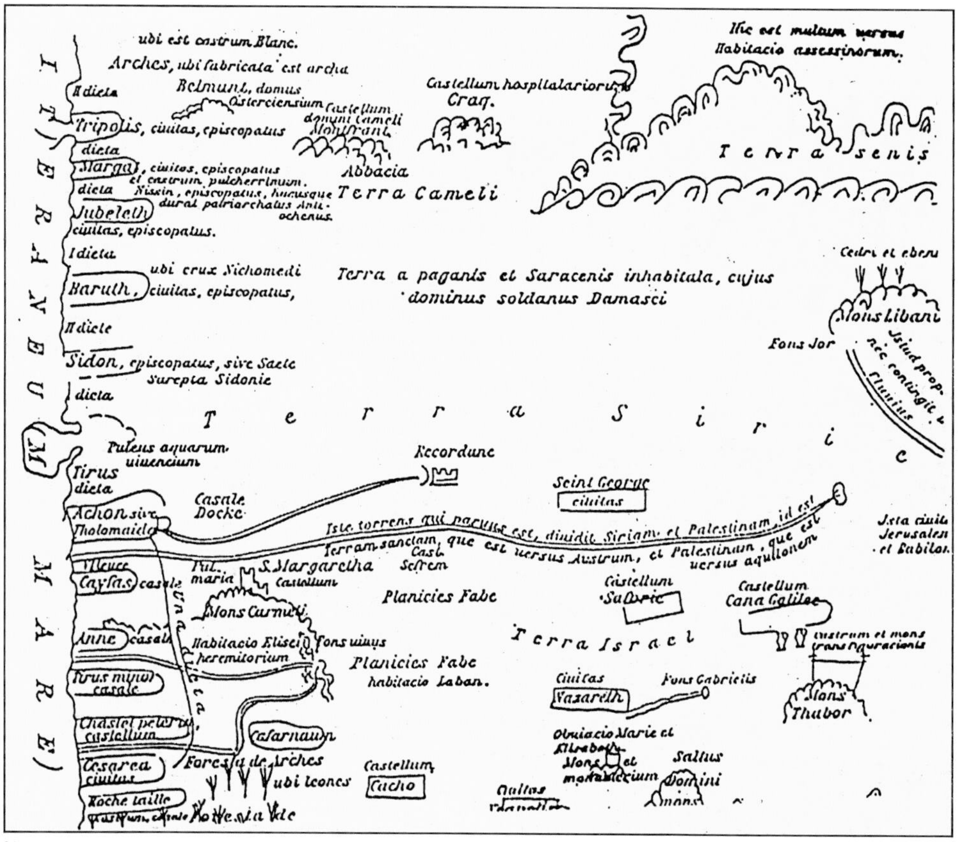

En continuant vers le Sud, on rencontrait Chastel pélerin castellum *appelé ailleurs* Castrum peregrinum, *un village fortifié qui correspond à l'actuelle Athlit. Arrivé à* Cesarea civitas, *le voyageur pouvait s'engager sur la route principale qui s'avance à l'intérieur du pays en direction de Jérusalem.*

Au centre de la reproduction, se découpe la crête du Mons Carmeli, *surmontée du* Santa Margaretha Castellum. *C'est une fortification construite au temps des Croisades et défendue par les Templiers. A côté se dressait une abbaye grecque dédiée à Sainte-Marguerite ou Sainte-Marine. Les deux édifices s'élevaient au-dessus du terre-plein du promontoire qui domine la mer. On y accédait après avoir traversé Palmaria située dans les faubourgs de Cayfas.*

*Une importance particulière est donnée à l'*Habitatio Elisei Heremitorium *près de laquelle coule la «*fons vivus*». Il s'agit de la source d'Elie d'où naît un ruisseau qui va jusqu'à la mer. Près de cette source, se situait aussi la grotte d'Elisée. Les ermites latins voulurent y poursuivre la tradition monastique préexistante, en s'installant également en un lieu stratégique de passage, peut-être par désir de ne pas perdre contact avec leurs concitoyens, ou bien pour prêter secours aux pèlerins.*

25

De la cime de la montagne, qui s'élève à 482 mètres au-dessus du niveau de la mer, le regard plane sur la plaine de Yisréel (Esdrelon). Celle-ci est appelée el-Muhraqa. En 1883, les Carmes édifièrent là un petit sanctuaire dédié au prophète Elie car, aux environs de cet endroit, advinrent, selon la tradition, le sacrifice d'Elie et le massacre des prophètes de Baal, qui s'ensuivit. (1 Rois 18/20-40).

Plusieurs petites vallées descendent des crêtes du Mont Carmel vers la mer Méditerranée. Dans l'une d'elles, *Wadi 'ain es-Siah,* située à 4 kilomètres d'Haïfa, quelques ermites latins établirent leur ermitage après la 3e croisade (1187-1192).

Monachisme byzantin au Mont Carmel

Les installations monastiques byzantines sur le Mont Carmel se situent dans le mouvement général du monachisme palestinien qui se développa du IVe au VIIe siècle. La tradition attribue l'institution de la vie monastique en Terre Sainte à Careton et Hilarion.

Saint Chareton ayant quitté son Iconium natale, après 275, alla en pèlerinage à Jérusalem, et ensuite s'établit au nord de la ville dans une grotte de Wadi Fara, où il vécut dans la pénitence pendant de nombreuses années, en rassemblant autour de lui de nombreux disciples qu'il organisa en communautés. Saint Hilarion au contraire, après avoir connu le monachisme égyptien, se retira vers 311 dans une cabane près de Gaza, sa ville natale, et fut vite imité par des disciples. Dès cette date le monachisme se répandit le long de la côte et très probablement atteignit le Mont Carmel.

L'invasion du Persan Chosroès II, advenue en 614, causa d'énormes dommages aux moines de Terre Sainte: presque cent-trente monastères furent saccagés et leurs occupants massacrés ou dispersés.

Le modèle d'organisation était celui de la laure. Elle consistait en un groupe de cellules ou de cabanes ou de grottes où les ermites vivaient plus les uns à côté des autres qu'en communauté, avec un supérieur pourvu d'une très relative autorité. La vie de la laure était organisée de telle façon qu'elle permît à chaque ermite de passer la semaine dans la solitude. Le groupe se réunissait le samedi et le dimanche pour la célébration liturgique, pour

26

26. Israël. Ruines du château des Croisés de Belvoir. Entrée Ouest. Du haut d'une colline au Sud du lac de Tibériade, il contrôlait le versant occidental de la vallée du Jourdain. Construit en 1140, il fut conquis par Saladin en 1189, après deux années de siège.

27. *Versant méridional de la chaîne du Carmel, vu de la plaine d'Esdrelon. A gauche du sommet, dans le petit cercle, on entrevoit le couvent d'El-Muhraqa. Au centre, Tell Qassis bordé par le Qishon.*

écouter l'exhortation du supérieur et pour discuter de problèmes communs.

Il existe divers témoignages de la présence de monastères sur le Mont Carmel. L'Anonyme de Plaisance, un pèlerin qui visita cet endroit vers 570, vit le Monastère d'Elisée, que l'on situe aujourd'hui à Wadi 'ain es-Siah. Le recueillement du lieu et la présence de grottes creusées dans les flancs de la montagne rendent vraisemblable cette identification. Le témoignage le plus convaincant est une grotte d'une certaine grandeur, composée de deux chambres superposées, communiquant au moyen d'un escalier intérieur taillé. Quelques restes archéologiques laissent supposer que la grotte inférieure était utilisée comme chapelle. Au XIIIe siècle, alors que le *Wadi* était habité par des ermites latins, les deux grottes étaient connues comme «grotte d'Elie» et «demeure d'Elisée».

Plus au Sud, à l'intérieur de Wadi el'Ain, aux environs de l'actuelle petite ville de Tirat-Karmel, il existait une seconde laure. Les grottes que l'on peut voir aujourd'hui portent de nombreuses marques de présence humaine: des fenêtres, des niches, des crochets, un bassin peut-être employé pour broyer les olives.

La tradition affirme que l'impératrice Hélène construisit un monastère en l'honneur d'Elie sur le Mont Carmel. Il semble qu'on puisse le situer à l'emplacement du phare actuel, sur l'espace plat et découvert du Cap Carmel, comme l'attestèrent quelques restes archéologiques que l'on data du Bas-Empire, c'est-à-dire postérieurs à Justinien. Dans le même lieu, à l'époque médiévale se trouvait une abbaye de moines grecs et syriaques, consacrée à Sainte-Marguerite ou Sainte-Marine. Elle constituait une étape sur les itinéraires des pèlerins, et l'on conseillait d'y faire halte en raison de l'abondance des reliques qu'on y gardait.

Vers 1175, Jean Phocas, à l'occasion de son pèlerinage à la «grotte d'Elie» admira en cet endroit les ruines d'un grand monastère. Il raconte qu'un moine prêtre de Calabre, encore vivant au moment de sa visite, à la suite d'une vision céleste, constitua une petite communauté dans les ruines d'un vieux monastère près de la «grotte d'Elie». Très probablement, il s'agit de moines de rite grec, étant donné l'intérêt que leur manifeste Phocas, lui-même grec.

La grotte se trouve à la base du promontoire du Mont Carmel, non loin du rivage de la mer. Les musulmans l'appellent «el Khader» c'est-à-dire le Verdoyant. C'est une ample cavité artificielle qui semble avoir été vouée au cours des siècles à divers cultes en liaison avec le cy-

cle de la mort et de la résurrection de la nature, jusqu'à ce qu'à l'époque chrétienne elle soit dédiée à Elie. Pendant les croisades son rapport avec le prophète biblique a été fermement affirmé et l'on croyait qu'Elie avait mené là une vie angélique avant de monter au ciel et qu'il y avait été nourri par un corbeau. Au XVIIe siècle, le Carme Déchaux Prosper du Saint-Esprit estime qu'à l'origine les ermites latins du XIIIe siècle ont demeuré là. Dans la tradition carmélitaine la grotte reçut le nom d'Ecole des prophètes, elle aurait été le lieu de rencontre des disciples et des continuateurs d'Elie.

A l'intérieur, s'ouvre une grotte plus petite autour de laquelle fleurissent plusieurs légendes, à partir du XVIIe siècle: elle aurait été la cellule d'Elie, tandis que la grande grotte abritait les assemblées liturgiques des fils des prophètes qui étaient ses disciples. Ou bien que la Sainte-Famille, au retour d'Egypte, aurait passé la nuit dans la petite grotte. Ou bien encore que la Vierge Marie, lors de ses fréquentes visites aux ermites du Carmel en aurait fait son lieu préféré de recueillement.

L'itinéraire des pèlerins

A l'époque des croisades, le pèlerin chrétien qui d'Akko, port principal de communication avec l'Europe, partait en direction de Jérusalem, avait le choix entre deux des routes les plus fréquentées de Terre Sainte. La première, passant au Nord du Mont Carmel, conduisait au Lac de Tibériade, puis continuait à travers la Samarie et la Judée jusqu'à la Ville Sainte; la seconde conduisait d'Akko directement vers le Sud en longeant la côte pour s'enfoncer ensuite à l'intérieur du pays jusqu'à Jérusalem. Quand la majeure partie du pays tomba sous la domination musulmane, la seconde route fut plus fréquemment utilisée parce qu'elle traversait le territoire chrétien.

Les itinéraires connus qui mentionnent les ermites latins du Mont Carmel sont tous postérieurs à la troisième croisade (1192). Ils montrent qu'en suivant le second itinéraire, on pouvait rencontrer les Carmes. Une fois Akko quitté, les pèlerins se dirigeaient vers le sud, jusqu'à Haïfa, en cheminant le long de la plage sablonneuse et solide. Arrivés au torrent Qishon, ils traversaient son bras septentrional, qui constituait la frontière entre les territoires d'Akko et d'Haïfa. A son embouchure, un banc de sable facilitait le passage.

Plusieurs haltes bien connues se succédaient ensuite. Palmarée, une palmeraie, unique en son genre, où se dressait une église confiée aux moines de Cluny qui se dévouaient à l'assistance des pèlerins. Les troupes et les chevaux des Croisés y trouvaient aussi repos et secours. Ensuite venait Francheville, sise à la cime d'une colline, à l'entrée d'Haïfa, avec la chapelle rupestre de Saint-Denis. Plus loin, on atteignait la grotte d'Elie, l'abbaye de Sainte-Marguerite, et le hameau Anne. Arrivés au Wadi 'ain es-Siah, les pélerins recevaient l'hospitalité des ermites carmes, ils pouvaient se désaltérer à la source d'Elie et visiter les grottes d'Elie et d'Elisée. Ils poursuivaient ensuite leur route vers Capharnaüm-sur-mer, Saint-Jean de Tyr, Athlit avec ses fortifications et la ville portuaire de Césarée. En partant d'Akko, cela représentait en tout une journée de marche. Alors les pèlerins quittaient la côte pour avancer à l'intérieur des terres et rejoindre Jérusalem.

La seigneurie d'Haïfa

A la veille d'être conquise par les Croisés, Haïfa était entourée de fortifications pourvues de tours. Ses habitants, en grande partie israélites, luttèrent au côté du sultan d'Egypte contre les Croisés. La ville fut prise par Tancrède en 1100 après un difficile assaut. Les Vénitiens, en récompense de l'aide qu'ils avaient apportée, obtinrent un quartier qui leur servit de base pour leur activité commerciale.

La seigneurie d'Haïfa fut créée la même année: Tancrède l'incorpora à sa principauté de Galilée et en confia le gouvernement à Baudouin Ier. Son territoire, d'une superficie d'environ 200 km^2, s'étendait du torrent Qishon jusqu'à Ashlit, où les Templiers en 1218 construisirent une forteresse nommée *Château des Pèlerins* qui incluait une grande partie du Mont Carmel. Au Nord, elle avait une frontière commune avec le territoire d'Akko, au Sud avec celui de Césarée.

Haïfa n'avait pas d'évêque. Du point de vue ecclésiastique, elle dépendit d'abord de l'évêque d'Akko, lequel à son tour était suffragant de Tyr. En 1132, le patriarche de Jérusalem transféra la ville sous le contrôle de l'archevêque de Césarée. Un document pontifical de 1263 nous apprend que les ermites latins étaient soumis à la juridiction de l'archevêque de Césarée.

Bien que cette ville fût en ruine, le siège épiscopal était toujours pourvu.

L'église principale d'Haïfa était dédiée à Sainte-Marie. Les moines de Cluny participaient au priorat de Palmarée, tandis que d'autres instituts religieux comme les chanoines du Saint Sépulcre et les chevaliers de Saint Jean l'Hospitalier, possédaient des propriétés dans le territoire de la seigneurie.

La seigneurie d'Haïfa cessa d'exister en 1291; quelques jours après avoir conquis Akko, les troupes musulmanes chassèrent les derniers Latins de la ville.

28. *Akko. Détail de l'imposante Crypte des Chevaliers qui autrefois faisait partie des fortifications édifiées pendant l'occupation latine.*

29. *Israël,* Haute-Galilée, *Ruines du château croisé de Montfort, partie du réseau défensif qui commençait à Akko.*

P. Silvano
Giordano

La Tradition Elianique

Dans les premières années du XIIIe siècle, le patriarche Albert de Jérusalem donna une règle de vie au groupe d'ermites latins qui demeuraient près de la source appelée Source d'Elie. Il est permis de penser qu'aller vivre en ce lieu précis, qui avait connu une tradition érémitique pluriséculaire, répondait à un choix de vie conscient trouvant en Elie un archétype et un modèle de vie religieuse, dans le cadre de la tradition patristique qui, à partir d'Athanase, Jérôme et Cassien, présentait Elie comme la réalisation exemplaire de la vie monastique. On peut donc avec raison affirmer que l'imitation d'Elie se trouve à l'origine de l'idéal carmélitain.

Le transfert des Carmes en Europe, advenu sous la poussée pressante des musulmans, constitua un moment critique. Sur l'impulsion des décisions prises par le 4ème Concile du Latran (1215), promulguées pour canaliser la prolifération de nouveaux groupes religieux, et plus encore du second Concile de Lyon (1274) qui supprima en fait de nombreuses communautés et mit sérieusement en péril l'existence même de certains ordres, les Carmes voulurent démontrer la légitimité de leur vie et furent ainsi amenés à réfléchir sur leur propre origine. En effet, ils ne pouvaient signaler aucun fondateur universellement connu, comme les Franciscains ou les Dominicains. C'est pourquoi il leur fut nécessaire de remonter aux sources de leur inspiration.

Elie le fondateur

La nécessité d'enseigner aux plus jeunes frères la réponse à donner à qui les interrogerait sur les origines de l'Ordre apparaît dès la première Rubrique par laquelle commencent les Constitutions de 1281. Il est probable que cette réponse a une origine plus ancienne et il serait possible de la faire remonter à la quatrième décennie du même siècle, lorsque se produisirent les premiers transferts de la Terre Sainte en l'Europe.

30. Ville et golfe d'Haïfa. Nocturne sur la ville et sur le golfe. Au fond, les lumières du littoral qui se prolonge au-delà d'Akko, jusqu'à la frontière libanaise.

30

31. Haïfa. Monastère Stella Maris. Fresque de Frère Louis Poggi (1926-1928), Carme Déchaux maltais. «Elie emporté au ciel dans un char de feu, jette son manteau à Elisée», *en signifiant par là la communication de son esprit à son successeur et à ses disciples.*

«Pour témoigner de la vérité, nous affirmons que, depuis le temps des prophètes Elie et Elisée, qui vécurent dévotement sur le Mont Carmel, de saints Pères de l'Ancien et du Nouveau Testament, épris de la solitude de ce mont propice à la contemplation des choses célestes, là, près de la Source d'Elie, vécurent louablement, dans une sainte pénitence. Cette vie d'austérité fut poursuivie sans interruption à travers les générations suivantes. Au temps d'Innocent III, Albert, patriarche de l'Eglise de Jérusalem, les réunit en un même groupe et écrivit pour eux une règle que le pape Honorius, successeur d'Innocent, et beaucoup de leurs successeurs confirmèrent pieusement par une bulle en approuvant leur Ordre. Nous, qui suivons leur exemple jusqu'à ce jour en professant cette règle, nous servons le Seigneur dans toutes les parties du monde».

Ce texte présente donc d'une manière claire et concise ce qui sera une constante de la conviction intime des Carmes: en commençant au temps d'Elie, une suite ininterrompue de religieux ses disciples, ont perpétué sur le Mont Carmel la présence du prophète jusqu'aux temps actuels.

Les continuateurs du prophète

Le texte de la première Rubrique ne répondait pourtant qu'à la question concernant les origines de l'Ordre, en laissant dans l'obscurité un laps de temps d'environ 2000 ans, d'Elie au pontificat d'Innocent III. La chronique *Universis christifidelibus,* oeuvre d'un auteur anonyme du début du XIVe siècle, adressée à tous ceux qui désiraient en savoir plus sur les origines des Carmes, chercha à remplir un autre grand vide. Et elle le fit, effectivement, en adaptant à ses besoins, par une méthode très personnelle, une série de documents disparates dont les lacunes étaient comblées d'une façon totalement arbitraire.

Selon cette chronique, l'histoire des Carmes se divise en trois parties: d'Elie à la venue du Christ, du Christ à Albert de Jérusalem, d'Albert au temps de l'écrivain. Si l'on s'en tient à cette construction, les disciples d'Elie qui, en vrais Israélites attendaient la venue du Messie, auraient accouru pour écouter la prédication de Jésus, en s'établissant à Jérusalem près de la porte de Sainte-Anne. Quand, sur l'ordre de Vespasien et de Titus, la ville fut détruite, les Romains les auraient épargnés par respect pour le Christ. Leurs successeurs, à qui l'on applique un texte de la Lettre aux Hébreux (11/37-38) qui se rapporte aux justes de l'Ancien Testament, se seraient dispersés dans le monde: «Ils sont allés çà et là, sous des peaux de moutons et des toisons de chèvres, dénués, opprimés, maltraités, eux dont le monde était indigne, errant dans les déserts, les montagnes, les cavernes, les antres de la terre», jusqu'à 1200. Ils se seraient en particulier fixés autour d'Antioche quand l'apôtre Pierre y établit son siège épiscopal.

Ensuite, un certain Jean, patriarche de Jérusalem, frère du même Ordre, leur aurait ordonné d'observer une règle écrite par les Pères de l'Eglise Paulin et Basile. Et ils seraient restés ainsi jusqu'à ce qu'Albert, patriarche de Jérusalem, rassemblât les frères dispersés et les soumît à l'obéissance de l'un d'entre eux.

Un texte contemporain du précédent, lui aussi anonyme mais provenant de milieux dominicains, précise que, vers la moitié du XIIe siècle, le Français Aymeric de Malafay, patriarche d'Antioche, aurait réuni les ermites du Mont Carmel en

32. Speculum Carmelitanum, *tome I, Anvers 1680, p. 50. Elie «excellent patriarche, prophète très saint, prêtre suprême, premier moine, fondateur de la vie monastique, premier dévot et imitateur de la Vierge, futur précurseur du Christ, apôtre et martyr».*

33. Speculum Carmelitanum, *tome I, Anvers 1680, p. 58. Elie, par inspiration divine, se retire dans la solitude: «Eloigne-toi d'ici et va vers l'Orient et cache-toi près du torrent Kérit».*

32

33

une organisation plus tard perfectionnée par Albert, patriarche de Jérusalem. Les ermites avaient construit près de la Source d'Elie une église en l'honneur de la Madone.

Ces maigres éléments, pour la plupart fictifs, constituent le fondement à partir duquel les écrivains Carmes eurent le souci constant de mettre en évidence le lien qui unit l'Ordre et Elie, en créant une succession ininterrompue d'ermites, laquelle se déroule à travers l'Ancien et le Nouveau Testament. C'est le procédé qui les amena à affirmer qu'Elie était leur fondateur.

Elie et Marie

Dans son opuscule *Speculum de institutione ordinis,* écrit au début du XIVe siècle, le Carme anglais John Baconthorpe tenta pour la première fois d'unir les deux traditions de l'Ordre: celle qui se rattache à Elie, celle qui se rattache à Marie. S'appuyant sur deux textes d'Isaïe, le premier (7/14) dans lequel le prophète annonce la naissance de l'enfant de la vierge, et un second (35/1-2), en fait adressé à la ville de Jérusalem, mais appliqué à Marie par beaucoup d'auteurs spirituels, et dans lequel il est affirmé que «lui est donnée la splendeur du Carmel», Baconthorpe fait de la Madone la Patronne du Mont.

Rois et prophètes accomplirent leurs exploits sur le Carmel: le Carme suppose que ce fut en l'honneur de Marie. En conséquence, l'Ordre du Carmel lui-même aurait été fondé en ce lieu au temps d'Elie et d'Elisée, dans le but d'y perpétuer le culte de la Vierge, Patronne du Mont. Et puisque ces prophètes, conclut Baconthorpe, habitaient le Carmel dédié à la vénération de la Bienheureuse Marie, en toute justice, les Carmes devaient aussi porter le nom de la Bienheureuse Marie.

Jean de Cheminot, un Carme lorrain, qui écrivit vers 1350 un *Speculum fratrum ordinis beatae Mariae de Monte Carmeli,* inaugura l'union du thème d'Elie et du thème de Marie, confondant les deux personnages dans leur relation au Mont Carmel. Si l'on s'en tient à l'opinion de Cheminot, Elie et Marie auraient été membres de la tribu d'Aaron et auraient fait voeu tous deux de virginité. De même qu'Elie habita sur le Mont Carmel, ainsi Marie se rendit souvent parmi les religieux qui y demeuraient, Nazareth se trouvant à proximité du Mont. Après l'Ascension du Seigneur, en souvenir de ces visites de Marie, les ermites construisirent une église en son honneur, à côté d'une source près de laquelle Elie avait résidé. Quelques siècles plus tard, de cette église, les ermites du Carmel tirèrent leur nom.

34

35

A partir des textes de Jérôme et de Cassien qui font d'Elie et d'Elisée les initiateurs de la vie religieuse, le même Jean de Cheminot forgea une succession dont font partie le prophète Jonas, identifié comme le fils de la veuve de Sarepta ressuscité par Elie, le prophète Abdias et Jean-Baptiste. Le fait d'avoir appliqué à l'Ordre, concrètement, tout ce que Jérôme et Cassien avaient dit de la vie religieuse en général, ouvrit la route à l'affirmation de l'appartenance au Carmel de n'importe quel personnage de l'Ancien et du Nouveau Testament qui aurait eu d'une manière ou d'une autre quelque rapport avec le monachisme.

Le manteau d'Elie

Le Carme français, Jean Fillons de Venette, qui écrivit dans la seconde moitié du XIVe siècle, enrichit aussi la tradition ci-dessus d'éléments nouveaux. De Jean de Cheminot il hérita le symbolisme du manteau à bandes verticales blanches et grises, porté par les Carmes pendant presque tout le XIIIe siècle, remplacé en 1287 par le manteau entièrement blanc encore en usage aujourd'hui. Les deux couleurs indiquaient le double état des Carmes: chasteté et pénitence. Les sept bandes symbolisaient les trois vertus théologales (les noires) et les quatre vertus cardinales (les blanches). Jean de Venette explique ensuite l'origine des bandes: quand Elie fut emporté au ciel dans le char de feu, il jeta son manteau à Elisée. En passant à travers les flammes, la partie exposée des plis aurait bruni. Avec ce manteau, Elisée, selon le récit biblique, divisa les eaux du Jourdain, signe que l'esprit d'Elie, selon son désir, lui avait été transmis. A partir de ce jour, ses disciples commencèrent à porter un manteau semblable.

Les affirmations de tous ces auteurs constituent le noyau central de la tradition élianique propre aux Carmes, selon laquelle il exista une succession ininterrompue d'ermites d'Elie jusqu'au temps d'Albert de Constantinople. En développant cette théorie, les Carmes acquirent la conviction d'être fils d'Elie d'une manière tout à fait différente des autres moines qui considéraient le prophète comme leur initiateur et leur modèle.

34. Speculum Carmelitanum, *tome I, Anvers 1680, p. 60. Elie, retiré près du torrent Kérit, éduque ses premiers disciples à la vie monastique.*

35. Speculum Carmelitanum, *tome I, Anvers 1680, p. 84. Elie bâtit un oratoire sur le Carmel, où il réunit trois fois par jour ses disciples pour chanter avec eux les louanges de Dieu.*

36. Speculum Carmelitanum, *tome I, Anvers 1680, p. 82. Elie conduit Elisée et ses autres disciples au Mont Carmel où il fonde l'Ordre des Carmes en l'honneur de la Vierge Marie, qu'il a entrevue dans le nuage.*

37. Speculum Carmelitanum, *tome I, Anvers 1680, p. 72. Elie voit dans le nuage montant de la mer la Vierge exempte du péché originel, celle qui donnera le jour au Rédempteur.*

36

37

Monachisme carmélitain

On doit un approfondissement ultérieur au Carme catalan Felipe Ribot, qui écrivit vers la fin du XIVe siècle les *Libri decem de institutione et peculiaribus gestis religiosorum carmelitarum.* Il s'agit d'une oeuvre qui veut unir histoire et spiritualité, même si l'auteur utilise une conception de l'histoire fort particulière! En suivant l'exemple de certains de ses confrères et en se basant sur une affirmation d'Isidore de Séville, qui fait dériver d'Elie et de ses disciples la vie monastique, en établissant en outre une série de critères qui lui sont personnels, Ribot permet de rattacher aux Carmes tous les personnages qui eurent quelque rapport avec le monachisme.

D'autres auteurs, après lui, développèrent encore plus ce thème, transformant en Carmes tous les moines qui, à cause de leur profession de vie monastique, avaient été disciples d'Elie, soit par imitation, soit par imitation et succession à la fois. Ainsi introduisirent-ils dans l'Ordre saint Jean-Baptiste, les patriarches des moines: Antoine et Hilarion, l'évêque d'Alexandrie Cyrille qui avait été, au concile d'Ephèse de 431, parmi les promoteurs du titre de Mère de Dieu reconnu à la Vierge Marie.

La doctrine traditionnelle trouva une formulation achevée dans les oeuvres historiques du XVIIe siècle qui, pour décrire les événements de l'Ordre, partent toujours d'Elie. Une section particulière est occupée par les dites Histoires des prophètes, qui arrivent à reconstruire la présumée liste complète des supérieurs généraux de l'Ordre ininterrompue depuis Elie jusqu'au temps de l'écrivain.

L'application de la critique historique débutante aux légendes hagiographiques, due à l'action des Bollandistes au XVIIe siècle, donna un premier coup à la crédibilité de telles élucubrations. Pourtant, il fallut attendre le XXe siècle pour qu'elles fussent remises à la place qui leur convenait: celle de pures légendes.

L'esprit d'Elie

Cependant, l'échafaudage historique, édifié avec des éléments douteux et en conséquence destiné à s'effondrer, soutenait un idéal de vie, un point de référence, le même qui avait poussé les premiers ermites latins à se réunir près de la Source d'Elie. C'est pourquoi, à côté des écrits à prétentions historiques, il en existe d'autres, de type doctrinal, qui présentent l'esprit d'Elie comme modèle de vie pour le Carme.

Dans cette optique, l'oeuvre de Ribot que nous avons évoquée plus haut se révèle très importante. Le premier volume de la collection, intitulé *De institutione et peculiaribus gestis primorum monachorum,* occupe dans la tradition carmélitaine une place si importante qu'il a été considéré pendant un certain temps comme la règle primitive du groupe dont se serait inspiré Albert de Jérusalem.

Ce texte est présenté comme l'oeuvre d'un certain Jean XLIV, évêque de Jérusalem, ex-ermite du Mont Carmel, qui s'adresse à Caprais, supérieur des ermites, son ancien compagnon, dans l'intention de lui décrire le début, les modalités et le lieu dans lesquels naît l'institut.

Elie est placé au centre de l'oeuvre. Il est considéré comme le premier moine, duquel la vie monastique tirerait son origine. Utilisant les méthodes de l'exégèse médiévale, l'auteur commente le texte par lequel la Bible commence à raconter l'épopée d'Elie. «Il lui fut adressé cette parole du Seigneur: Va-t'en d'ici, dirige-toi vers l'Orient; cache-toi près du torrent Kérit, qui est à l'Est du Jourdain. Là tu boiras au torrent et les corbeaux, sur mon commandement, t'apporteront ta nourriture» (1Rois 17/2-3). La marche et le fait de se cacher près du torrent sont interprétés comme l'effort humain effectué au moyen de l'exercice des vertus et accompagné de la grâce divine, à travers lequel le moine offre à Dieu un coeur saint et purifié de toute tache de péché. Arrivé à ce point, le don de Dieu permet de «boire au torrent», c'est-à-dire de savourer dans sa propre âme la présence divine.

La consigne donnée à Elie, chef et prince des moines, a une valeur exemplaire pour tous ses imitateurs. Les paroles bibliques qui lui sont adressées sont commentées et deviennent la structure portante de l'itinéraire du moine: «Va-t'en d'ici (c'est-à-dire de la réalité caduque du monde qui passe), dirige-toi vers l'Orient (c'est-à-dire travaille contre la naturelle concupiscence de ta chair), cache-toi près du torrent du Kérit (tu ne dois pas habiter dans les villes avec les autres gens), qui est à l'Est de Jérusalem (sois séparé, par la charité, de tout péché)». Si tu montes à la cime de la perfection prophétique, en dépassant ces quatre degrés, «là tu boiras au torrent». Et pour que tu puisses persévérer, «les corbeaux, sur mon commandement, te porteront ta nourriture».

Ainsi est tracé un itinéraire composé de quatre étapes que l'auteur décrit en détail selon les modalités attribuées à Elie. Il se déroule en partant de l'abandon des biens terrestres et à travers la mortification des passions et la recherche de la solitude, il conduit le moine à vivre dans la charité, selon les exigences de l'amour de Dieu et du prochain, pour le faire parvenir à la claire connaissance de Dieu.

Sens d'une évolution

Dans le prologue de la *Vie de saint Paul, premier ermite,* saint Jérôme rapporte les termes de la discussion sur les origines du monachisme et il rappelle la théorie de ceux qui faisaient d'Elie et de Jean-Baptiste les initiateurs du monachisme. Jean-Baptiste est en effet présenté par l'Evangile sous l'aspect d'un ermite, vêtu de poils de chameau, nourri de sauterelles et de miel sauvage; il vécut dans le désert jusqu'à ce qu'il se manifestât à Israël. Du moment que Jean-Baptiste fut désigné par Jésus comme le nouvel Elie, on en déduisit qu'Elie dut en quelque manière vivre dans le désert compris dans le sens le plus ample de lieu de solitude. Et parce que le Livre des Rois associe Elie au Mont Carmel, celui-ci fut bien vite désigné comme le lieu de son ermitage. Au IVe siècle, la tradition était déjà fixée. Cassien, parlant des ermites qui vivent dans une profonde solitude, affirme qu'«ils sont les imitateurs de saint Jean-Baptiste qui resta toute sa vie dans la solitude, suivant l'exemple d'Elie et d'Elisée».

Le développement du monachisme parsema de cénobites les lieux qui rappelaient la présence des personnages bibliques. Aussi le Mont Carmel, la région de Jéricho et le désert de Juda se peuplèrent-ils. Ces nouveaux habitants développèrent une «topographie sacrée» qui localisait des épisodes vrais ou imaginaires de la vie d'Elie et d'Elisée le long des versants de la montagne. L'Anonyme de Plaisance, par exemple, aux environs de 570, situe la visite de la Shunamite à Elie dans le monastère qui porte son nom sur le Mont Carmel.

Une fois acquis le passage d'Elie du monde biblique hébraïque au monde monastique grec, les écrivains carmélitains durent transférer le personnage d'Elie du monachisme grec au monachisme latin. L'auteur de la lettre de saint Cyrille insérée dans la collection de Ribot suppose que le Mont Carmel a continué à être

38

38. Haïfa, Monastère Stella Maris. Fresque de Frère Louis Poggi (1926-1928), Carme Déchaux maltais, qui représente une visite de la Sainte-Famille aux ermites du Mont Carmel. *C'est la représentation d'une légende médiévale qui exprime le vif désir d'intimité avec Marie, propre au Carmel.*

peuplé de moines grecs, vivant sous une règle écrite pour eux par Jean XLIV, patriarche de Jérusalem, jusqu'à ce que les Croisés aient fait la conquête de la Terre Sainte. Alors les pèlerins occidentaux se mêlèrent aux moines grecs, en provoquant de ce fait une crise: ils ne connaissaient pas le grec et ne pouvaient observer à la perfection les préceptes de la règle. C'est pourquoi Aymeric, patriarche d'Antioche, aurait fait traduire en latin la règle de Jean de Jérusalem et transféra ensuite l'autorité des Grecs aux Latins, en nommant un certain Bertoldo, son parent, prieur des ermites du Mont Carmel. Telle devait être la situation au moment où Albert, patriarche de Jérusalem, écrivit sa formule de vie.

La tradition élianique élaborée par les Carmes révèle donc une logique interne cohérente: surgie à cause de la nécessité de justifier une existence, elle souligne avec force les liens qui l'unissent à la tradition monastique précédente, à travers le critère de la succession ininterrompue, jusqu'à remonter à celui que tous considéraient comme leur souche commune: Elie, le prophète de feu.

La statue du prophète Elie dans la basilique du Vatican

En 1668, les supérieurs généraux des principaux ordres religieux demandèrent à la Congrégation de l'Oeuvre de St-Pierre la permission de placer, dans les niches encore vides des piliers de la basilique vaticane, les statues des fondateurs de leurs instituts respectifs. La demande fut acceptée et les responsables de la Fabrique se réservèrent le droit d'attribuer les niches. La première statue installée fut celle de saint Dominique de Guzman, fondateur des Dominicains, en 1706; ensuite celle de François d'Assise en 1725 et enfin celle d'Elie.

Le 26 Juin 1725, Benoît XIII accorda aux Carmes l'autorisation de mettre dans la basilique vaticane la statue d'Elie, entre celle de saint Dominique et celle de sainte Hélène, en apposant à son piédestal l'inscription suivante: «Universus Ordo Carmelitarum Fundatori suo S. Eliae Prophetae erexit». (L'Ordre des Carmes tout entier érigea (la statue) de son fondateur). Les dépenses nécessaires à la fabrication et à la mise en place devaient être à la charge de l'Ordre du Carmel.

Pour l'exécution de l'oeuvre, les Carmes s'adressèrent au sculpteur Agostino Cornacchini, artiste très connu à Rome au début du XVIIIe siècle. Il était né à Pescia, en Toscane, le 26 Août 1686 et avait commencé à travailler à Rome en 1712.

Le contrat avec ce sculpteur fut signé le 23 Juillet 1725. Les Carmes étaient représentés par les Procureurs généraux des Observants et des Déchaux des Congrégations d'Espagne et d'Italie. L'artiste s'engagea à sculpter et à mettre en place la statue avant deux ans et demi. Les dépenses — au total 3800 écus romains — furent acquittées en parts égales par les grands Carmes et les Déchaux.

A la mi-Juillet 1727, l'oeuvre fut installée dans sa niche et solennellement inaugurée. Les Carmes célébrèrent l'événement du 13 au 20, fête liturgique du prophète.

La mise en place de la statue dans la basilique vaticane termina une longue controverse dont l'Ordre du Carmel avait été protagoniste. Au XVIIe siècle, la tradition historiographique de l'Ordre avait établi qu'Elie était l'origine directe des Carmes — et aussi que l'Ordre s'était perpétué sans interruption depuis le temps du prophète. Toutefois, les premiers exemples de critique historique appliqués aux sources hagiographiques ébranlèrent cette théorie. En particulier, un groupe de Jésuites, les Bollandistes, à partir de 1643, commença à publier les Acta Sanctorum, *dans le but de discerner les textes authentiques de ceux qui n'étaient que légendaires. Dans le volume paru en Avril et qui traitait d'Albert de Jérusalem, le bollandiste Daniel Papenbroeck exprima des doutes au sujet des origines prétendues des Carmes. Ceux-ci, en 1691, dénoncèrent son oeuvre à l'Inquisition. Il s'ensuivit une période de polémique au moyen de libelles, qui se termina en 1695 par la condamnation de 14 volumes des* Acta Sanctorum *par l'Inquisition Espagnole.*

Cette décision n'apaisa point la polémique au cours de laquelle Carmes et Bollandistes en appelèrent au roi d'Espagne Charles II. Dans l'impossibilité de décider en faveur de l'une ou l'autre des parties, le pape Innocent XII, le 20 Novembre 1698, promulgua la Bulle Redemptoris, *par laquelle il imposait silence aux deux groupes adverses, sans toutefois prendre position.*

En permettant de placer la statue d'Elie dans la basilique St-Pierre, Benoît XIII dérogea expressément à la disposition de son prédécesseur Innocent XII, ce qui apparut aux yeux de nombreux contemporains comme une approbation implicite de l'opinion traditionnellement défendue par les Carmes.

Silvano Giordano

39. Cité du Vatican, Basilique Saint-Pierre, *Statue de saint Elie,* oeuvre d'Augustin Cornacchini, placée en 1727.

P. Nilo
Geagea

Charisme et Spiritualité mariale du Carmel

Fascinante, plus encore que réconfortante, est à nos yeux la variété dans l'unité qu'offre la praxis du culte marial dans les instituts religieux au sein de l'Eglise. Parmi tous ceux qui s'y adonnent avec un grand zèle et occupent le premier rang dans cette vénération, les Carmes occupent une place d'honneur, sans pourtant porter ombrage à personne. Leur Ordre se proclame totalement marial, selon l'axiome traditionnel: *Totus marianus est Carmelus.*

La première fois que l'Ordre se mit en devoir de justifier officiellement sa dénomination mariale, ce fut dans la Première Rubrique des Constitutions promulguées à Barcelone en 1324. Il le fit en employant trois verbes: *construxerunt, elegerunt, vocati sunt.* C'est-à-dire: ils *construisirent* sur le Mont Carmel une chapelle en l'honneur de la bienheureuse Vierge, ils se *choisirent* Marie comme titulaire et patronne, et ils *prirent le nom* de «Frères de la bienheureuse Marie». Trois verbes, étroitement liés comme cause et effet, qui désignent ensemble une même réalité riche d'un triple support historique, psychologique, juridique. Cette motivation emblématique, adoptée officiellement par nos prédécesseurs, est de la plus grande importance, parce qu'elle expose, en termes nets et concis, le concept de base des rapports du Carmel avec Marie.

40

40. *Sienne, Eglise de Saint-Nicolas: la* Madone avec l'Enfant. *Selon la tradition, les Carmes l'auraient apportée avec eux d'Orient.*

Le sujet [de cet article] concerne donc, directement, l'influence vitale du charisme carmélitain sur la représentation de la spiritualité mariale du Carmel. Il se propose de mettre en relief les phases successives de son incidence à travers deux articulations fondamentales: le caractère spécifique du charisme carmélitain considéré comme cause; le développement du culte marial sous son influence, considéré comme effet.

Le charisme carmélitain

Quant à leurs origines historiques, les Carmes se trouvent dans une condition d'infériorité par comparaison avec d'autres religieux plus chanceux. Ils n'ont pas la joie de savoir qui a été leur vrai, leur historique fondateur. Ils en ignorent même le nom. On connaît encore moins quel fut son charisme personnel. Il y a bien peu à tirer de la documentation certaine. Le tout se réduit à peu près à ces quelques données: Dans la seconde moitié du XIIe siècle, en une année non précisée, quelques anonymes «palmieri», c'est-à-dire pèlerins en Terre Sainte — «Devoti Deo peregrini» — s'installèrent au Mont Carmel, à côté de la Source d'Elie, avec l'intention d'y vivre «laudabiliter in sancta

41

41. Tolède, Eglise de Saint-Pierre martyr. Marie, Mère et Beauté du Carmel. *Détail d'un tableau provenant très probablement du couvent du Carmel disparu. Marie, par son action multiforme, protège l'Ordre qui lui est dédié. En dessous, à gauche, Elie, revêtu de l'habit des Carmes, montre aux fils de prophètes le petit nuage, figure de Marie Immaculée. Au centre, le blason de l'Ordre. A droite, on construit, sur le Mont Carmel, près de la Source d'Elie, la première église dédiée à Notre-Dame.*

penitentia», dans un style rigoureusement érémitico-contemplatif. Leur toute première inspiration fut une tension résolument verticale — théocentrique, christologique — pleine de foi, d'espérance et de charité. Plus tard, elle s'enrichira d'une tension horizontale — la praxis du ministère apostolique — avec l'introduction de l'institut parmi les ordres «mendiants».

La tension verticale ne se perdra jamais au cours des siècles; au contraire, elle connaîtra un essor si florissant qu'elle donnera naissance à une spiritualité typique, et même à une «école de spiritualité» dirigée par deux docteurs de l'Eglise — Thérèse de Jésus et Jean de la Croix —, «deux grands maîtres de la mystique catholique», comme les a définis Paul VI. Les coordonnées constitutives du charisme carmélitain sont deux, nous l'avons dit. Pourtant le but que nous poursuivons [dans cet article] n'est concerné directement que par le premier composant, le vertical.

Le charisme carmélitain s'étant révélé lentement, son influence vitale dut être graduelle et progressive. Disons pour être précis qu'elle fut en proportion directe des apports successifs d'une expérience religieuse intensément vécue. Le provin-

42

42. Tolède, Eglise de Saint-Pierre martyr. Partie centrale du grand tableau, à sujet marial et carmélitain. Marie intercède auprès de son Fils en faveur des membres de son Ordre: «Fils, par ce sein que tu as sucé, aie pitié de mes fils et libère-les des peines», «Mère, qu'il advienne ce que tu as demandé».

cial catalan Philippe Ribot, vers la fin du XIVe siècle, nous fournit une formulation suggestive de sa pleine configuration. Il s'exprime en ces termes: «Double est le but proposé aux fils d'Elie. L'un consiste à offrir au Seigneur un coeur pur, exempt de toute tache de péché actuel. Et c'est un but que l'on peut atteindre — avec l'aide de Dieu — par notre effort personnel déployé dans la pratique de la vertu et modelé par la charité. L'autre, au contraire, dépasse nos forces et consiste dans le fait de pouvoir nous-mêmes — grâce à la divine condescendance — expérimenter, en quelque mesure, la force de la divine présence et goûter, au plus intime de notre être, la douceur de la béatitude éternelle, non seulement après notre mort, mais dès cette vie mortelle».

Une limite transcendante, à atteindre au moyen d'une puissante charge de dynamisme théologal. Elle a tant d'importance dans la tradition spirituelle de l'Ordre qu'elle ne peut jamais être ignorée, éliminée, remplacée. C'est une limite pourtant qui se révèle également immanente, à travers des réflexes psychologiques, vécus de façon existentielle par les saints du Carmel et qu'il est facile de retrouver dans les oeuvres des auteurs carmélitains.

Je me souviens toujours des trois suivantes: une tendance marquée pour l'intériorité; une recherche passionnée de familiarité (avec Dieu); une ardente aspiration à l'intimité. Trois attitudes qui influencèrent et conditionnèrent à fond la vie intérieure des frères, au point de provoquer une spiritualité mariale spécifique du Carmel; plus qu'une dévotion mariale générale dans l'Ordre du Carmel, ce fut une dévotion typiquement «carmélitaine» à la Bienheureuse Vierge.

Trois attitudes — et j'ai le devoir de le signaler — qui atteignent leur pleine satisfaction dans le secteur de l'expérience mystique, cime suprême du charisme carmélitain. Elles trouvent également une satisfaction analogue dans une expérience mystique de Marie même, expérience dont sont favorisés les contemplatifs particulièrement privilégiés.

Développement organique

La tension verticale — théocentrique — des premiers Pères s'affirma dans la pratique par trois manifestations cultuelles, qui eurent à leur tour chacune une évolution personnelle:

— une orientation christologique qui conduisit à l'exigence d'un *obsequium* à rendre au Christ, *Dominus* de la Terre Sainte, selon la mentalité féodale du temps, qui stimula le Carme à se rendre semblable à son Seigneur, surtout dans ses deux profils: l'orant et le souffrant;

— une orientation élianique, suggérée, si ce n'est par des contacts directs avec une spiritualité orientale, plus probablement par le voisinage de la Source d'Elie. Pourtant, une interprétation erronée provoqua d'âpres controverses et fit couler en vain des fleuves d'encre;

— une orientation mariale dont nous nous proposons de nous occuper plus loin.

Point fixe qui est aussi notre point de départ: une conjoncture historiquement certifiée, explicitement affirmée par plusieurs de nos écrivains, c'est une dévotion particulière pour Marie que nos premiers ermi-

43

43. Haïfa, Monastère Stella Maris, Frère Louis Poggi. Le privilège du Samedi. *Le scapulaire du Carmel est signe de la protection de Marie.*

tes cultivèrent avec amour. La preuve apodictique est donnée par le fait qu'au moment de choisir un «titulaire» pour l'oratoire à construire — réalisation rapide d'une prescription de la règle de vie qui leur avait été accordée par Alberto degli Avogadro, patriarche de Jérusalem — ils n'eurent pas la moindre hésitation: ils optèrent pour Marie. Choix préférentiel de la plus grande importance, spécialement si on l'évalue à la lumière du contexte féodal de l'époque.

Au-delà de la légitimation de leur dénomination *«Fratres beatae Mariae»* — conforme à l'aphorisme canonique: «Ex Ecclesia, cuius sunt ministri denominantur religiosi» — ce geste sélectif et dédicatoire jeta dans le sillon fertile du culte marial une nouvelle semence, destinée à devenir un arbre vigoureux, gigantesque, telle qu'est, de nos jours, «la dévotion à Ste Marie du Carmel» — «la dévotion au scapulaire du Carmel», que Pie XII n'hésita pas à déclarer très répandue parmi les fidèles. Et Paul VI la proclama «dévotion ecclésiale», catholique, oecuménique.

Cette minuscule semence — «grain de moutarde» — non seulement marqua les débuts historiques de la spiritualité mariale du Carmel, mais elle en renfermait le contenu spécifique. En vertu de son dynamisme inné, cette semence devait croître; et sa croissance, son développement vital ne pouvaient s'effectuer sans avoir d'abord subi l'incidence de facteurs très précis: avant tout, du donné doctrinal, commun à toute expression authentique du culte marial, ensuite, du charisme carmélitain qui façonna son contexte spécifique.

L'influence de ce second facteur dut être inévitable et déterminante. En effet, le culte marial, quand il a germé dans le cercle d'un institut religieux, est comparé à une fleur de serre plutôt qu'à une fleur des champs: une fleur tendrement soignée et qui tire sa sève d'un humus sélectionné. Tel est, en définitive, le *propositum* ou charisme du fondateur, la toute première inspiration, continuée par les frères de cet institut, en syntonie avec leur fondateur.

Venons maintenant aux phases qui articulèrent successivement ce développement vital.

Marie, «sainte patronne»

Pendant tout le XIIIe siècle — première période de notre histoire — , le charisme carmélitain n'ayant pas encore atteint sa pleine maturité ni sa pleine réalisation, la piété mariale du religieux fut nettement conditionnée dans ses modalités par un facteur extérieur, alors dominant, la mentalité féodale. Ayant posé cette hypothèse, nous pouvons expliquer pourquoi nos premiers frères vénérèrent en Marie la «Domina», en la considérant Dame, Souveraine, Sainte-Patronne et bien entendu Avocate.

Ennemis des sentiments superficiels, portés comme par instinct à l'intériorité, nos frères s'engagèrent à mûrir deux convictions solides: la première, leur totale appartenance à Marie, la seconde: la conviction d'avoir été institués dans le but de servir Marie.

D'abord une appartenance pleine, inconditionnée, irréversible à la bienheureuse Vierge. Elle était avalisée solidement, au-delà de la dédicace de leur premier oratoire, par leur consécration personnelle, exprimée au moment de leur profession religieuse, qui était adressée directement à Dieu et à «la bienheureuse Marie du Mont Carmel». Ils promettaient

44. *Haïfa, Monastère Stella Maris, Frère Louis Poggi.* Apothéose céleste avec Marie parmi les saints de l'Ordre du Carmel.

en termes explicites, seulement «l'obéissance» ; et l'obéissance, synonyme de la discipline monastique, caractérisait tout le cours de leur vie terrestre.

En pratique, cette appartenance embrassait l'Ordre tout entier, dans toute sa dimension, matérielle et spirituelle, de façon à revendiquer pour Marie une complète domination sur le Carmel, et à la constituer *Domina loci* dans toute la force du terme: Dame du Carmel, sa Souveraine, sa Patronne par antonomase.

La beauté du Carmel était sienne; elle lui avait été donnée par une disposition divine: «Datus est ei decor Carmeli». Siens étaient donc les couvents de l'Ordre, siennes les églises, siens le scapulaire, habit de l'Ordre, le manteau blanc caractéristique de l'Ordre; siennes d'une façon spéciale les personnes qui composent l'Ordre; siens Elie et Elisée et leurs innombrables successeurs. Bref, le Carmel est la «famille» de Marie; il est sa possession, sa propriété privée, il est son fief, espace d'une domination qu'on ne peut lui disputer.

Seconde conviction: une finalité résolument mariale, du fait que l'Ordre, par institution d'origine, est tenu à promouvoir une intense vénération de la Mère de Dieu. Etant à la fois souveraine et sainte patronne incontestable, non seulement tout l'ensemble structuré du Carmel doit concourir à son honneur, mais aussi toutes les oeuvres, tous les travaux des fils du Carmel. A elle revient tout ce qui de noble, de bon, de saint germe dans les plates-bandes du Carmel, depuis les origines et au cours des siècles, sans aucune soustraction, au point de devoir la considérer comme l'objectif final, déterminant, de l'«*implantatio*» même de l'Ordre.

Cette conviction se manifesta dès 1282, promue par un Prieur général, Pierre de Millau; et un lustre plus tard, en 1287, elle apparut clairement lors d'un Chapitre général qui eut lieu à Montpellier.

Dans la première moitié du siècle suivant, vers 1327, John Baconthorpe n'hésita pas à composer un opuscule relatif à cette dévotion et publié sous le titre symptomatique: *De institutione Ordinis Carmelitarum ad venerationem Mariae Deiparae.*

Marie, «mère»

Un sensible passage à une plus grande familiarité se produisit dans les premières décennies du XIVe siècle, sous la pression du charisme carmélitain, arrivé désormais à la plénitude de sa maturité et de sa réalisation. A un certain moment de leur expérience religieuse, nos frères durent percevoir un malaise aigu dans leurs rapports avec la bienheureuse Vierge Marie. Le besoin d'une appellation plus «sentie» leur fit entrevoir en un éclair qu'aussi bien le «patronage» de Marie — concomitant à la profession religieuse, contingence analogue à la *stipulatio* juridique des usages féodaux — que le comportement de serviteurs, qui en résultait pour eux, était désormais insuffisant, sans proportion avec leurs aspirations actuelles. C'est pourquoi ils ne tardèrent pas à reconnaître en Marie plus une mère qu'une suzeraine et à se considérer eux-mêmes plus fils que vassaux, effectuant ainsi un changement d'itinéraire (spirituel) afin d'aboutir à des relations plus spontanées, plus intimes, plus tendres avec leur Sainte Patronne. De cette manière, leur spiritualité se trouve ultérieurement consolidée

45

45. *Sienne, pinacothèque nationale, Pietro Lorenzetti, Retable du Carmel, XIVe siècle. Détail avec* Notre-Dame entre saint Nicolas et le prophète Elie.

par une authentique base d'intimité, un lien de mère à fils...

Si l'on s'en tient à la documentation qui nous est parvenue, le fondement de cette nouvelle relation doit être recherché dans l'influence exercée par Marie, exemple éminent de perfection. Son exemple de vertu s'offre au Carme afin d'en être reçu, imité, assimilé. Nos frères eurent l'intuition de trouver là l'équivalence de la transmission d'un début de vie; une transmission analogue à la communication de la cellule germinale, qu'une femme donne au fruit futur de son sein, dont elle devient ainsi physiologiquement mère. Pareillement, en offrant au Carme son propre exemple pour qu'il en fasse sa règle de vie, Marie devient spirituellement sa Mère.

Dans ce cas aussi, nos anciens, par un génial retour sur le passé, arrivèrent à étendre cette influence typiquement maternelle de Marie aux débuts mêmes de l'Ordre, à son institution et proclamèrent résolument la bienheureuse Vierge véritable mère, non seulement des membres de leur communauté, mais aussi de toute la collectivité, en la vénérant comme «Mère du Carmel».

Pourtant, le plus surprenant est qu'une telle conviction — une fois franchi le seuil du cloître — fut officiellement partagée et reçue par le Magistère de l'Eglise, comme en apporte la preuve, le premier, Sixte IV dans sa Bulle *Dum attenta meditatione* du 28 Novembre 1476.

En tant que mère, et mère depuis l'origine, Marie est logiquement saluée par nos Pères avec les titres de «institutrice», «législatrice», «fondatrice» — et fondatrice première et principale — de l'Ordre du Carmel. D'une manière analogue, le prophète Elie, en raison de son remarquable exemple de contemplatif et de zélé défenseur de la foi, fut proclamé père et fondateur de l'Ordre.

Marie, «soeur» et «consoeur»

Pas encore satisfaits de leur nouvelle relation «mère-fils» et poussés par le désir d'une plus grande intimité, quelques-uns de nos frères n'hésitèrent pas à aller plus loin, jusqu'à voir en Marie une soeur authentique, une véritable consoeur. Tous n'adoptèrent pas indistinctement ces deux qualifications qui cependant rencontrèrent une large sympathie, spécialement dans la partie franco-belge de l'Ordre. Dans ce cas aussi, la motivation de fond est celle-là même de la relation précédente, c'est-à-dire l'exemplarité de Marie. Il existe néanmoins une légère différence qui ne doit pas être négligée.

Dans son rôle de mère, l'exemplarité de Marie agit activement, comme cause influente: cause qui transmet un germe vital qu'il convient d'assimiler par l'imitation. Dans son rapport fraternel avec les Carmes, au contraire, Marie est contemplée passivement, dans son effet dérivant, l'affinité spirituelle qui résulte de l'engagement d'imitation. Il ne faut pas cacher que ce rapport de fraternité ne réussit pas non plus à combler les «profondes cavernes» des Carmes, ardemment désireux par vocation d'une plus étroite intimité.

En conséquence, non contents de voir démontrée leur réciproque affinité avec Marie, quelques auteurs carmes — peu nombreux, à vrai dire — revendiquèrent une complète identité spirituelle avec Marie; et ils n'hésitèrent pas à l'appeler simplement Carmélite, l'une d'entre eux, une comme eux, une «consoeur», membre de leur famille.

Profils successifs

Au cours des trois premiers siècles de leur histoire, les Carmes ne cessèrent jamais de se pencher avec amour sur leurs relations avec la Mère de Dieu, pour accomplir une révision approfondie de leur vie. Si bien que leur spiritualité mariale se concrétisa progressivement en profils objectifs et en attitudes psychologiques, toujours plus pétris d'intériorité et de familiarité.

Cette évolution sans à-coups fut certainement provoquée et modelée par le charisme carmélitain s'ajoutant au dogme marial. Elle se réalisa sereinement, pacifiquement, sans obstacles extérieurs, sans déchirantes oppositions venues de l'intérieur. Marquée graduellement par la progressive incidence du charisme carmélitain, elle se développa selon les étapes chronologiques suivantes:

Pendant le XIIIe siècle — le charisme n'exerçant pas encore tout son efficace dynamisme — le contexte extérieur du milieu socio-culturel dut influer surtout à travers les coordonnées du système féodal et regarda Marie comme «Domina» à laquelle le Carmel est lié par un double lien étroit: d'appartenance et de finalité.

Au contraire, dans les deux siècles suivants, nous voyons prévaloir, de l'intérieur, une influence provenant de la dynamique du charisme carmélitain tendu vers le plus haut niveau possible d'intériorité, de familiarité, d'intimité. Et ainsi, durant la première moitié du XIVe siècle, nous trouvons Marie considérée comme mère plutôt que comme «patronne»; et le Carme, en face d'elle, se sent comme un fils plutôt que comme un domestique et un vassal. En revanche, dans la seconde moitié du même siècle, nous voyons la Vierge Marie proclamée soeur, en corrélation avec les Carmes devenus ses «fratres» au sens de frères selon la chair et non de frères au sens de religieux conventuels.

Enfin, dans la seconde moitié du XVe siècle, se dessine une ultime dénomination ou nuance: celle qui revendique pour Marie l'appartenance à la famille religieuse même et la déclare simplement Carmélite.

Ce sont là des profils et des attitudes d'esprit qui, bien loin de se contredire ou de s'exclure, s'entrecroisent et se complètent en une syntonie homogène et unanime. Au niveau du quotidien, dans la vie de chaque jour, le Carme choisit résolument l'aspect de Marie-Mère et il est heureux de pouvoir se comporter avec elle en vrai fils.

Comme jadis Paleonidore, dès le XVe siècle, voyait en Marie «plus une mère qu'une patronne» et, dans des temps plus récents, comme Thérèse de Lisieux proclamant Marie «plus mère que reine», ainsi le Carme se réjouit-il pleinement de se considérer fils de Marie: fils, non serviteur et encore moins esclave. Telle est, en peu de mots, la note dominante qui caractérise et différencie la spiritualité mariale du Carmel. Telle est l'attitude habituelle et préférentielle du Carme en face de Marie. Note et attitude qui sont le fruit d'une tradition d'amour pluriséculaire, reflets des commencements mêmes de l'Ordre.

P. Jesus
Castellano

Le Mont Carmel de Sainte Thérèse

Avec une pincée de nostalgie et sur un ton d'idéalisation globale, sans détails historiques ni géographiques, sainte Thérèse de Jésus évoque le Mont Carmel et ses premiers habitants, les ermites dont parle la Règle et l'histoire de l'Ordre. Le texte le plus explicite et le plus connu, sur les ermites du Carmel, celui qui a la plus grande valeur théologique et spirituelle, se trouve dans les cinquièmes demeures du *Château Intérieur,* dans une parenthèse ouverte dans le discours. Voici le texte traduit de son original espagnol: «Ainsi je dis maintenant: même si nous toutes qui portons l'habit sacré du Carmel nous sommes appelées à l'oraison et à la contemplation (car tel a été notre commencement, depuis cette lignée dont nous descendons, depuis nos saints Pères du Mont Carmel, qui dans une si grande solitude et avec tant de mépris du monde cherchaient ce trésor, cette précieuse marguerite dont nous parlons), nous sommes peu nombreux à nous disposer à ce que le Seigneur nous le révèle» *(Château Intérieur, V,1-2).*

Il s'agit de l'unique texte où la sainte parle du Mont Carmel. Mais il est très éloquent et il révèle ce que signifie pour elle la Sainte Montagne des origines de l'Ordre. Le Carmel est le lieu de naissance du charisme, le berceau de la famille, la patrie spirituelle de la noble race dont nous venons. Les habitants du Carmel sont un groupe collectif et anonyme, même s'il est riche de sainteté et marqué du charisme de la paternité spirituelle. Les saints habitants du Carmel sont d'authentiques modèles et les fondateurs de l'Ordre. Pour Thérèse, ils sont hommes de la solitude, ascètes courageux qui méprisent le monde. Mais ils sont surtout des hommes appelés à la prière et à la contemplation, tendus vers la recherche du trésor caché et de la perle précieuse en une heureuse conjonction qui rappelle deux paraboles évangéliques du Royaume. Voilà l'idéalisation hagiographique des premiers habitants du Carmel que cultive Thérèse. Elle lui a été transmise par la tradition de l'Ordre, par ses lectures, les célébrations liturgiques, l'iconographie conventuelle.

46

46. Loano, Couvent du Mont Carmel, Anonyme du XVIIe siècle. Portrait de sainte Thérèse de Jésus.

Cette image idéale avait déjà été exprimée lors de la première rédaction du *Chemin de Perfection,* dans son Apologie de l'abnégation et de la mortification: «Souvenons-nous de nos Pères, les saints ermites d'autrefois, dont nous prétendons imiter la vie» *(Chemin 11/4 et Chemin Escurial 16/4).* Au contraire, lorsqu'elle raconte la fondation de Duruelo, elle a à l'esprit de nouveau les débuts charismatiques de l'Ordre: «Nous avons devant les yeux nos vrais fondateurs; ce sont les saints Pères dont nous descendons, dont nous savons que par la voie de la pauvreté et de l'humilité ils jouissent maintenant de Dieu» (*Fondations 14/4*).

Dans le *Chemin de Perfection* autographe de Valladolid *(13/6),* elle rappelle encore: «La vie que nous entendons mener ici n'est pas seulement une vie de moniales, mais une vie d'ermites...» ; «comme nos saints Pères d'autrefois», ajoute la copie de Tolède. Finalement, dans les *Constitutions,* elle personnifie l'érémitisme et prescrit la construction d'ermitages, afin que les moniales, à l'imitation des habitants du Carmel, «puissent se retirer pour faire oraison, à l'exemple de nos saints Pères». Dans l'esprit de Thérèse, le Carmel est une sorte de Thébaïde peuplée d'ermites qui vivent dans la plus grande solitude. L'idéal érémitique la fascine, même si plus tard elle-même tempère l'idéal de la solitude par le style de fraternité, l'esprit de famille, la communication et la récréation.

Où Thérèse puise-t-elle ses connaissances et les traits vigoureux — bien que stéréotypés — des ermites primitifs du Carmel? Nul besoin de faire beaucoup d'hypothèses! L'esprit de l'Ordre, l'idéal de la famille religieuse carmélitaine, Thérèse les reçoit de l'ambiance même du monastère de l'Incarnation. Par la vie, plus que par les études, elle apprend l'histoire et les légendes, les privilèges, les miracles, qui ont rendu glorieux l'Ordre de la Vierge, tels qu'ils ont été transmis par les textes médiévaux, ces textes qui forment le patrimoine spirituel de la famille. L'histoire spirituelle de l'Ordre identifie les moniales avec leur vocation et les rend solidaires d'une troupe de saints et de saintes qui ont grandi sous le manteau de la Vierge. La liturgie de l'Ordre, l'iconographie traditionnelle des Saints, mais aussi la littérature spirituelle elle-même, nourrissaient l'idéal commun d'une vie carmélitaine dans laquelle le récit des origines de l'Ordre se composait en parties égales de nostalgie et d'idéalisation. A l'Incarnation, les moniales avaient accès à un livre écrit en latin et en castillan, qui rapportait le fameux *Speculum Ordinis,* ainsi que les Constitutions anciennes, les notes concernant l'origine de l'Ordre, l'*Institution* des premiers moines attribuée à Philippe Ribot. La version en langue castillane facilitait la compréhension de ce texte digne de vénération, sur lequel s'étaient formées les générations des siècles précédents.

Même si dans les Constitutions thérésiennes manquent des indications précises au sujet des lectures carmélitaines, on ne peut douter que Thérèse ait eu accès à ce texte vénérable et qu'elle ait acquis une certaine connaissance de l'histoire primitive, bien que ses affirmations soient assez générales, comme celles qui portent sur la dévotion mariale dans l'Ordre et la Règle «primitive». Mais son désir de connaître l'histoire de l'Ordre, même avec ses lacunes et ses légendes, est grand. Dans une lettre, elle nous rappelle la lecture de la vie de sainte Euphrasine. Elle suit avec une attention particulière ce que raconte, enthousiasmé, le Père Gratien qui est, lui aussi, un admirateur passionné des choses de l'Ordre, et de tout ce qui regarde la famille de la Vierge Notre-Dame.

Au fur et à mesure que croît sa conscience de Fondatrice, Thérèse se sent héritière du patrimoine spirituel et responsable de la transmission de ses valeurs. La communion avec le Mont Carmel et tout ce qu'il représente n'est pas, avant tout, une manière de se référer géographiquement à la sainte montagne, ni une note historique soignée sur les origines. Le Carmel, pour Thérèse, est une famille, ce sont surtout les personnes qui ont habité le mont biblique d'Elie et qui maintenant forment la troupe des Saints de l'Ordre, dans la gloire du ciel. «Que de Saints nous avons dans le ciel qui ont porté cet habit!» *(Fondations 29/33).* Le souvenir de ces faits est pour la *Madre* un motif de fierté et un stimulant vers la perfection. La fierté d'avoir donné naissance à une expérience de vie qui semble rivaliser avec les hauts faits anciens. C'est pourquoi elle relate avec joie que le Père Rossi voit dans la première fondation de St-Joseph comme un nouveau début de l'oeuvre (cf. *Fondations 2/3*). Mais c'est aussi un stimulant pour rechercher la perfection, du fait que Thérèse rappelle toujours à ses filles et à ses fils la fidélité à l'héritage des origines *(Fondations 4/5-6).*

Un de ses poèmes exprime le désir de marcher ensemble vers le mont de la gloire, comme une image du pèlerinage et de la montée du Carmel: «Caminemos hacia el cielo, monjas del Carmelo». Marchons vers le ciel, moniales du Carmel.

P. Federico
Ruiz

La montée du Carmel
de saint Jean de la Croix

Le Mont Carmel figure explicitement dans le titre d'une des oeuvres fondamentales de saint Jean de la Croix, *La Montée du Carmel,* évoquant une image porteuse d'une signification au premier degré: chemin, montée laborieuse, symbolisme ascensionnel, facile à saisir par ses destinataires, les frères et les religieuses du saint Ordre des «primitifs du Mont Carmel». La représentation du Mont, dessinée par lui-même, avec ses commentaires insérés et les vers qui l'accompagnent, est tout un programme de vie, élément de première importance dans la pédagogie de saint Jean de la Croix, à en juger par les innombrables copies qu'il distribua aux frères et aux moniales auxquels il les expliquait personnellement ou en communauté.

Dans la tradition ascétique et spirituelle, innombrables sont les expressions du progrès vers l'union divine en termes de montée, d'échelle, d'ascension. La croix elle-même est élévation, exaltation vers la cime. Les vers aussi et le commentaire de la *Nuit obscure* du même auteur utilisent le symbolisme ascensionnel: «Pour beaucoup de raisons nous pouvons appeler échelle cette secrète contemplation. En premier lieu parce que, comme avec une échelle on monte et on assaille les biens et les trésors et les choses qui se trouvent dans les forteresses, ainsi advient-il aussi à travers cette secrète contemplation, sans savoir comment l'âme monte pour conquérir, connaître et posséder les biens et les trésors du ciel» *(Nuit obscure II/18,1).*

Par erreur, la réflexion dévote sur le Mont de saint Jean de la Croix a centré toute son attention sur la montée. Au contraire, le centre est la cime. Celle-ci est en effet le lieu de la présence et de la manifestation de Dieu à ses élus: Moïse, Elie, le Christ... L'exigence ascétique de gravir le mont et de s'écarter de l'agitation de la plaine est consécutive à la nécessité de répondre à l'invitation divine.

47

47. *Loano, Couvent du Mont Carmel, Anonyme du XVIIe siècle.* Portrait de saint Jean de la Croix.

Comparant le mont de perfection à l'étroit sentier et à la porte étroite qui conduisent à la vie, Jean de la Croix écrit: «Ce sentier du haut mont de la perfection, parce qu'il est en montée et qu'il est étroit, requiert des marcheurs dépourvus d'un poids qui puisse les alourdir; car, étant un rapport dans lequel on cherche et on obtient seulement Dieu, on doit chercher et obtenir Dieu seul» *(Montée, II, 7,3).*

Jean de la Croix associe au Mont la plus haute expérience d'Elie sur le mont Horeb, telle que la raconte l'Ecriture. Il y fait allusion six fois, et toujours dans un sens de famille, de Carmel: «Notre père Elie», «d'Elie notre père, on dit que sur la montagne il se couvrit la face en présence de Dieu» *(Montée II/8,4).* A travers la figure d'Elie, saint Jean de la Croix passe

48. Reproduction du graphique de Jean de la Croix représentant la Montée du Carmel, sans légende. [N.D.L.T.]

de l'ascension du mont en général à la concrétisation géographique et historique du Mont Carmel.

A partir de ces résonances bibliques et culturelles, on comprend mieux l'importance que Jean de la Croix a donnée à la configuration de la montagne et au choix du titre de son ouvrage le plus long et le plus systématique: La Montée du Carmel. Dans les lignes sans grâce du Mont surchargé d'inscriptions, on trouve en germe toute son oeuvre.

48

Jean de la Croix dessine son mont de façon arrondie avec un rentré dans la partie frontale inférieure où se trouvent insérés le sentier central et les deux routes latérales. Le reste de la circonférence est occupé par la cime, dans laquelle demeure la gloire de Dieu et elle est partagée par l'homme qui a été élevé à cette hauteur. Les inscriptions qui illustrent l'union atteinte, qui occupe la cime, sont éparpillées dans tout l'espace correspondant: grâces et fruits du Saint-Esprit, vertus morales. Au centre, l'essence: «Seuls demeurent sur ce mont l'honneur et la gloire de Dieu».

Le texte de Jérémie encadre cette phrase en couronnant la cime: «Je vous ai introduits dans la terre du Carmel, pour que vous mangiez de ses fruits et de tous ses biens». La vocation et l'expérience du Carme est la manière et le contexte dans lesquels Jean de la Croix vit la double réalité chrétienne fondamentale: vivre pour l'honneur et la gloire de Dieu, à travers le chemin de croix du Christ. Dans ce cas, la cime est le vrai centre et l'idéal de l'union et elle possède son propre dynamisme, mais non plus comme chemin; en effet: «par cette voie, il n'y a pas de chemin, car pour le juste il n'y a pas de loi». C'est, au contraire, le mouvement circulaire de la flamme qui, comme la gloire de Dieu dans l'Ancien Testament, entoure tout le Mont.

Le Mont est encore suite de Jésus vers le Calvaire avec la Croix. C'est ce qu'expriment les sept «rien» le long du sentier central qui conduit à la cime. Il ne s'agit pas d'un simple dépouillement ou de nudité, mais d'une exigence théologale, dérivée de la présence et de l'invitation divines, de l'union partielle anticipée que le chrétien spirituel a déjà atteinte. Pour cela, ce sont les vertus théologales qui doivent conduire à son terme la purification nécessaire, dans la triple dimension de l'homme: connaissance (foi), amour (charité), possession (espérance). Sous le simple titre de *Montée du Carmel,* se trouve un monde de résonances bibliques, de charisme de vocation, d'expériences mystiques et spirituelles.

Le *Speculum Carmelitanum* de 1680

En 1680, parut à Anvers, par les soins du Carme Daniel de la Vierge Marie, historiographe de la Province des Flandres et de Belgique, une oeuvre volumineuse connue sous le titre de Speculum Carmelitanum. *Elle rassemble les écrits d'auteurs médiévaux et se réclame d'une initiative analogue, de dimensions beaucoup plus réduites, qui avait été publiée en 1507. Son but est de revendiquer, au moyen de documents et de dissertations, la validité de la tradition élienne de l'Ordre, qui avait été mise en doute par les Bollandistes quelques années plus tôt.*

Le titre énonce largement la thèse défendue par Daniel de la Vierge Marie: histoire de l'Ordre «élien» des Frères de la bienheureuse Vierge Marie du Mont Carmel, dans laquelle sont racontées son origine depuis le prophète saint Elie, sa propagation au temps des fils des prophètes, sa diffusion et sa succession ininterrompue à travers les Esséniens, les ermites, les moines, selon des documents antiques dignes de foi. L'estampe placée au frontispice illustre graphiquement le contenu de la tradition. La vigne du Carmel est consacrée à Marie, comme l'indique le monogramme resplendissant qui marque le cep et les feuilles. Plantée par Elie, représenté avec l'épée et la bêche, et arrosée par Elisée — tous deux vêtus de l'habit des Carmes — elle croît et fructifie sous la protection de la Vierge Marie, laquelle, en haut, étend son manteau protecteur sur les fils et les filles du Carmel.

49

CHAPITRE DEUXIÈME

La source d'Elie

Aux origines des Carmes

«Albert, par la grâce de Dieu patriarche de l'Eglise de Jérusalem, à ses bien-aimés fils qui demeurent sur le Mont Carmel près de la source: Salut dans le Seigneur».

Salutation solennelle qui ouvre une lettre et ouvre dans l'Histoire l'existence d'un groupe d'ermites: «Des hommes saints, à l'imitation du saint anachorète et prophète Elie, menaient une vie solitaire sur le Mont Carmel, près de la source dite d'Elie, où dans de petites cellules de ruches, comme des abeilles du Seigneur, ils accumulaient un doux miel spirituel».

La source, symbole de vie, réunissait autour d'elle,comme c'était déjà arrivé d'autres fois, une petite communauté animée du désir de vivre dans le respect de Jésus-Christ et de le servir d'un coeur pur, sur les traces du Prophète de feu.

De la source, comme de l'eau qui court, rayonnèrent dans toute la Chrétienté les Carmes désireux de répandre le doux miel spirituel.

50. Wadi 'ain es-Siah. La Source d'Elie telle qu'elle se présente actuellement.

49

P. Silvano
Giordano

LES ERMITES DU MONT CARMEL

Situation politico-religieuse de la Palestine

Après des siècles d'éloignement, la Croisade de 1099 rapprocha la Chrétienté de sa terre d'origine. Il est vrai que pèlerins et marchands avaient maintenu des contacts; toutefois, à partir du haut Moyen âge, il y avait eu une parenthèse, en raison des conditions où se trouvait l'Europe occidentale.

L'intérêt renouvelé pour la Palestine s'accrût vers la fin du XIe siècle: l'empereur de Constantinople appela au secours contre les Turcs qui avaient envahi l'Anatolie et rendu peu sûrs les itinéraires des pèlerins. Ainsi débuta la première Croisade qui, en 1099, s'empara de Jérusalem. Du point de vue politique, on assista à la création d'une série de petits états féodaux qui se rattachaient, au moins nominalement, au royaume de Jérusalem. Dans les territoires qu'on venait de conquérir, s'installèrent des chevaliers occidentaux, souvent des cadets de familles nobles, à la recherche de la richesse, et des marchands des villes maritimes italiennes qui établirent leurs bases commerciales dans des quartiers entiers des ports. Naturellement, les Occidentaux que les autochtones désignaient par le nom de «Francs», ne représentaient qu'une infime minorité de la population résidante.

Dans le domaine ecclésiastique on assista à l'afflux d'institutions latines sur un territoire qui, depuis toujours, gravitait dans l'orbite de Constantinople. On édifia une hiérarchie épiscopale latine qui dépendait de Rome et avait pour chef, représentant du Pape, le patriarche de Jérusalem. Même les formes classiques de la vie religieuse furent transplantées en Terre Sainte: des groupes de chanoines réguliers officiaient dans les églises principales, telles que le Saint-Sépulcre, le Temple du Seigneur, le Mont des Oliviers et le Mont Sion; les Bénédictins avaient fondé quatre monastères d'hommes et quatre de femmes; les Prémontrés en possédaient deux. Les ordres militaires constituèrent une nouvelle forme de vie religieuse, caractéristique de la Terre Sainte: Templiers, Hospitaliers de Saint-Jean, Chevaliers Teutoniques, religieux armés institués pour la défense des Lieux Saints et pour l'assistance des pèlerins et des malades. Au cours des premières décennies du XIIIe siècle arrivèrent enfin les Franciscains et les Dominicains. Tous ces groupes se fixèrent à côté du monachisme grec, lequel poursuivait sa tradition séculaire.

Les «Francs» exportèrent encore un autre genre de vie religieuse, qui s'était développé en Europe à partir du XIe siècle, en opposition avec les formes institutionalisées des grands monastères: la vie érémitique, avec son style tendant à une plus grande personnalisation de la vie religieuse et à la pratique rigoureuse de la pau-

51. Akko. Le vieux port. Au fond, le quartier des Croisés.

51

52

52. *Akko. Ex-couvent des Franciscains. François d'Assise prêcha devant Saladin et visita en pèlerin la Terre Sainte.*

53. *Jéricho. La laure de Duka ou de la Quarantaine. L'actuel monastère fut édifié par des moines orthodoxes à la fin du siècle dernier, autour de grottes préexistantes.*

53

vreté personnelle. De ce mouvement tirèrent leur origine diverses familles religieuses, tandis qu'une partie de ses représentants menait un type de vie plutôt individuel, comme par exemple Pierre d'Amiens, dit précisément l'Ermite, le fameux prédicateur de la Croisade.

Pour la Palestine, il ne s'agissait pas d'une nouveauté. Dès les premiers siècles du christianisme, en même temps que la Syrie et l'Egypte, elle avait abrité un nombre important d'hommes qui avaient choisi de vivre sur la terre du Seigneur. Les ermites francs s'installèrent à côté des grecs continuateurs de la tradition, notamment dans le désert de Juda, dans les régions arides autour de la Mer Morte, sur le Mont Thabor, dans la vallée de Josaphat, près de Jérusalem.

Après la première et pénible entreprise de 1099, les royaumes croisés durent combattre continuellement pour se maintenir en vie, plus ou moins aidés par les chrétiens d'Occident. Toutefois, la pression des sultans d'Egypte réduisit progressivement les territoires occupés par les Occidentaux. Déjà, en 1187, la victoire du musulman Saladin, à Hattin, soustrait aux Latins la Palestine, leur laissant seulement la ville de Tyr. En 1191, la troisième Croisade restitua aux Francs la ville de Saint-Jean d'Acre (l'actuelle Akko) et une bande côtière jusqu'à Jaffa. Le patriarche de Jérusalem établit son siège à Acre et, selon toute probabilité, les ermites latins, autrefois dispersés sur tout le pays, purent reprendre leur vie sous la protection des Rois Croisés.

Les ermites latins au Mont Carmel

Jacques de Vitry qui fut évêque de Saint-Jean d'Acre de 1216 à 1228, décrit la floraison de la vie religieuse en Palestine dans un passage célèbre: «Des hommes saints renonçaient au monde et, suivant leurs divers penchants et désirs et leur ferveur religieuse, ils choisissaient des lieux d'habitation en conformité avec leur but et avec leur dévotion. Quelques-uns, particulièrement attirés par l'exemple du Seigneur, choisissaient la bienheureuse solitude de la Quarantaine, pendant laquelle le Seigneur avait jeûné quarante jours après son baptême, pour vivre là en ermites et servir courageusement Dieu dans d'humbles cellules. D'autres, pour imiter le saint anachorète, le prophète Elie, menaient une vie solitaire sur le Mont Carmel, surtout dans la partie qui domine la ville de Porphyre, qu'on appelle maintenant Haïfa, près de la source dite d'Elie, non loin du monastère de la sainte vierge Marguerite. Et là, en de petites cellules, telles des abeilles du Seigneur, ils accumulaient le miel de la douceur spirituelle».

Les ermites auxquels Jacques de Vitry fait allusion demeuraient dans une étroite petite vallée, située à environ une heure de marche d'Haïfa et qui donnait sur la mer; elle était connue sous le nom de *Wadi 'ain es-Siah.* Les grottes creusées dans le flanc de la montagne, autrefois plus nombreuses qu'aujourd'hui, attestent l'existence d'une *laure,* c'est-à-dire d'une

54

55

54. Wadi 'ain es-Siah. Le jardin à l'entrée de la vallée, à peu de distance du rivage de la mer. Irrigué par l'eau provenant des sources du Wadi, il fut peut-être cultivé par des ermites latins.

55. Vue de l'accès au Wadi 'ain es-Siah, pendant l'été. Au fond, la mer.

fondation monastique byzantine. En particulier, une plus grande, à deux étages, avait reçu les noms significatifs de «grotte d'Elie» et d'«habitation d'Elisée», pour chacune des deux pièces dont elle était composée. La légende locale racontait que le prophète Elisée avait l'habitude de se reposer en ce lieu.

Un autre élément reliait cette petite vallée au prophète Elie, que l'on considérait comme le père du monachisme: la source qui jaillissait et jaillit toujours, un peu au-dessus de l'entrée de la vallée, tirait précisément son nom d'Elie. Dans ce cas aussi, la légende affirmait qu'Elie s'y était désaltéré.

Il est donc certain que le petit groupe d'ermites latins avait voulu choisir, pour mener une vie retirée, un lieu sanctifié par une longue tradition monastique. Selon toute probabilité, ils s'y rassemblèrent à une date postérieure à 1191, étant donné que cette année-là, lorsque les Croisés assiégèrent Acre pour le reconquérir, le Mont Carmel était devenu une importante base militaire pour les troupes de Saladin. D'autre part, les documents du XIIe siècle ne mentionnent pas les ermites latins réunis près de la Source d'Elie.

Ils constituaient un petit groupe non encadré par les structures alors en vogue dans les monastères. Ils s'étaient réunis spontanément, pour «faire pénitence», comme on disait alors, c'est-à-dire pour mener une vie de prière et d'ascèse, détachée de toute structure canoniquement reconnue comme état religieux; ils ne possédaient pas une église, ni une dénomination par laquelle ils pussent être désignés. Ils étaient des ermites de type laïque, convers désireux de vivre en pèlerins sur la terre du Christ, et c'est pour cela qu'ils avaient quitté le monde et s'adonnaient à une vie de prière pleine de ferveur. Ils s'attachaient volontairement à pratiquer tous les aspects ascétiques de la vie de perfection évangélique, sans pourtant jouir d'une reconnaissance officielle de la part de l'autorité ecclésiastique.

La règle d'Albert

Le premier document littéraire qui nous fait connaître l'existence des ermites latins du Carmel est la règle écrite pour eux par Albert, patriarche de Jérusalem. A une date imprécise, de toute manière entre 1206 et 1214 (années qui délimitent la présence d'Albert en Terre Sainte), les ermites demandèrent au patriarche de préparer un règlement écrit qui codifiât leurs usages établis. Albert répondit par une lettre, connue habituellement comme la «Règle des Carmes». Le texte original n'est pas connu avec précision, mais il est possible d'en extraire les traits saillants. Le règlement s'inspire de la vie normalement organisée dans les *laures* de Terre Sainte, où les ermites obéissaient à un supérieur, même si les relations réciproques n'étaient pas déterminées dans les détails: à une attitude de respect de la part du subordonné correspondait le service de la part du supérieur.

Chaque ermite avait sa cellule séparée des autres. Il devait y rester jour et nuit, méditant la Parole du Seigneur et veillant dans la prière. Les habituelles pratiques de pénitence, jeûne et prière, des groupes semblables, sont prescrites. Les ermites se réunissaient chaque jour dans l'oratoire pour écouter la messe; dans les temps plus anciens, ils ne s'assemblaient qu'une fois par semaine, le samedi ou le dimanche, pour participer à la messe et écouter les exhortations de leur supérieur. Il est probable qu'ils ne récitaient pas l'office canonial: la règle prescrivait la récitation des Psaumes selon l'usage traditionnellement admis car, à l'accoutumée, les moines savaient par coeur le psautier ou au moins une bonne partie du psautier.

A la prière s'ajoutaient d'autres prescriptions typiques de la vie d'ermite: la pauvreté, et le travail manuel pour subvenir aux nécessités du moine. La règle n'exigeait pas un habit spécial. Il semble néanmoins que les ermites portaient une tunique de laine non teinte, avec ceinture, scapulaire et capuchon, par-dessus laquelle ils mettaient un manteau à rayures blanches et noires.

La lettre d'Albert manifesta la reconnaissance officielle de la part de l'évêque en faveur des ermites, considérés comme une famille religieuse. A ce propos, un élément revêtait une signification particulière: c'était l'invitation à construire, au milieu des cellules, un oratoire qui représentait le centre d'agrégation autour duquel était réuni le groupe. Par une note remontant à quelques années après la concession de la règle, on apprend que l'oratoire avait été dédié à la Madone, à la suite de quoi les ermites furent connus sous le nom de «Frères de la Bienheureuse Vierge Marie du Mont Carmel». Selon la mentalité féodale, le saint patron était le seigneur du groupe et sous son étendard les membres s'engageaient dans la bataille spirituelle et défendaient les intérêts temporels de leur association. Dans une interprétation successive, les ermites arrivèrent à la conviction d'avoir été fondés pour l'honneur et le service de Marie, Mère de Dieu, comme l'affirma plus tard leur Chapitre général tenu à Montpellier en 1287.

Le temps passant, l'idée que l'Ordre était né pour le culte de la Vierge Marie prit une dimension légendaire. Louis de Sainte-Thérèse en est témoin. En 1662, s'appuyant sur des affirmations désormais enracinées, il écrivit qu'Elie eut une vision prophétique, entrevue dans le petit nuage qui montait de la mer et qui apporta la pluie à Israël frappé par la sécheresse. En cette occasion, «ayant eu la révélation que la mère du Messie serait une vierge, il [Elie, NDLT] résolut de l'imiter, non seulement lui-même mais aussi ses disciples qui entrèrent dans l'Ordre religieux qu'il avait institué et qu'il consacra à l'honneur [de la Vierge, NDLT]».

Les premiers pas

En 1215 se réunit à Rome le IVe Concile du Latran, convoqué par le pape Innocent III pour traiter de la réforme de l'Eglise et de la croisade. Parmi les diverses mesures décidées, dues surtout à la pression des évêques, il fut résolu de limiter la prolifération des groupes religieux qui surgissaient spontanément et échappaient souvent au contrôle de l'évêque. Il n'était pas rare qu'ils fussent soupçonnés d'hérésie. Le moyen choisi fut de les canaliser dans les structures ecclésiastiques déjà existantes, formes de vie monastique ou canoniale qui observaient respectivement la règle de saint Benoît ou celle de saint Augustin.

La règle d'Albert apparut aux contemporains comme l'une de ces nouveautés que le Concile avait tenté de prévenir. Le Carme Sigbert de Beek (environ 1282-1332), décrivant cette situation quelques

56

56. Wadi 'ain es-Siah. La Source d'Elie dans un dessin remontant au début du XXe siècle.

57. Le Wadi 'ain es-Siah au printemps, moment où la végétation est la plus abondante.

57

décennies plus tard, écrit: «Quelques prélats de la Terre Sainte, où est situé le Mont Carmel, commencèrent à attaquer les Frères de notre Ordre, comme s'ils contrevenaient à l'interdiction faite par le Concile, ou comme s'ils n'avaient pas une règle approuvée».

Albert était mort à la veille du Concile. En face de ces problèmes inattendus, les Carmes s'adressèrent à son successeur, Rodolphe; il semble que celui-ci réussit momentanément à aplanir les difficultés. Toutefois le problème demeurait: les Carmes n'observaient pas l'une des règles reconnues par le Concile du Latran. Une des solutions possibles aurait été d'adopter la règle de saint Benoît ou celle de saint Augustin, suivant l'exemple d'autres groupes religieux pour pouvoir survivre. Les Carmes optèrent au contraire pour la démarche la plus difficile, faire approuver la *vitae formula* reçue d'Albert.

Un premier résultat fut obtenu en 1226, quand le pape Honorius III leur imposa d'observer la règle d'Albert «pour la rémission des péchés», ce fut l'acte d'approbation implicite donnée à un genre de vie particulier.

L'approbation d'Honorius III ne mettait pas les ermites du Mont Carmel à l'abri des attaques des prélats leurs adversaires. En effet, même si leur style de vie était maintenant considéré comme parfaitement légitime, ils ne jouissaient toutefois pas de l'indépendance propre aux ordres monastiques et canoniaux déjà solidement constitués. Ainsi explique-t-on le recours ultérieur au Siège apostolique, advenu après l'élection du nouveau pape, afin que fût confirmé, pour plus de sûreté, ce qui avait été précédemment obtenu.

En 1229 eurent lieu plusieurs interventions de Grégoire IX. Il connaissait bien les nouveaux mouvements religieux car il avait été, pendant de nombreuses années, avant de monter sur le trône pontifical, aux côtés de François d'Assise. Sa confirmation de la règle est importante, en vertu de l'autorité pontificale, et pour toujours. Il prit comme référence explicite ce qui venait d'être fait par Honorius III. Cela signifiait qu'aucune autorité inférieure [à celle du pape, NDLT) ne pourrait s'opposer au genre de vie des Carmes.

Grégoire intervint aussi pour éclaircir une question posée au sujet de la capacité de posséder. Le texte de la règle d'Albert interdisait aux ermites la possession de biens. On pouvait se demander si cette prescription s'appliquait seulement aux individus ou bien au groupe en tant que tel. En effet, les deux modalités étaient pratiquées dans les couvents. La propriété personnelle des biens était interdite aux moines, mais accordée, au contraire, au monastère, tandis que divers groupes religieux récents, les Franciscains par exemple, renonçaient aussi au droit du groupe à posséder.

Il est possible que quelques propriétés aient été offertes en don aux Carmes, et que ceux-ci se soient adressés au Pape pour savoir comment se comporter. Grégoire IX, «voulant éliminer l'occasion de se souiller de nouveau les mains» à ceux qui les avaient lavées pour gravir le mont de la contemplation, leur défendit de recevoir des biens immeubles ou des rentes, permettant seulement la possession d'ânes mâles, à l'usage de bêtes de somme et quelques petits élevages d'animaux ou de volatiles. Si l'on pense qu'en général la

Curie pontificale approuvait par son autorité les propositions avancées par les solliciteurs, on peut entrevoir, derrière le document papal, le choix de pauvreté absolue fait par les Carmes, qui renonçaient aux rentes pour vivre de leur modeste travail, dans la même optique que les mouvements paupéristes depuis longtemps amplement répandus dans l'Eglise. Il ne faut pas oublier, néanmoins, que ceux qui faisaient voeu de pauvreté absolue jouissaient aussi de facilités économiques et fiscales.

Une troisième question est traitée dans la lettre pontificale: l'élection du Prieur devrait être soumise au consentement de la communauté. Cette allusion est peut-être justifiée par des tentatives d'ingérences extérieures, assez courantes dans l'histoire des communautés religieuses.

La même année 1229, l'empereur Frédéric II terminait sa croisade en signant un traité de paix d'une durée de dix ans, avec le sultan Mali al-Kamel; dans son réalisme politique, Frédéric voyait cette tractation comme le seul moyen d'accorder aux Occidentaux de séjourner en toute tranquillité dans les Lieux Saints occupés par l'Islam. La ratification du traité fut accueillie avec hostilité dans les milieux religieux. Le Pape lança sur les territoires d'outre-mer un interdit qui prohibait le culte public. On perçoit un reflet de cette situation dans une lettre de Grégoire IX de 1229, par laquelle il permettait aux ermites latins de célébrer la messe, les portes fermées, dans le cas d'un interdit portant sur le pays entier.

58. Sienne, Pinacothèque Nationale. Pietro Lorenzetti: Retable du Carmel, *détail. Le pape approuve la règle des Carmes. Il s'agit peut-être d'un portrait de Jean XXII.*

58

L'intervention d'Innocent IV

Tandis que la trêve décennale signée par Frédéric II [de Souabe, NDLT] touchait à son terme, la situation des chrétiens de rite latin se faisait toujours plus précaire en Terre Sainte. En 1239, les Croisés subirent à Gaza une lourde défaite contre les musulmans. L'Empire latin de Constantinople, établi à Jérusalem en 1204, commençait à vaciller. Jérusalem fut définitivement conquise par les Egyptiens en 1244.

Même les ermites du Mont Carmel se ressentirent du climat d'insécurité générale et certains d'entre eux envisagèrent de retourner dans leur pays d'origine. La tradition place en 1238 la première migration du Mont Carmel à l'Europe. Cette date est approximative et les migrations se produisirent à plusieurs reprises. Les plus anciennes fondations hors de la Terre Sainte furent faites à Chypre, dans le désert de Fortamia ou Frontaine, localité aujourd'hui non identifiable, à Messine, en Sicile, à Aylesford et à Hulne en Angleterre, aux Aygalades près de Marseille en Provence. La première absolue, si l'indication traditionnelle est exacte, semble avoir été celle de Valenciennes en 1235. Les deux premiers couvents anglais furent établis en 1242, par les Carmes revenus en Europe avec William Vescy et Richard Grey de Codnor, nobles chevaliers qui avaient participé à la Croisade de 1240 à la suite de Richard de Cornouailles.

Une fois arrivés en Europe, les ermites du Mont Carmel retrouvèrent les mêmes difficultés qu'ils avaient dû affronter en Terre Sainte au début de leur existence: ils étaient considérés comme des étrangers et professaient une règle inconnue, qui suscitait les soupçons des évêques. Leur manteau strié de bandes noires était regardé avec peu de sympathie et ils n'avaient pas une base économique suffisante. Le Pape Innocent IV dut intervenir à plusieurs reprises pour recommander les nouveaux venus à la bienveillance du clergé diocésain.

Cependant, subsistait un problème de structure. La règle d'Albert avait été don-

59

59. L'entrée du couvent médiéval. On peut remarquer l'escalier d'accès à la «cellule du prieur».

née à un groupe restreint vivant dans des conditions très particulières, qui s'étaient substantiellement modifiées avec l'émigration des ermites hors de leurs lieux d'origine.

En 1247, les Carmes célébrèrent le premier Chapitre général dont il soit fait mention. Un certain Godefroy y fut probablement élu Prieur général. L'analyse des difficultés rencontrées pendant leur première décennie de séjour sur le sol européen suggéra un recours au Saint-Siège. Le Chapitre envoya à Lyon, où se trouvait alors la Cour pontificale, Frère Reginald et Frère Pierre, chargés de demander que la règle fût adaptée aux conditions nouvelles.

Le travail fut confié au cardinal Hugues de Saint-Cher, dominicain, et à son confrère Guillaume, évêque d'Antaradus. Le résultat de leur travail fut publié le 1er Octobre 1247, par une lettre pontificale dans laquelle est inséré, selon l'usage de la chancellerie papale, le texte modifié de la règle. Maintenant il était permis de fonder des couvents non seulement dans des lieux déserts, mais en tout endroit qui serait offert aux frères, pourvu qu'il soit adapté à leur genre de vie; la récitation des Heures canoniales était introduite, alors qu'il semble que le texte précédent ne demandait que la récitation des Psaumes. Le silence était prescrit depuis les Complies jusqu'à Prime du jour suivant. L'abstinence de la viande était adoucie pour les malades et pour ceux qui devaient voyager.

Ces variations, apparemment peu importantes, marquèrent en réalité un changement profond du style de vie des Carmes. Les couvents pouvaient désormais être fondés même dans les centres habités et l'on introduisit un genre de vie cénobitique qui s'éloignait de l'érémitisme des débuts.

Le changement était certainement dicté par la difficulté de vivre dans des lieux écartés et par les problèmes économiques qui en dérivaient. Toutefois, un rôle considérable fut joué aussi par la tendance générale des groupes religieux de naissance récente qui, encouragés par la Curie pontificale, se transformaient toujours plus en vrais ordres religieux où dominaient les clercs. Ces derniers se vouaient à l'apostolat dans les villes, à côté et souvent contre le clergé séculier; ils contribuèrent à étendre l'influence du pape aux dépens des tendances centrifuges des évêques et du clergé séculier. Une telle évolution pourrait avoir existé, même chez les Carmes; c'est ce que laisserait entendre la Bulle *Paganorum incursus* du 26 Juillet 1247, accordée quelques mois avant les modifications apportées à la règle, et dont il ressort que les Carmes sollicitèrent explicitement le droit de se consacrer au soin des âmes.

Reflets sur le Mont Carmel

Ces changements des Constitutions eurent certainement des conséquences pour le quotidien des ermites qui vivaient encore sur le Mont Carmel. Très probablement, on construisit, à côté de l'oratoire déjà existant, le réfectoire commun prescrit par Innocent IV: premier noyau d'un vrai couvent qui, avec le temps, se forma. En 1263, le Pape Urbain IV recommanda aux fidèles de contribuer par des dons à la construction d'un couvent, entreprise par les Carmes sur le Mont Carmel. On peut voir aujourd'hui encore les ruines de cet ouvrage indiqué par le Pape comme «un projet coûteux».

En dehors de l'Europe, les Carmes se répandirent aussi dans leur terre d'origi-

60

60. *Bartolomeo Platina,* Vie des Papes. *Venise, 1703, p.297. Grégoire IX le pape qui en 1229, confirma la règle des Carmes, approuvée trois ans auparavant par Honorius III.*

61

61. *Bartolomeo Platina,* Vie des Papes, *Venise 1703, p. 302. Le pape Innocent IV. En 1247, il approuva la règle donnée par Albert de Jérusalem, en y introduisant quelques modifications qui placèrent les Carmes dans le sillage des ordres mendiants.*

ne; on connaît avec certitude l'existence des couvents de Tyr et d'Acre. Le premier fut fondé avant 1254. Le second répondit peut-être à l'exigence d'avoir un point d'appui dans le port le plus voisin, au moment où commença l'émigration des frères vers l'Occident. Le couvent subsistait certainement en 1261, quand l'évêque d'Acre refusait aux Carmes la permission de célébrer le culte en public. Les frères firent appel au pape et Alexandre IV leur reconnut le droit d'avoir une église ouverte au public, avec un clocher et un cimetière où ils pourraient enterrer ceux qui le demanderaient. Par la même occasion, le pape ordonna au patriarche de Jérusalem de protéger les Carmes contre d'éventuelles tracasseries. Celles-ci venaient probablement de l'évêque lui-même, puisque l'année suivante le pape enleva les Carmes de la juridiction de l'évêque d'Acre pour les soumettre à celle du patriarche de Jérusalem.

De nouveau en 1261, les Carmes obtinrent une bulle pontificale qui accordait des indulgences à qui aurait fait des aumônes pour la construction d'églises de l'Ordre en Syrie et à Chypre. Cela laisse entrevoir un projet d'expansion apostolique dans les territoires d'outre-mer.

Peut-être y avait-il là un excès d'optimisme au sujet des capacités de résistance des royaumes latins — ou bien cela exprimait-il l'espérance de pouvoir continuer à cohabiter avec un pouvoir à la fois civil et religieux, hostile par principe? En fait, tandis que les Carmes projetaient leur expansion en Terre Sainte, en 1265 le sultan Rukn ad-din Baibars d'Egypte commença une campagne de conquête contre les royaumes croisés. Toute la côte de la Palestine tomba entre ses mains, excepté Athlit et Acre. Haïfa capitula en un jour. Un certain nombre d'habitants du Mont Carmel s'unit aux Latins qui revenaient sur les terres d'origine; en effet, une bulle de Clément IV recommande à la bienveillance des évêques d'Occident les Carmes qui avaient fui leur couvent du Mont Carmel devant l'envahisseur ennemi.

En 1272, Baibars conclut avec le prince Edouard d'Angleterre une trêve de dix ans qui assurait aux Latins la possession d'une bande côtière entre Acre et Sidon et le droit pour les pèlerins d'emprunter librement la route en direction de Nazareth. A partir de ce moment-là, la présence des Carmes près de la Source d'Elie dut reprendre, si elle avait été interrompue.

Le second Concile de Lyon

Les difficultés pour les Carmes ne provenaient pas seulement de l'Islam, mais elles continuaient à surgir du sein même de la Chrétienté. Au second Concile de Lyon, réuni en 1274, l'existence des Carmes fut encore une fois menacée. Les évêques renouvelèrent leurs protestations contre la prolifération des ordres religieux et en demandèrent la suppression. De fait, disparurent un grand nombre de nouvelles fondations nées au cours du XIIIe siècle. Le droit d'exister fut reconnu sans problème aux Franciscains et aux Dominicains qui avaient atteint une notable importance. Aux Carmes et aux Augustiniens, le Concile permit de continuer à subsister dans la situation où ils se trouvaient, en attendant qu'on prenne de nouvelles dispositions.

Cette décision préoccupa sérieusement les Carmes, même si les papes postérieurs au Concile de Lyon, pour diverses raisons, ne recommencèrent pas à menacer leur existence. En tout cas, nos frères se mirent à chercher des appuis pour consolider leur position. En Septembre 1282, Richard évêque de Nicosie, Guillaume évêque d'Hébron et Guillaume évêque de Tibériade envoyèrent d'Acre une lettre au Pape Martin IV par laquelle ils soulignaient la difficile situation des Carmes: la décision du second Concile de Lyon les avait à nouveau mis en difficulté en face des évêques et leur avait fait perdre une bonne partie des aumônes. La consolidation de leur position juridique bénéficierait à la situation des Chrétiens latins en Terre Sainte. Des interventions analogues furent aussi faites par le grand maître de l'Hôpital de Saint-Jean de Jérusalem et par celui de la Milice du Temple. Edouard Ier d'Angleterre, à qui s'était adressé le Prieur général Pierre de Millau, demanda à deux cardinaux d'intervenir auprès du pape. On ne connaît pas les réponses de Martin IV. Son successeur, Honorius IV, renversa la politique de ses prédécesseurs envers les ordres religieux et favorisa les petits ordres, parmi lesquels on comptait les Carmes. Ce fut le premier pas vers l'abolition de la clause du Concile de Lyon. Cette abolition devint effective sous Boniface VIII en 1298.

Dans l'intervalle, le Chapitre général qui se tint à Montpellier en 1287 adopta un changement significatif dans l'habillement des frères. Ainsi se confirma l'éloignement de leur primitive orientation érémitique. Jusqu'alors ils portaient sur leur tunique un manteau à bandes blanches et sombres, qui avait valu aux frères l'appellation de «Frères aux barres». Ce manteau correspondait mieux aux laïques pénitents qu'aux religieux au sens strict du terme, que les Carmes voulaient être. Cet habillement induisait les gens en erreur et détournait d'eux d'éventuels aspirants, surtout ceux qui provenaient des universités. Le Chapitre général de 1287 remédia à cet inconvénient en adoptant un manteau blanc. Peut-être n'est-ce pas un hasard si, justement à partir de ce moment, la présence des Carmes dans les universités se fit toujours plus forte.

La fin

La dernière nouvelle certaine, relative aux habitants de Wadi 'ain es-Siah remonte à 1283. Burkard du Mont Sion, un Dominicain qui résida longtemps à Acre, visita cette année-là les religieux du Carmel. «A gauche de Haïfa, après une heure sur la route qui conduit au Château des Pèlerins (Athlit), sur le Mont Carmel, il y a la Source d'Elie, le lieu où habitait Elisée, et la fontaine où autrefois demeuraient les fils des prophètes et où sont maintenant les frères du Carmel. J'ai été là avec eux».

Le sultan Qalawun, successeur de Baïbars, reprit ses expéditions militaires visant à effacer la présence des Occidentaux en Terre Sainte: en 1289 ses troupes conquirent Tripoli. L'année suivante, il marcha sur Acre, mais une maladie le conduisit rapidement au tombeau. Son fils Al-Ashraf Khalil recueillit son héritage et, en 1291, attaqua la dernière place forte des Latins. Le siège dura du 6 Avril au 18 Mai, jour où les assaillants pénétrèrent dans la ville, massacrant ou réduisant en esclavage les habitants. La forteresse des Templiers résista encore jusqu'au 28 Mai. Le sultan ordonna la destruction systématique de la ville, afin qu'elle ne pût plus servir de tête de pont pour une éventuelle attaque des Chrétiens contre la Syrie.

Le 30 Juillet, les troupes musulmanes occupèrent Haïfa sans rencontrer de résistance; ensuite elles incendièrent les monastères du Mont Carmel après avoir massacré tous les moines. Selon la chronique, probablement apocryphe, attribuée au Carme William de Sandwich qui décrit les derniers moments des frères sur le Mont Carmel, «les Sarrasins dévastèrent complètement la ville d'Acre et le beau couvent de cet Ordre (des Carmes) qui s'y trouvait. De là ils partirent pour le proche Mont Carmel, montèrent, détruisirent par le feu le monastère des Frères de la Bienheureuse Vierge Marie du Mont Carmel et passèrent au fil de l'épée tous les frères qui s'y trouvaient, lesquels moururent en chantant le *Salve Regina*».

Il est difficile d'évaluer la part de créance qu'on peut accorder à ce récit, au moins pour ce qui concerne le sort du couvent. Tandis qu'il est presque certain que les musulmans rasèrent au sol les monastères de Sainte-Marguerite et de Saint-Elie, il semble que celui des Carmes de Wadi 'ain es-Siah soit resté debout, comme l'attestent les relations de plusieurs voyageurs qui purent le voir au cours des siècles suivants. Il est probable qu'à l'approche du danger, instruits par ce qui était arrivé en 1265, les Carmes abandonnèrent le monastère et s'embarquèrent pour l'Occident.

En tout cas, les Constitutions de 1294 ordonnèrent au Prieur général ou à son Vicaire de rassembler tous les livres appartenant à la Terre Sainte et qui avaient été dispersés dans les provinces, et de faire en sorte qu'ils soient restitués quand cette Terre serait repassée sous la domination des Chrétiens.

F. Fausto
Spinelli

LE PREMIER COUVENT CARME SUR LE MONT CARMEL

Les récentes fouilles effectuées dans un but de restauration et de conservation sur les ruines du premier monastère carme au Wadi 'ain es-Siah sur le Mont Carmel, sont dues à l'intérêt manifesté par le Père Felipe Sainz de Baranda, Préposé général de l'Ordre des Carmes pendant les années 1979-1991. Il voulait préserver la surface entière et ses parties les plus importantes d'une dégradation ultérieure rapide ou, pire encore, d'une disparition définitive.

Le Père général et son Conseil décidèrent de confier la direction des travaux de conservation et de protection à Soeur Damienne de la Croix (Dr Eugenia Nitowsky), carmélite déchaussée résidant en qualité de moniale externe au monastère de Salt Lake City aux Etats-Unis.

En Mars 1987, Soeur Damienne commença une série de fouilles archéologiques et de travaux de sauvegarde et de conservation de cet important patrimoine. A cheval sur les années 50 et 60, quelques parties de ce premier emplacement carmélitain avaient déjà été étudiées par l'archéologue franciscain Bellarmino Bagatti, sur commande du Général de l'Ordre alors en exercice, Père Anastasio Ballestrero. Cependant, Soeur Damienne découvrit de nouveaux éléments, dont elle pouvait tirer des informations concernant les premières années d'histoire carmélitaine.

Le Wadi

Le Wadi 'ain es-Siah est une des vallées du Mont Carmel qui descendent perpendiculairement à la côte. Il se situe à 4 kilomètres d'Haïfa, sur la principale route côtière qui mène à Tel-Aviv.

D'autres *wadi* (= vallée) du même mont sont renommés pour les importantes découvertes archéologiques qui y ont été faites, en particulier dans quelques grottes où furent trouvés d'abondants restes d'un homme préhistorique appelé *Homo Carmelensis*.

Mais le Wadi 'ain es-Siah captive encore notre attention parce que, durant la période des Croisades, il fut choisi par les ermites latins comme lieu où ils pourraient établir leur séjour.

Aujourd'hui encore, qui veut visiter l'installation des moines de jadis en arrivant de la côte, doit remonter une grande partie de l'étroite vallée escarpée. Avant d'arriver au plateau de l'ensemble conventuel, c'est-à-dire à mi-parcours, il rencon-

62

62. *Sienne, Pinacothèque Nationale. Pietro Lorenzetti:* Retable du Carmel. *Les Carmes abandonnent leur manteau à rayures pour en prendre un entièrement blanc. La décision devient exécutive en 1287.*

63. Entrée du tunnel situé à la base de la tour d'angle. Ce tunnel fut peut-être construit pour le drainage hivernal ou bien dans un but défensif.

64. Salle voûtée ogivale. C'est d'elle que partait l'escalier qui donnait accès au couvent.

65. Plan du Wadi 'ain es-Siah. Dessin de Renzo Restani.

63

64

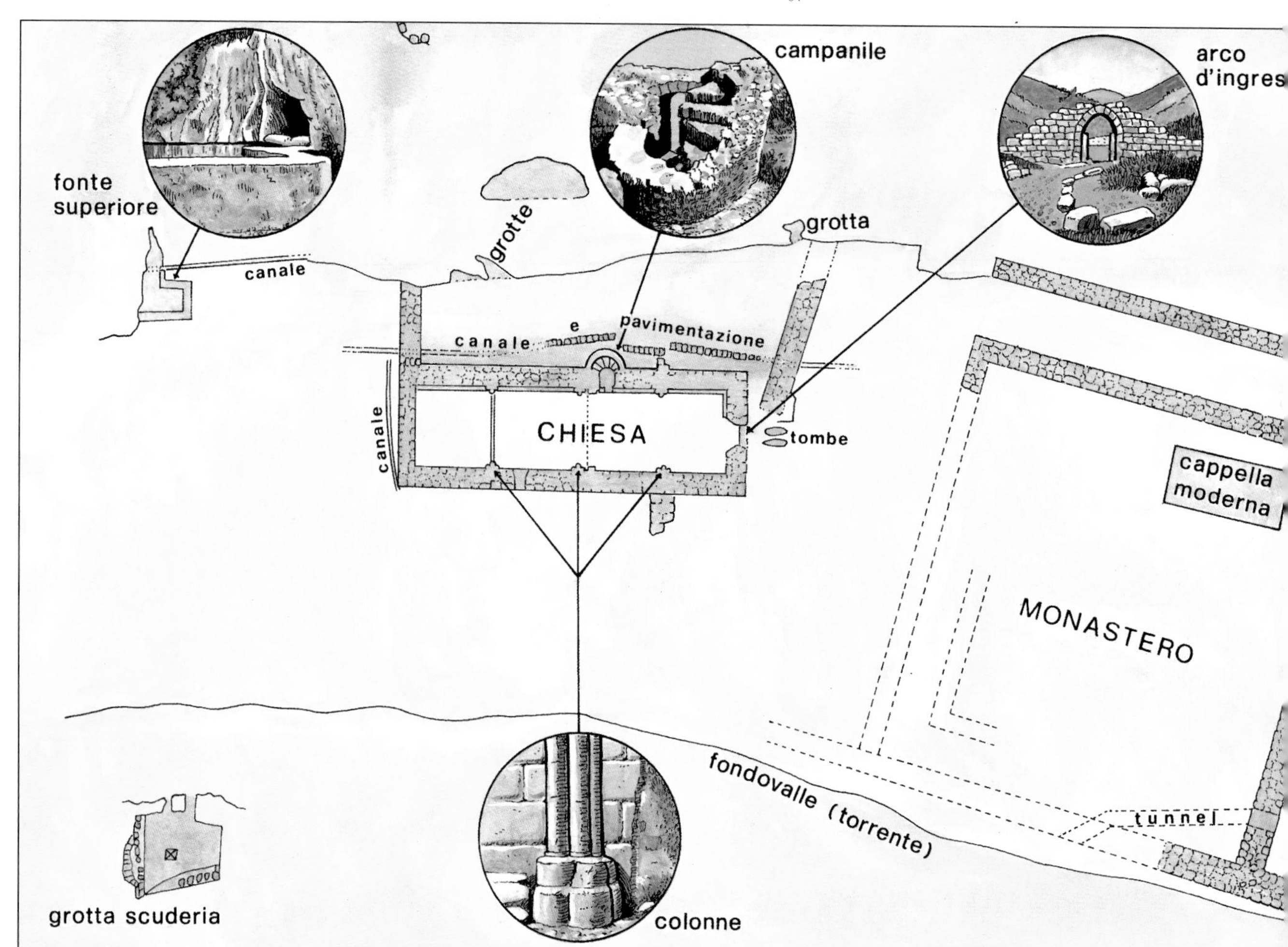

65

66

66. *Salle voûtée. Fenêtre à meurtrière évasée tournée vers l'Ouest.*

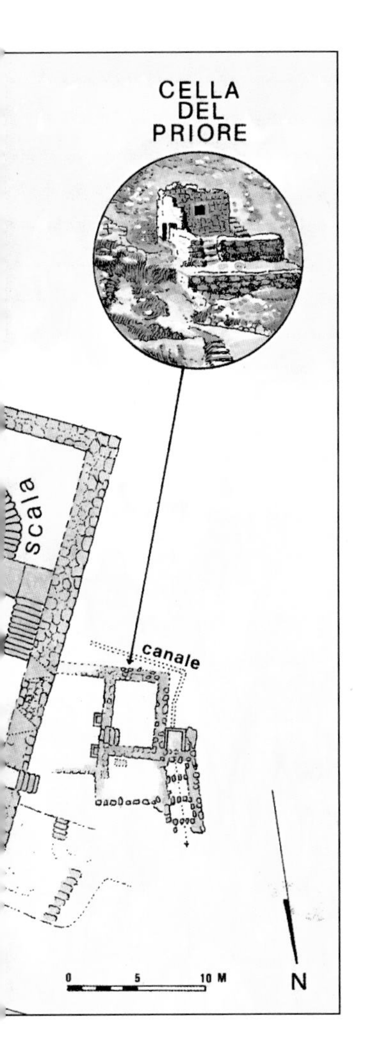

tre un fond de vallée fertile, en partie transformé en jardin, transformation due à une source abondante appelée la «Source d'Elie». Ses eaux jaillissent du flanc nord de la vallée, au pied d'un rocher où elles se jettent dans un grand bassin creusé lui aussi dans la roche et actuellement recouvert.

Un peu plus haut, le val se resserre entre deux crêtes, au Nord celle de la colline Kababir, au Sud celle de la colline Karmeliya, comme pour former une porte naturelle. En remontant la vallée, on rencontre une courte esplanade choisie par les ermites latins pour y édifier leur monastère. Aujourd'hui encore on en peut voir les ruines, objets des fouilles archéologiques.

A l'Est le Wadi 'ain es-Siah est fermé par une colline qui fait penser au profil du blason des Carmes. Plus qu'elle ne barre la vallée, cette colline la divise en deux branches qui montent vers les nouveaux quartiers du haut Haïfa.

La source supérieure

Souvent, les visiteurs du temps passé désignèrent cette source par le même nom que celle d'en bas: Source d'Elie. D'après une esquisse de Survey, on déduit qu'elle a subi de notables changements extérieurs. Au début, l'eau jaillissait d'un double bassin dans la roche, dont la chambre supérieure était semblable à un four. De la partie inférieure, une fissure conduit l'eau dans deux vasques peu profondes, taillées dans le rocher et qui forment un simple réservoir. A l'Est de la caverne, sur la face du rocher, s'ouvraient deux niches que Survey appela «*sedilia*». Le bassin devant la grotte est récent, il a élevé le niveau de l'eau au point de faire disparaître les *sedilia*.

Le Carme Déchaux Père Ambroise de Saint Arsène, en 1634, observa que la source supérieure se trouvait à l'intérieur des murs d'enceinte du couvent. Cela est confirmé par Jean-Baptiste de Saint Alexis (1780) qui parle d'une fontaine qui sort de la grotte un peu creusée dans la roche et agencée avec le mur de clôture du côté intérieur.

L'écurie-chapelle

Sur le versant nord de la vallée, en face de la source supérieure, s'ouvrent deux grottes superposées qui communiquent au moyen d'un escalier étroit. Le tout est creusé dans la blanche et tendre pierre calcaire. La grotte, au rez-de-chaussée, est quadrangulaire avec un pilastre au centre. Beaucoup de pèlerins et de chercheurs la visitèrent dans le passé et émirent à son sujet beaucoup de considérations et de théories.

Peut-être a-t-elle été habitée autrefois par un moine, membre de la *laure* de la période byzantine? A l'intérieur on a noté 14 ou 15 bassins qui ont pu faire fonction de mangeoires ou d'auges et qui semblent avoir été creusés dans la roche au temps des ermites latins ou peut-être postérieurement.

Soeur Damienne est plus portée à considérer que la grotte était une chapelle dédiée à la Sainte Vierge, déjà existante au Ve siècle, comme le prouveraient les analyses et les analogies avec la maison-tombe de Nazareth, remontant au 1er siècle et dans laquelle on remarque en outre des ajouts et des modifications des périodes byzantines et des croisades. La chapelle de la Vierge, dont l'autel était placé dans l'angle nord-est, était contemporaine de la *laure* byzantine, dont les moines habitaient dans des grottes éparpillées dans toute la vallée, ou dans des édifices voisins.

L'église

Les restes de l'église, fondée sur le rocher, se trouvent sur un terrain à peu près plat, à l'Ouest de la source supérieure. L'édifice est construit sur un plan rectangulaire, avec le clocher, ou tour semi-circulaire, placé sur le côté sud. L'église est parfaitement orientée Est-Ouest, comme la plupart des églises des premiers siècles. Du côté Est était situé le choeur, surélevé de deux gradins. Bellarmino Bagatti reconnut deux parties de l'église. L'une, la plus ancienne, située vers l'Ouest, a les mêmes caractéristiques techniques que la «cellule du prieur». La partie orientée à l'Est, au contraire, qui présente quelques différences de style (semi-pilastres trilobés) serait le fruit d'un agrandissement ultérieur. Les derniers fragments retrouvés dans les murs de l'église et les diverses analyses des mortiers pourraient au contraire incliner à considérer comme original le plan rectangulaire actuel qui aurait subi au cours des temps des réparations et des restaurations.

67

Dans la partie plus au Nord, vers l'entrée, tout le long des murs, est placé un banc de pierre, probablement employé par la petite communauté pour les prières en commun. Une fouille, pas encore achevée, a mis à jour quelques fragments d'un simple pavement de mortier de chaux sur le bord central du mur nord. Toutefois, il est prématuré d'avancer d'autres hypothèses avant la fin des fouilles et des études.

Pendant la campagne effectuée au printemps de 1989, après avoir pris l'avis des autorités israéliennes pour les biens archéologiques et avoir obtenu leur approbation, on commença la reconstruction de l'arcade d'entrée de l'église, avec les pierres retrouvées à terre. D'autres travaux de restauration ont été exécutés en divers points des murs de l'église, en particulier dans l'angle nord-est.

Les canaux

A côté de l'église, le long du mur sud, on a retrouvé un canal creusé dans la roche et recouvert de pierres ayant à peu près la même grandeur. Cette couverture suit le canal dans son parcours presque rectiligne et elle complète le pavement

68

69

adjacent, formé de petites pierres posées côte à côte. Ce pavement n'est certes pas élaboré; néanmoins il a été fait avec soin et il a de la valeur.

Une autre série de canaux a été découverte à l'Est de l'église, lors de la dernière campagne de fouilles. Tandis que l'on était en train de chercher à résoudre un problème d'infiltration d'eau qui, de la source supérieure ou de la colline située au-dessus, s'écoulait dans le mur est de l'église, on a trouvé que quelques canaux, creusés dans le roc un peu plus haut, avaient justement la fonction de recueillir les eaux et de les empêcher d'aller endommager l'église en s'infiltrant dans les murs.

La cuisine

Pendant la campagne de fouilles de l'automne 1988 on trouva, près du côté sud de l'église, la cuisine du monastère. L'installation, de forme ronde, est appelée *tabum,* ce qui signifie «four». Le foyer consiste en un demi-cercle de pierre, où deux couches noires de cendres montrent deux destructions advenues avant 1265. Le *tabum* également, fait de terre glaise, révèle plusieurs reconstructions dont la dernière date de 1291.

Les tombes

Deux tombes creusées dans le roc sont situées près de l'entrée de l'église, perpendiculairement à la façade. L'une d'elle contenait les restes d'un homme âgé (60-70 ans) dont les mains étaient croisées sur la poitrine. Beaucoup pensent qu'il s'agit d'un des fondateurs ou d'un prieur particulièrement important.

L'autre tombe est plus petite et plus grossièrement faite. Elle contenait les ossements de deux personnes, disposés sans ordre. Il s'agit évidemment d'une réinhumation. Selon le Père Bagatti, ces deux squelettes auraient appartenu à un homme et à une femme; Soeur Damienne au contraire affirme que ce sont deux hommes, l'un de 70-80 ans, l'autre de 19-20 ans.

Le monastère

En 1263, le pape Urbain IV publia une bulle qui recommandait aux fidèles de contribuer à la construction d'un monastère, entreprise par les Carmes sur les pentes du Mont Carmel. L'oeuvre est décrite comme un «somptueux projet».

Sur le même terre-plein que l'église s'élevait le monastère à plan carré, comme témoignent quelques murs qui affleurent à la surface du sol. Aucune fouille n'a encore répondu aux nombreuses questions que posent ces ruines.

Les descriptions que nous ont laissées des visiteurs de temps reculés parlent d'un

67. Salle voûtée et escalier d'accès aux locaux supérieurs du couvent.

68. Surface occupée par le couvent médiéval, sur laquelle se dressent encore les vestiges de l'église.

69. Vue panoramique de l'esplanade, prise du flanc Nord de la montagne.

édifice à plusieurs étages et d'un large escalier par lequel on descendait aux appartements inférieurs. L'escalier qui est resté est vraiment monumental et peut-être unique en son genre. Mais actuellement il souffre de nombreux problèmes de stabilité qui mettent sérieusement en danger sa conservation. Des étages supérieurs ne reste visible que l'angle sud-est qui conserve un fragment de pavement au-dessus de la salle voûtée.

La salle voûtée

A l'extrémité de l'escalier monumental s'ouvre la salle dite «salle voûtée». Les murs conservés et les nombreuses pierres équarries tombées à terre indiquent clairement l'existence d'une grande salle soigneusement construite, pourvue d'une voûte ogivale, et placée perpendiculairement à la pente de la colline. La salle a une petite porte et deux meurtrières en guise de fenêtres du côté ouest.

Lorsqu'on a dû débarrasser une partie de la salle des pierres tombées de la voûte, on a découvert une partie du pavement. En outre, on a remarqué que le mur oriental est construit sur des plans de pose retirés du dégrossissement de la roche. Les bâtisseurs, après avoir cherché à niveler la roche calcaire, ont continué le mur avec des suites plus ou moins régulières de pierres taillées provenant de la zone d' Athlit.

La salle voûtée occupe une surface déjà construite auparavant, comme le prouvent deux murs perpendiculaires découverts pendant les travaux de recherche. Peut-être faudrait-il les associer à l'édifice voisin appelé «cellule du prieur» ; mais là encore, pour en savoir plus, il conviendra d'attendre les résultats des fouilles.

La cellule du prieur

Toujours sur le versant sud du *wadi,* à côté de la salle voûtée, se dresse la «cellule du prieur» qui, selon la règle de saint Albert, devait être construite «à l'entrée du lieu».

Le Père Bagatti fouille cette surface en 1961 et met au jour deux pièces, dont l'une avait été en partie sacrifiée quand avait été édifié le mur de la salle voûtée. La seconde pièce conserve un morceau des murs qui l'entourent, elle communique avec la première par une porte. Sur le côté ouest de la cellule, descend une canalisation traversée par quelques petits arcs ogivaux sur lesquels s'appuient de larges pierres de couverture.

La tour et le tunnel

Des chroniques racontent qu'aux angles du monastère s'élevaient quatre tours, une à chaque angle. Ce détail n'a pas encore été confirmé par les archéologues, si ce n'est pour la tour située à l'angle nord-est. En reste visible le local le plus bas qui comporte deux arcades dans les murs est et ouest. Ce local ne devait pas être habité, car il est en contact avec la roche et il se trouve à l'endroit le plus bas du *wadi,* où coulait le torrent. Dans cet espace vide débouche un beau tunnel dont on pense qu'il a été construit pour le drainage hivernal.

Soeur Damienne trouve étrange qu'on ait fait un tunnel pour le torrent, alors que tout près courait le lit naturel du *wadi.* En second lieu, la structure du tunnel reproduit celle semblable du château des Croisés d'Athlit *(Castel Pelerim),* qui est signalée comme passage à des fins défensives. Ailleurs, Soeur Damienne ne manque pas de souligner les ressemblances du monastère carmélitain avec le château d'Athlit: d'analogues techniques de construction et de typologie, d'identiques matériaux de construction feraient supposer que les bâtisseurs furent les mêmes.

Il est intéressant de noter que sur toute la surface examinée on trouve deux types de pierre employés dans les divers édifices. Un calcaire blanchâtre, tendre et poreux, qui se désagrège donc facilement sous l'effet d'agents chimiques et atmosphériques, se trouve sur place. Le grès de couleur noisette, rugueux et très dur, provient au contraire de la zone côtière voisine d'Athlit.

P. Silvano
Giordano

Albert, patriarche de Jerusalem

70

70. Sceau de saint Albert, patriarche de Jérusalem (1206-1214). Pile: ANASTASIS *(Résurrection). Face:* ALBERTUS IEROSOLIMITANUS.

71. Wadi 'ain es-Siah. Vue générale du versant Sud. Au premier plan, l'église.

Albert naquit vers le milieu du XIIe siècle à Castrum Gualterii, qui était alors dans le diocèse de Parme, de la famille Avogadro ou bien, plus probablement des comtes de Sabbioneta. En 1180 il fut élu prieur des Chanoines Réguliers de Santa Croce di Mortara (province de Pavie), parmi lesquels il avait embrassé la vie canoniale. Quatre ans après, il fut nommé évêque de Bobbio et l'année suivante il fut transféré au diocèse de Verceil qu'il dirigea pendant vingt ans. En 1191 il réunit un synode diocésain, important pour les décrets disciplinaires qu'il promulgua, et il promut la culture dans sa cathédrale en stipulant que trois maîtres du Chapitre, un théologien, un grammairien et un copiste enseigneraient gratuitement.

Albert fut très actif dans le domaine politique: il agit comme médiateur entre le pape Clément III et Frédéric Barberousse, dont le successeur Henri VI prit sous sa protection les biens ecclésiastiques de Verceil et fit d'Albert un prince d'Empire.

71

En outre, il fut chargé par le pape Innocent III de missions de paix entre les villes de Milan et de Pavie (1194), de Parme et de Plaisance (1199). En 1194 il dicta des statuts pour les chanoines de Biella. Plus importante encore fut son intervention dans la question des Humiliés, un groupe spontané de religieux qui s'était développé dans l'Italie méridionale et qui désirait trouver sa place dans l'Eglise. Innocent III créa une Commission composée d'Albert et d'abbés cisterciens qui fut chargée d'examiner le problème. D'après les indications fournies par les Humiliés eux-mêmes, élaborées par la Commission et revues par un groupe de cardinaux puis par le pape lui-même, une règle fut rédigée, approuvée en 1201.

A la suite de la renonciation de Soffred, cardinal de Sainte Praxède et légat en Palestine, Albert fut désigné par les chanoines du Saint-Sépulcre comme patriarche latin de Jérusalem. Ce choix s'explique par le fait que les chanoines étaient pour la plupart français et italiens, c'est-à-dire qu'ils connaissaient les prélats européens. L'élection, approuvée par le roi de Jérusalem, Amaury de Lusignan et par Pierre, patriarche d'Antioche, fut confirmée par Innocent III qui, en 1205, conféra le pallium d'archevêque à Albert et le nomma légat pontifical en Terre Sainte pour quatre ans, en lui donnant la faculté de recueillir des subsides pour la Croisade.

S'étant embarqué sur un bateau génois, Albert arriva à destination dans les premiers mois de 1206 et établit son siège à Saint-Jean d'Acre, l'actuelle Akko. Même si cette ville avait déjà son propre évêque, il n'était pas possible de s'installer à Jérusalem qui était, depuis 1187, aux mains des musulmans.

Sa principale préoccupation fut de sauvegarder la concorde entre les chefs croi-

suite page 74

Règle primitive

de l'Ordre de la Bienheureuse Vierge Marie du Mont Carmel donnée par saint Albert, patriarche de Jérusalem, corrigée, amendée et confirmée par Innocent IV

[1] Albert, par la grâce de Dieu appelé patriarche de l'Eglise de Jérusalem à ses bien-aimés fils dans le Christ béni, et aux autres ermites qui sous son obédience demeurent au Mont Carmel près de la Source: salut dans le Seigneur et bénédiction de l'Esprit-Saint.

[2] Plusieurs fois et de diverses manières nos vénérés Pères ont établi que quiconque, quel que soit l'Ordre auquel il appartienne et quelle que soit la forme de vie religieuse qu'il suive, doit vivre dans le respect de Jésus-Christ et le servir fidèlement, d'un coeur pur et avec bonne conscience. Mais puisque vous nous demandez qu'en rapport avec votre idéal nous vous fixions une formule de vie que vous puissiez observer à l'avenir.

[3] Nous décidons qu'en premier lieu, un prieur soit élu parmi vous à l'unanimité ou au moins par la partie la plus nombreuse et la plus valable de votre communauté. Que chacun lui promette l'obéissance en s'engageant à vivre cette vertu, vraiment, par ses oeuvres, en même temps que la charité et le renoncement à la propriété.

[4] Vous pourrez fixer votre résidence dans les déserts, ou en d'autres lieux qui vous seront donnés, pourvu qu'ils soient adaptés à votre genre de vie religieuse, selon l'avis du prieur et des frères.

[5] En outre, ayant toujours présente à l'esprit la disposition concernant l'endroit choisi pour y habiter, que chacun de vous ait sa cellule séparée, selon l'attribution faite à chacun par le prieur, avec l'approbation des autres frères ou de la partie la plus importante de la communauté.

[6] Toutefois, vous mangerez au réfectoire commun tout ce qui vous sera distribué, en écoutant ensemble, là où cela pourra être réalisé sans difficulté, quelque passage de la Sainte Ecriture.

[7] Il n'est permis à aucun frère, sans le consentement du prieur, de changer la place qui lui a été assignée.

La cellule du prieur devra se trouver près de l'entrée afin qu'il puisse aller le premier à la rencontre de ceux qui viennent et que, selon sa volonté et les dispositions qu'il prendra, soit fait tout ce que l'on doit faire.

[8] A moins d'être occupé à d'autres légitimes activités, que chacun reste dans sa cellule ou près d'elle, méditant jour et nuit la Loi du Seigneur et veillant dans la prière.

[9] Ceux qui savent réciter les Heures canoniales avec les clercs, qu'ils les récitent selon les prescriptions des Pères vénérés et la légitime habitude de l'Eglise.

Ceux qui ne savent pas le faire, qu'ils disent vingt-cinq Pater noster pendant les Vigiles nocturnes, excepté les dimanches et les jours solennels, pour les Vigiles desquels nous prescrivons que ce nombre soit doublé, de manière à dire cinquante Pater noster. On dira ensuite la même prière sept fois aux Laudes du matin. On la récitera encore sept fois lors de chacune des Heures, sauf pour les Vêpres pendant lesquelles on devra la dire quinze fois.

[10] Qu'aucun frère ne dise qu'il possède quelque chose en propre, mais que parmi vous tout soit commun et que tout soit distribué par le prieur ou mieux par le frère chargé de cette besogne, selon les nécessités de chacun en tenant compte de l'âge et des besoins de chacun.

[11] Selon vos nécessités, vous pourrez posséder des ânes ou des mulets et même élever quelques animaux ou volatiles.

[12] L'oratoire, dans la mesure du possible, sera construit au milieu des cellules, et vous devrez vous y réunir chaque matin pour participer à la célébration de la messe, si cela peut se faire commodément.

[13] Le dimanche, ou un autre jour si c'est nécessaire, vous vous entretiendrez de ce qui concerne le maintien de l'esprit de l'Ordre et la santé spirituelle. Dans ces réunions, que soient corrigés avec charité les fautes et les manquements constatés chez les frères.

[14] De la fête de l'Exaltation de la Sainte Croix jusqu'au Dimanche de la Résurrection du Seigneur, vous jeûnerez chaque jour, excepté les dimanches et sauf en cas de maladie, faiblesse et autre juste cause qui conseille de ne pas observer le jeûne, puisque la nécessité n'a pas de loi.

[15] Vous vous abstiendrez de manger de la viande, à moins que vous ne deviez en prendre pour cause de maladie ou de faiblesse. Et puisqu'en voyage vous devez souvent demander la charité, pour ne pas peser sur ceux qui vous donnent l'hospitalité, hors de vos couvents vous pourrez vous nourrir d'aliments préparés avec de la viande.

[16] Mais puisque sur terre la vie de l'homme est une épreuve, que ceux qui veulent vivre pieusement dans le Christ doivent souffrir la persécution, et que le diable, votre ennemi, rôde comme un lion rugissant qui cherche la proie à dévorer, vous vous efforcerez

soigneusement de revêtir l'armure de Dieu, de manière à pouvoir résister aux embûches de l'adversaire.

Ceignez vos reins de la ceinture de la chasteté; défendez votre coeur par de saintes pensées puisqu'il est écrit: «Une sainte pensée te gardera». Endossez la cuirasse de la justice pour pouvoir aimer le Seigneur votre Dieu de tout votre coeur, de toute votre âme, de toute votre force et votre prochain comme vous-mêmes.

Vous devez toujours avoir au bras le bouclier de la foi, avec lequel vous pourrez éteindre toutes les flèches enflammées du Malin. En effet, sans la foi, il est impossible de plaire à Dieu. Vous poserez sur votre tête le casque du salut afin d'attendre le salut de l'Unique Sauveur qui sauve son peuple du péché. Que le glaive de l'Esprit, c'est-à-dire la Parole de Dieu, soit abondamment dans votre bouche et dans vos coeurs, et tout ce que vous devez faire, faites-le au nom du Seigneur.

[17] Vous devez vaquer à quelque occupation, afin que le diable vous trouve toujours occupés et qu'il ne réussisse pas à trouver quelque moyen d'accès à votre âme en raison de votre oisiveté. Pour cela, vous avez l'enseignement et l'exemple du bienheureux apôtre Paul, le Christ parlait par sa bouche. Si vous le suivez, lui qui fut choisi par Dieu pour être le prédicateur et le maître des nations dans la foi et dans la vérité, vous ne pourrez pas vous tromper.

Il a dit: «Parmi vous nous avons travaillé avec peine et efforts jour et nuit pour n'être à la charge de personne. Ce n'est pas que nous n'y ayons pas droit, mais nous voulions nous donner nous-mêmes en exemple à imiter. En effet, quand nous étions près de vous, nous vous avons donné cette règle: celui qui ne veut pas travailler, ne doit pas manger non plus. A ce sujet, nous avons entendu dire que quelques-uns parmi vous vivent dans le désordre, ne faisant rien et s'agitant beaucoup. A ceux-ci nous ordonnons, en les exhortant dans le Seigneur Jésus-Christ, de manger leur propre pain en travaillant en silence». Cette voie est sainte et bonne. C'est celle que vous devez suivre.

72. Archives secrètes du Vatican. Reg. Vat. 21, 465 v.-466 r. Lettre d'Innocent IV Quae honorem Conditoris, *datée de Lyon le 1er Octobre 1247. Il s'agit d'un enregistrement à l'usage de la chancellerie pontificale. La lettre adressée, selon la rubrique,* Priori et fratribus heremitis de Monte Carmeli, *décrit le travail accompli par les réviseurs, sur le texte d'Albert, à la demande des Carmes eux-mêmes. Elle approuve le nouveau texte promulgué de la règle en l'incluant dans le document même. Il s'agit du texte le plus ancien connu, considéré comme officiel, en l'absence de l'original perdu. Il commence par les mots:* Albertus dei gra(cia) *et se termine par le mot* moderatrix, *que suit la date.*

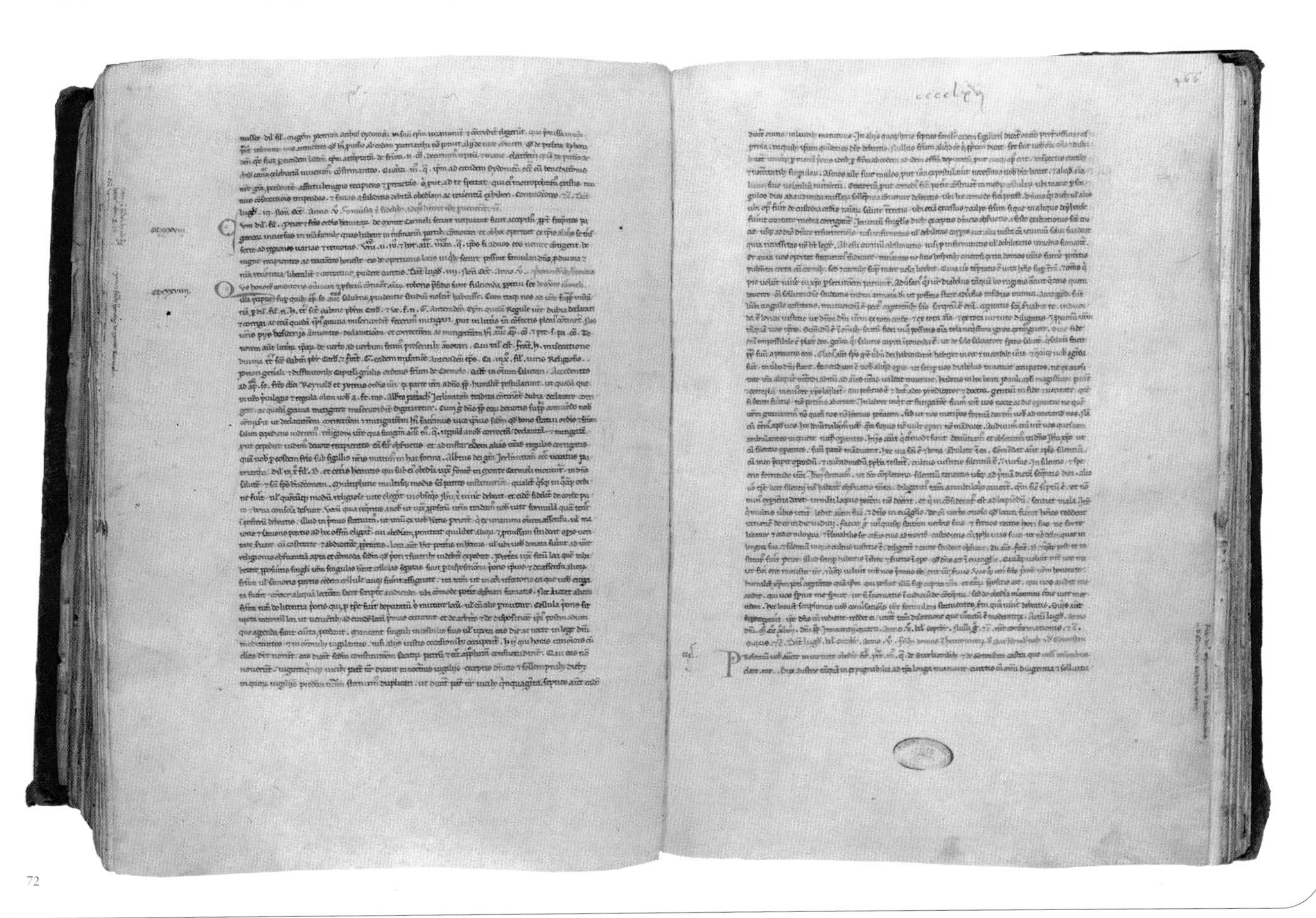

73

74

[18] L'Apôtre recommande aussi le silence. Il prescrit de l'observer tandis qu'on travaille. Le Prophète aussi affirme: «Le silence est le gardien de la justice». Et plus loin: «Votre force sera dans le silence et l'espérance».

C'est pourquoi nous décrétons que de la fin de Complies jusqu'à Prime récitée du jour suivant, vous garderez le silence. Durant le reste du temps, bien que le silence ne soit pas exigé avec autant de rigueur, que l'on évite toutefois avec grand soin de trop parler. En effet, comme il a été écrit et comme l'expérience l'enseigne: «Quand on parle beaucoup la faute ne manque pas» et: «Qui ne réfléchit pas en parlant en aura des ennuis». En outre, celui qui parle beaucoup se blesse l'âme. Et dans l'Evangile le

75

73. Sienne, Pinacothèque Nationale. Pietro Lorenzetti: Retable du Carmel, *détail,* La Source d'Elie.

74. Sienne, Pinacothèque Nationale. Pietro Lorenzetti: Retable du Carmel, *détail,* Ermite en prière.

75. Sienne, Pinacothèque Nationale. Pietro Lorenzetti, Rétable du Carmel, *détail.* Albert patriarche de Jérusalem remet la règle aux ermites du Mont Carmel. *L'oeuvre fut commandée par les Carmes de Sienne entre 1327 et 1328. D'un grand intérêt, outre le panneau central représentant* La Vierge sur son trône, entre saint Nicolas et le prophète Elie, *les cinq panneaux de la prédelle, dans lesquels apparaissent des épisodes de la tradition carmélitaine:* La vie solitaire autour de la Source d'Elie, La remise de la règle par Albert, l'approbation accordée par le pape à la règle-même, et le changement de manteau qui, de rayé devient blanc. *En une époque où les Carmes éprouvaient encore des difficultés à se faire accepter, le* retable *de Lorenzetti se distingue par son but évident de propagande.*

Seigneur dit: «De toute parole oiseuse qu'ils diront, les hommes rendront compte au jour du Jugement».

Chacun doit donc peser ses paroles et mettre un frein à sa bouche, afin que sa langue ne risque pas de glisser et de tomber [dans le péché, NDLT] et que sa chute ne soit pas sans remède et ne le conduise pas à la mort. Avec le Prophète, que chacun garde les voies qui lui ont été enseignées pour ne pas pécher par la langue, en s'engageant avec zèle et attentivement à observer le silence dans lequel est placé le culte de la justice.

[19] Toi, Frère B, et quiconque après toi sera constitué Prieur, ayez toujours à l'esprit et respectez dans vos oeuvres ce que le Seigneur dit dans l'Evangile: «Celui qui veut être grand parmi vous se fera votre serviteur, et celui qui veut être le premier parmi vous sera le serviteur de tous».

[20] Vous aussi, mes frères, honorez humblement votre prieur; plus qu'à lui pensez au Christ qui le voulut votre supérieur; à ceux qui dans les Eglises exercent l'autorité, le Christ a dit: «Celui qui vous écoute m'écoute, et celui qui vous méprise me méprise». Ainsi ne serez-vous pas soumis au jugement pour avoir méprisé le Seigneur, mais pour votre obéissance vous mériterez la récompense de la vie éternelle.

[21] Nous vous avons écrit brièvement ces choses, en fixant pour vous une Règle de vie, selon laquelle vous devrez vivre.

Si quelqu'un fait davantage, le Seigneur lui-même quand il viendra lui donnera la récompense. Toutefois comportez-vous avec discrétion, modératrice des vertus.

76

77

76. Façade de l'église avec l'arcade de l'entrée récemment remise en place.

77. Nef de l'église, de direction Est-Ouest, de l'entrée vers l'abside.

sés. Le 3 Octobre 1210, il couronna roi de Jérusalem Jean de Brienne qui avait épousé Marie de Monferrat, héritière du royaume et, à la mort de Marie survenue en 1213, il réussit à maintenir les princes croisés unis autour de Jean de Brienne. Il intervint auprès de Boémond IV, comte de Tripoli, pour qu'il libérât Pierre, patriarche d'Antioche, qu'il retenait prisonnier. Il opéra un échange de prisonniers avec le sultan d'Egypte et envoya des légats au sultan de Damas pour faire la paix en Terre Sainte. Son action politique et religieuse fut soutenue par Innocent III qui en approuvait la qualité et attribuait à son travail le fait que la Terre Sainte, à ce moment-là, ne tomba pas complètement sous la domination musulmane.

Le 19 Avril 1213, le Pape invita Albert à participer au Concile qui devait avoir lieu en 1215 à Rome et dans lequel on discuterait du problème de la Croisade. Toutefois, le patriarche de Jérusalem ne put y être présent: le 14 Septembre 1214, tandis qu'à Saint-Jean d'Acre il participait à une procession, il fut poignardé par le maître de l'Hôpital du Saint-Esprit qu'il avait déposé pour cause d'indignité.

Albert est vénéré comme un saint. Sa fête commença à être célébrée par les Carmes en 1504, fixée le 8 Avril. Abandonnée en 1574, elle fut reprise en 1609. Actuellement on la commémore le 17 Septembre.

P. Roberto
Fornara

LES RACINES BIBLIQUES DE LA REGLE

78

78. *Détail du mur intérieur du côté Nord de l'église. Une colonne trilobée est visible.*

79. *La source supérieure, située derrière l'abside de l'église, autrefois à l'intérieur du mur d'enceinte du couvent. Vue générale.*

La Torah était et reste pour les Hébreux l'enseignement fondamental, le texte normatif par excellence, le chemin de vie à l'intérieur duquel on découvre le projet divin. Aucune règle religieuse ne nourrit la prétention de se substituer à la Parole de Dieu, qui est pour tout chrétien — et donc, à plus forte raison, pour tout institut religieux — l'ultime et suprême norme de vie. Les règles monastiques et religieuses sont souvent fondées sur la Sainte Ecriture; elles y puisent abondamment, en privilégient et soulignent quelques thèmes et quelques aspects de préférence à d'autres; et plus l'orientation ou le style de vie proposé dans la règle est de nature contemplative, plus son lien avec la Bible est étroit. La règle primitive du Carmel, tout en présentant des analogies avec d'autres textes normatifs et même dépendant plus ou moins d'eux, se caractérise par une forte accentuation de sa portée biblique, non seulement à cause de la valeur qu'elle attribue à la méditation de la Parole de Dieu, mais aussi en raison des fréquentes citations scripturaires (dans un texte d'à peine un millier de mots, on en compte au moins une trentaine) et même de son style de saveur délicieusement «biblique» en certains endroits.

Orientée vers la Parole

L'importance que le Législateur attribue à la Parole de Dieu vient avant tout de sa préoccupation d'orienter la vie des Carmes en la centrant sur la Parole. Dans la partie centrale (n° 8) il prescrit en effet: «Que chacun reste dans sa cellule, ou près d'elle, méditant jour et nuit la Loi du Seigneur» (cf. Psaumes 77/2-13; 119). Cette invitation emprunte deux expressions du *Livre de Josué* (1/8) et des *Psaumes* (1/2) dans lesquels le verbe hébraïque *hgh* (traduit dans la version des Septante par son correspondant grec *«meletáo»*) se réfère à l'assiduité dans

79

80. *Vue partielle du portail d'entrée.*

l'action de réfléchir ou de penser à quelque chose. L'insistance sur cette assiduité est du reste rendue par l'expression hébraïque typique «jour et nuit» pour souligner précisément, à travers les deux extrêmes, la diligence et la constance nécessaires. Il s'agit, dans l'intention du législateur, d'une méditation priante et vigilante: *«Veillant en prière»* (cf. Mc 14/38; Mt. 26/41; 1 P. 4/7; Eph. 6/18). La centralité de la Parole [dans le quotidien, NDLT] est surtout fonction de la vigilance et de *la fermeté dans la foi* (cf. Mc 13/33-37; 1 Cor. 16/13; 1 P. 5/8-9) qui seront redemandées avec insistance aux n° 16-18.

Le législateur revient encore sur cette invitation pressante dans le n° 16: *Que le glaive de l'Esprit, c'est-à-dire la Parole de Dieu* (cf. Eph. 6/17; Hb. 4/12) *demeure abondamment sur vos lèvres et dans votre coeur* (cf. Deut. 30/14), où le souhait-invitation est repris de Col. 3/16 et où l'usage du verbe *demeurer* nous renvoie à l'insistance du quatrième Evangile et des Epîtres de saint Jean sur le thème de la Parole du Christ qui reste en ses disciples (cf. Jn 5/38, 15/7; 1 Jn 2/14-24). Et l'auteur de la règle conclut en reprenant le texte de saint Paul dont il s'était déjà inspiré: «Et ce que vous devez faire, faites-le totalement selon la Parole du Seigneur» (cf. Col. 3/17). Il faut remarquer que dans le texte correspondant de saint Paul nous trouvons l'expression: *«Que tout soit fait au nom du Seigneur Jésus»*. En employant au contraire le terme *«Selon la Parole du Seigneur»*, la règle semble presque vouloir expliciter pour les Carmes une vocation qui est le propre de tout chrétien. La vie nouvelle du baptisé est l'espace laissé à la personne même du Christ. C'est pourquoi tout doit être fait *«au nom du Seigneur Jésus»*.

Le Carme qui a choisi de vivre *dans le respect de Jésus-Christ* (n° 2) trouve ici la modalité concrète pour réaliser son propos: vivre dans une familiarité particulière et assidue avec la Parole, qui doit devenir — à travers la méditation constante — le lieu privilégié dans lequel il puisse Le rencontrer. Cette obligation, étant donnée son importance au centre de la vie du Carme, n'est pas seulement le devoir de chacun, mais aussi celui de toute la communauté (cf. n° 6).

Deux autres textes sont également des invites explicites à étudier attentivement l'Ecriture, le premier au n° 17, dans lequel, en citant intégralement 2 Thes. 3/7-12 (mais cf. aussi 1 Thes. 2/9-12), l'apôtre Paul est proposé comme modèle de travail, lui «par la bouche de qui — est-il dit expressément — le Christ parlait, et que Dieu a constitué et donné comme prédicateur et maître aux Nations, dans la foi et dans la vérité». S'il est modèle donc, c'est en tant qu'*homme de la Parole de Dieu*. Hélas! reconnaît justement B. Secondin: «Il ne semble pas que la proposition ait trouvé des développements dans l'histoire de l'interprétation de la Règle. Mais peut-être aujourd'hui la suggestion pourrait-elle être mieux accueillie et réalisée». L'autre invitation retentit au n° 19, quand on exhorte le prieur à rappeler et à mettre en pratique la consigne du Seigneur dans l'Evangile de Marc: «Qui veut être grand parmi vous sera votre serviteur et qui veut être le premier parmi vous sera votre esclave» (10/43-44; cf. Lc 22/26; Mt. 20/26-27).

Enracinée dans la Parole

Nous avons déjà longuement parlé, au début de cet article, du grand nombre de citations explicites de la Bible contenues dans la Règle. Arrêtons-nous sur quel-

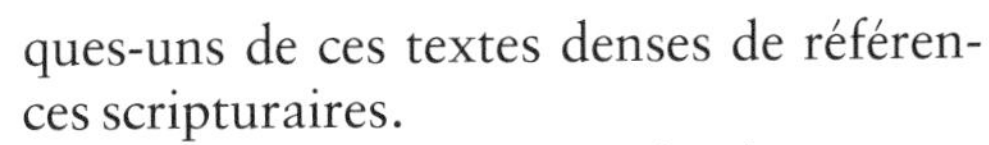

81

81. Porte d'accès au clocher, qui s'ouvre dans le mur Sud de l'église.

82. L'escalier hélicoïdal intérieur du clocher.

ques-uns de ces textes denses de références scripturaires.

Le n° 16 est sans doute le plus important de ce point de vue. Si le lecteur a un minimum de familiarité avec la Bible, il s'aperçoit qu'il se trouve en face d'un authentique collage de nombreux textes de l'Ecriture, savamment amalgamés dans un discours organisé. Le chapitre commence par une citation de Job (7/1), pour qui *«la vie terrestre de l'homme est un temps de tentation»*. Dans le texte hébreu original, en réalité, la vie de l'homme est comparée à un service militaire, à une milice; mais la liberté de la traduction grecque des Septante a donné naissance à la vieille version latine *tentatio* (tentation, épreuve). Tandis que la Bulle d'Honorius III reproduisait le terme de *militia,* plus fidèle à l'original hébraïque, Innocent IV rend ce mot par *tentatio,* qui restera dans le texte latin de la Règle. En tout cas, la citation sert au législateur pour introduire un discours sur l'épreuve, et donc sur la nécessité de la vigilance, tout en se servant explicitement, aussi, de métaphores militaires empruntées à la Bible, comme nous le verrons plus loin. L'idée de la vie comme épreuve est répétée avec force par la référence à d'autres textes bibliques; on reconnaît au moins 2 Tim. 3/12 (selon lequel qui veut être fidèle au Christ passe nécessairement par son chemin de croix et de persécution) et 1 P. 5/8 (le célèbre passage qui représente le diable, l'*adversaire,* par la métaphore du lion rugissant qui rôde à la recherche d'une proie).

En face de cette réalité, voici l'unique arme de défense: *«Avec diligence, employez-vous à revêtir l'armure de Dieu de façon à pouvoir résister aux pièges de l'ennemi»*. Pour la Bible, qui use souvent du symbole du vêtement, le fait de se revêtir de quelque chose n'est pas une simple donnée extérieure, mais il implique aussi un changement essentiel dans la personne. Nous pouvons le constater fréquemment dans les Epîtres de Paul (cf. Rm. 13/12; 1 Cor. 15/53-54; 2 Cor. 5/2-4; Gal. 3/27; Eph. 4/22-24; Col. 3/9-10; 1 Thes. 5/8). Pour l'Apôtre, le chemin du chrétien déjà *revêtu du Christ* par le baptême (cf. Gal. 3/27) consiste à se revêtir continuellement de lui, en se laissant toujours plus pénétrer par sa force (cf. Rm. 13/14). Le texte cité par le législateur est pourtant celui de Eph. 6/11-13. Il s'agit — dans le contexte proche — d'une péricope de la *Lettre aux Ephésiens* entièrement consacrée au combat spirituel, qui a suscité tant d'échos dans l'histoire du monachisme et de la spiritualité en général. La péricope débute par l'invitation: «Puisez votre force dans le Seigneur et dans la vigueur de sa puissance» (Eph. 6/10). Il est clair dès ce moment que l'armure à endosser n'est pas une quelconque vertu à conquérir par l'effort de la volonté, mais elle est la force même provenant de Dieu, la vie *nouvelle* dans le Christ. L'Apôtre garde l'image militaire en présentant les diverses parties qui doivent composer l'armure du chrétien: la ceinture de la vérité (v.14), la cuirasse de la justice (v.14; cf. Is. 59/17; Sg. 5/18), le zèle pour annoncer l'Evangile comme des chaussures aux pieds (v.15; cf. Is. 52/7), le bouclier de la foi (v.16; cf. Sg. 5/19), le casque du salut (v.17; cf. Is. 59/17) et le glaive de l'Esprit c'est-à-dire la Parole de Dieu (v.17; cf. Is. 49/2; Hb. 4/12). La Règle reprend tous ces éléments symboliques, à l'exception des chaussures. Il n'est pas facile de trouver les raisons de cette omission, qui s'explique peut-être par la manière dont le législateur cite la Bible, c'est-à-dire de mémoire, ou peut-être encore parce que, voulant exprimer l'annonce de l'Evangile, cette image ne convenait pas pour une communauté destinée à une vie érémitique. Quant aux autres symboles, la Règle suit assez bien l'usage qu'en fait Paul dans l'Epître aux Ephésiens. Elle ne s'écarte largement que du premier. Tandis que pour Paul il s'agit de *«se ceindre les reins avec la vérité»* (v. 14), la Règle transfère ce terme au thème de la chasteté, peut-être en harmonie avec une certaine veine d'exégèse allégorique que quelques Pères de l'Eglise suivront aussi. En somme, si la symbolique bellico-militaire risque d'être mal supportée par notre sensibilité moderne, nous sommes appelés à comprendre — à travers les images — que les vraies armes requises sont en réalité le contraire de la guerre et constituent (comme les béatitudes de l'Evangile) ce que l'on peut imaginer de plus désarmant.

Une référence explicite à la Sainte Ecriture — bien que moins accentuée — se trouve également dans les numéros suivants (17 et 18), dédiés respectivement au thème du travail et du silence (n° 18). Le chapitre sur le travail est basé sur une longue citation de la seconde Epître aux Thessaloniciens (3/7-12), dont s'inspi-

82

rent toutes les règles monastiques pour parler de ce thème. L'originalité de notre Règle consiste en l'insistance sur d'autres textes bibliques pour proposer l'apôtre Paul comme exemple à imiter (cf. 2 Cor. 13/3; 1 Tim. 2/7; 2 Tim. 1/11; 1 Thes. 2/9; 4/11). Le chapitre du silence est d'un intérêt particulier. Bien que rédigé de manière à prescrire quelques normes pratiques (comme celle qui concerne le «grand silence» de Complies à Prime du lendemain), le fondement du texte est encore tissé de citations bibliques. Le passage de 2 Thes. 3/12 sert de liaison avec le paragraphe précédent, mais il est cité en substituant le terme *silence* à l'original *calme, paix;* l'exhortation de l'Apôtre était en effet destinée à inviter les Thessaloniciens à travailler tranquillement, sans se laisser troubler par de fausses nouvelles sur l'imminent retour du Seigneur. Même les textes prophétiques cités (Is. 30/15; 32/17) s'appuient sur cette interprétation: l'intention du prophète est de convaincre ses concitoyens que la vraie *tranquillité* et la vraie *paix* ne peuvent venir de la recherche frénétique d'alliances humaines, mais uniquement de la confiance et de l'espérance mises dans le Seigneur, qui renouvelle son Alliance et lui reste constamment fidèle. Si les trois citations bibliques représentent d'évidentes exagérations de leur vrai sens original (favorisées dans le cas d'Isaïe par la traduction latine qui emploie le terme *silentium*), il est également vrai que le sens le plus large des passages bibliques utilisés s'adapte au contexte et même relie les chapitres sur le travail et sur le silence à ce qui a été dit précédemment sur le combat spirituel: si la vraie lutte du Carme consiste à se revêtir de l'armure de Dieu en se confiant uniquement à la fidélité divine, en se laissant envahir par sa puissance, les moyens qu'il devra rechercher seront précisément dans la ligne de la tranquillité, de la simplicité de coeur, du refus de l'inquiétude pour le lendemain, du refus de rechercher à assurer sa propre sécurité par lui-même (cf. Mt. 6/25 ss; 10/19; 13/22; Lc 10/41-42; 12/22 ss; 21/14-15; Ph. 4/6-7; 1 P. 5/6-7). Plus pertinentes et plus à propos sont au contraire les citations de la littérature sapientiale. L'auteur pouvait y puiser à pleines mains proverbes, maximes et sentences sur la valeur du silence. Il écrit en effet: «Quand on parle beaucoup, la faute ne manque pas» (Pr. 10/19). Et encore: «Celui qui ne contrôle pas ses paroles va à sa ruine» (Pr. 13/3). Suivent d'autres citations directement tirées de Sir. 30/8; Mt. 12/36; Sir. 28/25; (mais aussi 22/27; 14/1) et des *Psaumes* (39/2). Il en jaillit une défense passionnée de la valeur du silence, bibliquement fondée, qui se termine sur la citation d'Isaïe — déjà utilisée au début du paragraphe pour inviter à «garder ce silence qui favorise la justice». Au-delà de la prescription formelle du silence, on entrevoit en filigrane la volonté de suggérer un style de vie qui favorise le «juste» rapport de fidélité avec le Dieu fidèle, lequel à travers sa Parole doit guider le chemin du Carme.

Au sujet de l'obéissance due au Prieur une citation directe apparaît, tirée cette fois de l'Evangile de Luc: «Qui vous écoute m'écoute, qui vous méprise me méprise» (10/16). Parmi les évangélistes synoptiques, Luc est le seul à employer dans ce cas le verbe *écouter.* Matthieu (10/40) et Marc (9/37) parlent d'*accueillir* les disciples de Jésus; il est probable que le législateur a préféré la version de Luc à celle des autres évangélistes pour mieux exprimer, même à propos de l'obéissance, la caractéristique du Carme, appelé à *écouter la Parole,* centre de sa propre expérience spirituelle (n° 8). Le Carme est appelé à faire de l'obéissance au Prieur la médiation humaine, visible, incarnée de cette écoute, en regardant vers le Christ plus que vers sa propre personne (n° 20).

Imprégnée de la Parole

Nous avons considéré jusqu'ici les citations explicites de l'Ecriture. Mais, en relisant entre les lignes le texte de la Règle, nous pouvons découvrir à l'arrière-plan mille autres allusions plus ou moins évidentes. La manière même de citer la Bible (de mémoire, ou en rapprochant des passages différents, parfois en en accommodant le sens) indique que l'auteur connaît parfaitement l'Ecriture. L'exercice de la *lectio divina,* recommandé au chapitre 8, est également fondamental dans la compilation et la rédaction de la Règle. L'auteur a tellement assimilé la Parole de Dieu qu'il «pense bibliquement» et codifie, en des normes concrètes, l'existence quotidienne d'un groupe d'ermites qui vit déjà cette familiarité continuelle avec la Parole. Ces références bibliques, utilisées en faisant

83

un peu violence à leur sens original, pour les accommoder au contexte dont on est en train de parler dans la Règle, ne donnent pas l'impression d'être détournées ou employées à contretemps, mais elles sont habilement et sans heurt insérées dans un discours organique.

Dès le prologue (n° 1 et 2), on pressent un arrière-plan biblique remarquable: en lisant la salutation initiale, dans les premières lignes du document, on a l'impression de pénétrer dans une Epître paulinienne (par exemple: Rm. 1/1-7; 1 Cor. 1/1-3; 2 Cor. 1/1-2; Phm. 1). Mais ce qui confère une tonalité vraiment biblique au prologue, est la référence évidente à Héb. 1/1. L'auteur de l'Epître aux Hébreux écrit: «Après avoir à maintes reprises et sous maintes formes, parlé jadis aux Pères par les Prophètes, Dieu, en ces jours qui sont les derniers, nous a parlé par le Fils, qu'il a établi héritier de toutes choses, par qui aussi il a fait les siècles». L'intention de l'écrivain sacré est de mettre en relief la seigneurie du Christ, la nouveauté et l'unicité absolue de la révélation chrétienne en comparaison de l'antique et multiforme Alliance. Avec une certaine audace et en se servant d'un artifice rhétorique qui confère une particulière solennité et une grande richesse de sens au prologue, la Règle emprunte les mêmes expressions, substituant aux Pères de l'Ancien Testament les précurseurs de la vie religieuse et monastique, à la multiplicité des révélations vétéro-testamentaires les diverses modalités de vie religieuse dans l'Eglise, à la nouvelle révélation du Christ, la nouvelle *formule de vie*. C'est comme si la Règle voulait transférer dans le détail de ce groupe d'ermites, appelés à «vivre dans le respect de Jésus-Christ et à Le servir fidèlement, avec un coeur pur et un total dévouement» (selon un idéal consolidé de la religiosité médiévale), l'universelle histoire du salut, renfermée dans la Parole faite chair. Le législateur semble presque vouloir indiquer explicitement aux ermites du Mont-Carmel leur dépendance absolue de la Parole révélée, en les invitant à vivre leur forme de vie particulière comme une concrétisation actuelle de cette révélation. Tout ceci prend une densité plus grande encore, si nous distinguons dans le

84

83. Nef de l'église, vue dans le sens Est-Ouest.

84. La source supérieure, située derrière l'abside de l'église, autrefois à l'intérieur du mur d'enceinte du couvent. Détail de la grotte et du bassin qui se trouve devant.

prologue les échos d'autres textes de l'Ancien et du Nouveau Testament, tels que Ps. 24/3-4; 2 Cor. 10/5; 1 Tim. 1/5-19; 1 P. 1/22.

L'épilogue de la Règle (n° 21), en une sorte d'«inclusion biblique», rappelle la salutation finale de quelques Epîtres du Nouveau Testament (cf. Héb. 13/22; 1 P. 5/12), tandis que l'encouragement final : «si quelqu'un fait davantage le Seigneur lui-même, quand il reviendra, le récompensera» (Epilogue) renvoie à l'assurance de Paul dans Phm 21, ou à la générosité du bon Samaritain en Lc 10/35.

Des études récentes ont mis en valeur l'importance que le souvenir de l'Eglise primitive (ou, mieux, de l'idéalisation que Luc en fait dans les Actes des Apôtres) a toujours eue dans la naissance des mouvements réformistes, même hétérodoxes, qui se sont succédés dans l'histoire de l'Eglise et des divers instituts religieux, surtout de caractère cénobitique. A l'époque des Croisades, cette donnée est encore plus marquée, c'est pourquoi on est justement tenté de chercher cette inspiration également dans la Règle du Carmel. L'image de la première communauté chrétienne, dans laquelle «la multitude des croyants n'avait qu'un coeur et qu'une âme» (Act. 4/32) est sûrement à la base du projet de communion fraternelle dicté par la Règle; et du moment que les promesses faites en paroles se traduisaient en oeuvres concrètes (n° 3, cf. 1 Jn 3/18; Jac. 1/22; Mt. 7/21), cette communion des coeurs devait s'exprimer en une communion des biens: «Nul ne disait sien ce qui lui appartenait, mais entre eux tout était commun [...] Aussi parmi eux nul n'était dans le besoin, car ceux qui possédaient des terres ou des maisons, les vendaient, apportaient le prix de la vente et le déposaient aux pieds des apôtres. On distribuait alors à chacun suivant ses besoins» (Act. 4/32-35; cf. 2/44-45). Tel est l'horizon vers lequel s'oriente le chapitre 10 de la Règle, dédié à la pauvreté et à la communauté des biens. Les chapitres sur la table commune (6), sur l'écoute de la Parole (8) et sur l'Eucharistie quotidienne (12) semblent s'inspirer du modèle proposé par Luc dans les Actes (2/42. 46-47). L'éventuelle influence du modèle apostolique mériterait d'être étudiée, approfondie, passée au crible de la critique, dans le texte et avec des témoignages venus de l'extérieur. Même si nourrir la prétention de vouloir l'identifier avec l'échafaudage qui soutient tout l'édifice de la Règle signifierait faire violence au texte lui-même.

En parcourant encore une fois attentivement le texte de la Règle, on pourrait trouver beaucoup d'autres signes de cette familiarité avec le monde biblique. Pourquoi ne pas percevoir, dans le précepte de construire la chapelle (l'oratoire) au milieu des cellules (n° 12), le projet d'Ezéchiel d'élever le sanctuaire au milieu du territoire des tribus (Ez. 48/1-29), où d'autres éléments — à vrai dire assez vagues — parleraient en faveur d'une certaine influence? Ou comment ne pas apercevoir, dans la phrase finale du chapitre 17: «Sainte et bonne est cette voie, suivez-la», une métaphore et une expression d'origine clairement biblique (cf. Is. 30/21; Mc 7/5; Jn 14/4-6; Rm. 6/4; 8/4; Gal. 5/16; Eph. 4/1)? Et comment ne pas entrevoir, dans l'insistance sur la vie de l'homme comme tentation à affronter avec les armes de la grâce baptismale, le fond de la tentation — épreuve de Jésus dans le désert, mise par Marc en étroite corrélation avec le baptême (cf. Mc 1/9-13) et surmontée, dans le récit de Matthieu, par le recours à la Parole de Dieu (cf. Mt. 4/1-11; 2 Tim. 3/14-17)? Comment ne pas lire, entre les lignes du riche chapitre 16, la thématique biblique du désert vu comme épreuve?... La liste pourrait être longuement poursuivie: chaque texte ne serait qu'une démonstration ultérieure — et peut-être, à ce point de vue, superflue — du lien profond qui existe entre la Règle et la Bible. Un lien tellement étroit qu'il ne semble pas exagéré de voir, dans la Parole de Dieu, la source principale, si ce n'est l'unique, de la Règle qui y puise à pleines mains.

Brève, simple, essentielle, la Règle ne s'amollit pas en faciles nouveautés et ne se perd pas en inutiles et fantaisistes détails: tout orientée vers son objectif de suivre le Christ, l'Unique Parole du Père, elle emprunte cette Parole pour inviter les Carmes à l'écouter, à faire silence pour la laisser constamment résonner (cf. Ab. 2/20; Za. 2/17). C'est là le souffle vital, la perle précieuse, la meilleure part qui ne sera jamais enlevée, l'unique chose dont le besoin est absolu (cf. Lc 10/38-42).

Cardinal Anastasio Ballestrero

L'ESPRIT DE LA REGLE

La règle carmélitaine est une réalité vivante. Dans la sobriété des termes, elle laisse affleurer le dynamisme intérieur qui en constitue l'esprit: le texte suscite une profonde impression par son extrême sobriété qui ne laisse place qu'à l'essentiel. Vous connaissez ce dépouillement total que plus tard saint Jean de la Croix résumera dans ses aphorismes du *Nada,* qui naît de la richesse intérieure d'une vie entièrement occupée à aimer Dieu seul.

85

86

85. La source supérieure avec le canal couvert qui alimentait le couvent.

86. Le canal couvert, provenant de la source supérieure, court le long de l'église, à l'extérieur, du côté gauche. Le pavement de galets est contemporain.

Malgré sa brièveté, elle est constituée presque aux deux tiers par des textes de la Sainte Ecriture et cela fait qu'elle ne présente pas un caractère «disciplinaire», mais qu'elle apparaît comme tendue à façonner dans le religieux, le saint.

Par son caractère intemporel, étant dépourvue de détails, de circonstances de temps et de lieu, «elle conduit l'âme à une attitude de parfaite docilité devant Dieu, en lui permettant de s'adapter pleinement aux manières divines d'agir, dans la simplicité et le silence» (François de Sainte Marie).

Esprit caractéristique

Albert, patriarche de Jérusalem, en rédigeant le texte de la règle carmélitaine, affirme explicitement sa volonté de donner une loi qui soit conforme à la conception de la vie des religieux qui la lui demandent: «iuxta propositum vestrum».

Bien que rédigée par un chanoine régulier — car tel était Albert Avogadro —, elle présente une différence profonde avec toute autre et une sûre indépendance, au point de s'imposer sans la moindre hésitation comme l'incarnation d'un esprit spécifique et caractéristique: celui qui était vécu par les premiers ermites du Carmel.

A cette personnalité spirituelle de sa règle, le Carmel doit sa pérenne vitalité dans l'Eglise de Dieu. Elle porte en elle, comme caractéristique absolue, deux tendances harmonieusement associées: la tendance érémitique et la tendance cénobitique qui vont de pair en s'intégrant réciproquement.

Esprit érémitique

La règle est destinée «aux ermites qui demeurent sur le Mont Carmel, près de la

Source» d'Elie. Le législateur en organise la vie en tenant compte surtout de leur habitude de vivre dans la solitude. Dans le prologue, il affirme la responsabilité nettement personnelle de vivre «in obsequio Jesu Christi» en le mettant au centre de l'existence, en faisant de Lui l'unique inspirateur de tout geste, de tout choix, de tout comportement et en le servant «fidèlement avec un coeur pur et une bonne conscience».

Le caractère personnel de l'érémitisme carmélitain est un élément fondamental de l'appréciation de notre esprit. Car, si l'érémitisme social de l'Ordre s'est atténué au long des siècles — la règle même, modifiée par Innocent IV, en porte la marque — l'esprit de solitude érémitique de chaque religieux doit rester inchangé et essentiel pour la fidélité à la règle.

D'elle, émerge le souci que la solitude individuelle soit préservée à travers des normes spécifiques: habiter dans le désert ou «en d'autres lieux qui répondent convenablement à votre style de vie religieuse» ; le monastère a sa sentinelle en la personne du prieur dont la cellule doit se trouver à l'entrée, afin qu'il soit le premier à aller à la rencontre des gens qui entrent. Et dans l'enceinte du monastère, le religieux doit être seul par rapport à ses confrères, en demeurant «jour et nuit dans sa cellule».

Cela est prévu pour défendre et garder une richesse intérieure qui prend sa source dans la contemplation. Tant il est vrai que le précepte de la retraite en cellule est intimement fondé, même dans la forme littéraire du texte, avec le noyau vital qu'est le précepte de l'oraison: «A moins d'être occupé à une autre légitime activité, que chacun reste dans sa cellule ou à côté d'elle, en méditant jour et nuit la Loi du Seigneur et en veillant dans la prière». Et l'exception des «légitimes activités» se rapporte indifféremment à la cellule aussi bien qu'à l'oraison continuelle, comme pour indiquer que les deux préceptes sont significativement inséparables.

Le précepte du silence est également à considérer comme un élément révélateur de notre érémitisme. Dans un texte aussi sobre, abondent pourtant les citations scripturaires au sujet du silence. Cela nous fait comprendre qu'il ne peut être considéré comme un simple moyen d'ascèse: l'ermite carme doit se nourrir de silence, parce que celui-ci est «gardien de la justice». Et l'on comprend bien que la «justice» s'identifie avec la fidélité à notre vocation de prière et de charité.

Esprit cénobitique

Le caractère principalement intérieur et personnel de l'érémitisme carmélitain permet d'organiser la vie extérieure et collective sur une structure cénobitique. L'esprit cénobitique parcourt lui aussi la règle. Non seulement il offre aux frères un idéal commun et les mêmes moyens, mais il les réunit en une communauté où la fraternité intérieure rendue concrète par l'obéissance et par la vie commune, est un moyen fondamental de perfection.

Le cénobitisme carmélitain est caractérisé avant tout par l'obéissance qui fait graviter autour du prieur toute la substance de la vie religieuse: la réalisation concrète de l'érémitisme, la marche de la vie commune, la pauvreté jusqu'au détail de fournir à chacun ce qui lui est nécessaire.

Un autre élément important réside dans la participation, en des circonstances bien définies, de tous les frères aux décisions du supérieur: cela donne à l'autorité un ton moins absolu, presque un engagement à harmoniser le commandement avec les exigences d'un esprit familial concordant, qui doit être toujours vif dans la communauté fraternelle et qui dirige vers une unité cordiale et ordonnée les désirs et les efforts de tous. Le prieur est un père; c'est ainsi que ce titre est compris dans toute la tradition monastique. L'exhortation adressée au prieur pour qu'il soit humble et aux frères pour qu'ils lui portent un affectueux respect et qu'ils lui soient soumis dans la foi, font de l'obéissance un lien à la fois profond, surnaturel et familial.

La structure matérielle du couvent des Carmes est remplacée par le précepte de l'oratoire commun, par les offices au choeur, par les repas en commun au réfectoire et par le chapitre.

La fidélité liturgique, la lecture de la Sainte Ecriture qui sanctifie le repas pris en commun, le zèle pour le salut des âmes, sont ainsi les forces spirituelles de la vie conventuelle, que la règle n'organise pas comme une société, mais comme le partage vivant de l'unique idéal, ressenti par tous, aimé de tous.

La motivation qui préside à la construction de l'oratoire est explicite: pour que

87

87. Vue de l'église avec l'espace environnant telle qu'elle se présentait en 1987, au début des fouilles.

les moines y viennent ensemble pour célébrer solennellement l'Eucharistie. Et dans ce rassemblement, que les solitaires éparpillés soient unis, réunis et qu'ils deviennent une communauté visible.

En un temps où la célébration de l'Eucharistie n'était pas quotidienne, elle fut prescrite tous les jours dans la règle des Carmes: c'est là le moment et le lieu où la vocation se réalise pleinement dans la communion fraternelle. Au culte de latrie du Sacrifice rédempteur les frères dédient leur «venue ensemble», la célébration commune, leur ferveur dans la plénitude de la foi, le fait d'être nourris du Christ, de savoir que le Christ devient leur propre substance et qu'il les agglutine dans la charité et dans la fraternité. La communauté naît de l'Eucharistie, comme l'Eglise primitive de la fraction du pain. En mangeant le même pain, en s'asseyant à la même table, avec une assiduité persévérante, la fraternité entre dans les profondeurs de la vie.

Idéal contemplatif

«En méditant jour et nuit la Loi du Seigneur et en veillant dans la prière», telle est l'occupation fondamentale des solitaires du Mont Carmel. Les racines érémitiques des Carmes sont ici. Leurs engagements fondamentaux sont situés dans cette attitude spirituelle.

Ce texte de la règle en est l'âme. Si l'on supprimait ces mots, toute la règle s'effondrerait. C'est pourquoi la tradition spirituelle de l'Ordre y a toujours vu le noyau fondamental du *propositum* carmélitain.

Le précepte, dans sa force extérieure, confirme la continuité de la prière, en assignant aux religieux, comme occupation spécifique de leur vie, «l'oeuvre» de la méditation et de la prière. Cela crée dans le Carmel l'idéal contemplatif.

Le Carme a, personnellement et avant tout, pris l'engagement de chercher Dieu et l'union à Lui. La tradition de l'Ordre n'hésite pas à considérer la vocation à la prière continuelle comme vocation à la vie mystique. En fait foi l'*Institution des premiers moines,* qui souligne le double but du Carme: offrir à Dieu un coeur pur, au moyen de l'effort personnel, et expérimenter dans l'Esprit, comme pur don divin, la force de Sa présence et la douceur de Sa gloire. L'incessante *«vigilia in orationibus»* ne peut pas ne pas s'exprimer en aspirations et en profonds désirs, qui rem-

88-89. Grottes creusées dans le versant Sud du Wadi, qui furent probablement autrefois la demeure d'ermites.

90. Grotte creusée dans le versant Sud, au-dessus de la cellule du prieur.

91. Grotte à deux étages, creusée dans le versant Nord. Vue extérieure.

88

89

plissent la vie et la transfigurent, en en faisant une veille perpétuelle de l'Amour.

L'idéal apostolique

Les éléments de l'esprit apostolique dans la règle carmélitaine sont matériellement rares; l'un d'eux est explicite: «Vous traiterez du salut des âmes». Mais l'incessant contact avec Dieu ne peut laisser froid le contemplatif. Le feu de sa charité déborde dans sa vie et devient zèle apostolique, ardeur pour annoncer la vie et l'amour de Dieu. Il ne s'agit pas d'une atténuation de l'esprit contemplatif, mais plutôt de son couronnement.

Le rapport existant au Carmel entre contemplation et action est une surabondance contemplative, sans laquelle le Carme ne serait pas apôtre. Les oeuvres qui traduisent ce rapport ne peuvent être en opposition avec le recueillement qui défend l'Amour. En effet, le Carmel sait bien qu'«un peu de pur amour est plus précieux devant le Seigneur et plus utile à l'Eglise que toutes les autres oeuvres réunies» (saint Jean de la Croix). Ainsi — sans oeuvres extérieures — l'idéal apostolique est vécu par les moniales. Mais le pur amour a des exigences sévères, il vous conduit sur une route escarpée, solitaire.

Ascèse théologale

Dans les exhortations, la règle décrit la vie commune comme une lutte contre le péché. Tout le mal de l'homme est personnifié dans le diable, auquel s'oppose une force surhumaine: les vertus théologales.

Il y a, en cela, une pensée théologique fondamentale, aujourd'hui trop oubliée: seul Dieu rend victorieux l'homme vaincu par le péché. Son relèvement n'est possible que par l'infusion et le développement de la vie divine en lui.

L'ermite doit se munir des vertus théologales comme d'une «armure divine». L'image est très belle, car les vertus théologales sont les grandes réserves, les gran-

90

91

des forces qui nous préparent graduellement à l'expérience contemplative. Saint Jean de la Croix parle même de «travestissement» : l'itinéraire de la foi comporte cette purification qui nous libère de tout rationalisme et nous rend obéissants à Dieu qui déborde dans notre vie.

L'espérance est, elle aussi, un chemin qui ouvre un espace toujours plus grand au don de Dieu, en conférant à notre existence ce sens eschatologique qui doit dominer chacun de nos jours.

La charité, enfin, accorde toute sa liberté à l'élan d'amour.

Sur cette voie, les moyens suggérés sont le silence austère et doux à la fois, les saintes pensées qui fortifient notre coeur et le transforment en pur sanctuaire de Dieu.

Mais il y a aussi le travail. Non seulement pour que le diable ne nous trouve pas oisifs, mais aussi parce que «qui ne veut pas travailler ne doit pas non plus manger». C'est une obligation de contribuer à la vie communautaire, en supportant même la fatigue de l'humble service, du souci de la maison.

Nous avons effleuré — trop rapidement — les points les plus parlants de la règle d'Albert. Il faudrait encore souligner l'équilibre et l'intériorité. C'est l'amour qui règle tout, en libérant le coeur, en harmonisant les renoncements, par des choix plus grands, plus radicaux, absolus.

Le Carmel est vraiment la sublime montagne où resplendissent toujours l'Amour et la Gloire de Dieu.

P. Nilo
Geagea

Le «Propositum» ou l'inspiration premiere du Carmel

L'Esprit-Saint, âme de l'Eglise, ne limite pas son action sanctificatrice à chaque membre du Corps mystique, mais il l'étend à l'organisme en son entier, comme corps collectif, en le dotant de charismes multiples et variés. Ceux-ci réunis, comme de petites pierres de lumière et d'amour, en font une splendide mosaïque.

En cette magnifique et généreuse effusion, le charisme carmélitain, l'idéal de perfection poursuivi par les fils du Carmel, occupe une place d'honneur pour sa profondeur et sa fécondité. Ce charisme provient d'une toute première inspiration, mûrie à travers les apports successifs d'une expérience religieuse vécue par les composants de la collectivité, au lieu d'être manifestée par la transmission directe d'un individu déterminé, le fondateur.

En effet, à la différence d'autres religieux, les Carmes ignorent la figure historique de leur fondateur, c'est-à-dire de la personne qui a effectivement donné son début chronologique et son impulsion à l'institut. On ne connaît pas son nom, et encore moins son charisme personnel.

Ce que nous savons d'historiquement certain se réduit à quelques maigres renseignements: dans la seconde moitié du XIIe siècle, de dévots «pèlerins» venant de l'Occident, de diverses origines ethniques, s'installèrent sur le Mont Carmel, près de la Source d'Elie. Celle-ci se révélera par la suite source également d'inspiration religieuse, et emblème d'une intense vie intérieure.

92

93

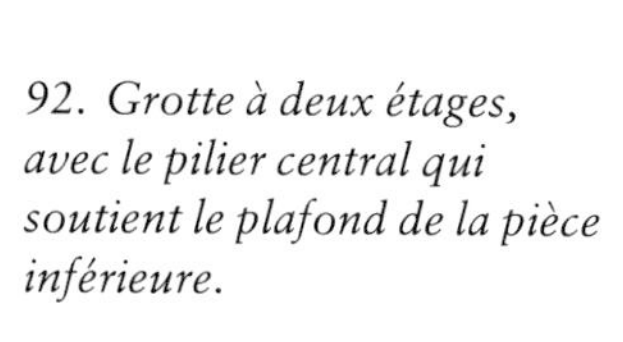

92. Grotte à deux étages, avec le pilier central qui soutient le plafond de la pièce inférieure.

93. Grotte à deux étages. Près de deux parois de la cavité inférieure sont visibles des couples de petits puits, qui étaient peut-être des mangeoires pour du petit bétail.

94. La cuisine du monastère: un four et un foyer, délimité par un demi-cercle de pierres.

95-96. Le pressoir pour les raisins, situé sur le côté gauche de l'église, vu avant et après les fouilles.

Le premier document officiel parvenu jusqu'à nous, au sujet du projet initial des premiers Pères, est d'une date sensiblement tardive. Elle remonte à un siècle de distance des événements dont nous avons parlé, précisément à 1282, quand furent promulguées les Constitutions par le Chapitre général qui se réunit à Londres cette année-là.

Eh bien, dans la *Rubrica prima,* il est expressément attribué à nos pionniers l'intention de «vivre dans une sainte pénitence». C'est une formule canonique employée au Moyen Age pour désigner le régime ascétique que l'Eglise imposait alors aux pécheurs publics, repentis et absous. De toute façon, l'expression, commune dans sa destination, apparaît aussi vague et peu significative dans son contenu.

94

95

Un auteur contemporain de ces faits, Jacques de Vitry, évêque de Saint-Jean d'Acre de 1216 à 1228, ajoute à cette imprécise annotation une caractéristique déterminante, vraiment inattendue. Il nous apprend que les «dévots pèlerins établis sur le Mont Carmel près de la Source d'Elie, menaient une vie de retraite dans de petites cellules où — à la manière des abeilles dans leur ruche — ils élaboraient un miel très doux de contemplation divine, en imitant l'exemple du saint et solitaire prophète Elie». Idéal «élianique».

Plus tard, les écrivains de l'Ordre, en plein accord et nettement, affirmèrent que les premiers Pères nourrissaient une «particulière dévotion» pour la Bienheureuse Vierge Marie. A ce point que, lorsqu'il s'agit de donner un titulaire à leur premier oratoire, sans hésitation, ils le dédièrent à la Mère de Dieu, en la choisissant, de préférence à d'autres saints, comme titulaire de cet oratoire et, en conséquence, comme patronne de leur institut. Idéal marial.

Il n'en reste pas moins que la plus ancienne, la plus autorisée et la plus abondante source où nous puissions puiser des informations précises et détaillées au sujet du *propositum* et de la teneur de vie des premiers Carmes, c'est la règle, «formule de vie», qui leur fut donnée par Albert Avogadro, patriarche de Jérusalem, au début du XIIIe siècle.

L'idéal de perfection — circonstance à ne pas oublier — n'est ni proposé, ni im-

96

97

98

99

97/99. Entrée de l'église, devant laquelle furent taillés dans la roche deux tombeaux. L'un contenait le squelette d'un individu âgé, l'autre des restes de deux personnes.
100. Monnaies trouvées au cours des fouilles.
101. Objets trouvés au cours des fouilles: des aiguilles faites d'os (1-2); des instruments chirurgicaux de bronze (3-4); un poids de bronze (5); une poignée de porte ornementale, de bronze (6); un fermoir de bronze (7).

posé par Albert; au contraire, on constate qu'il a déjà été choisi par les ermites eux-mêmes et opportunément notifié au législateur. Il s'agissait concrètement d'un projet rigoureusement anachorétique — et par suite contemplatif —, centré sur une tension verticale, théocentrique. Respectant ce choix, Albert se limite à en favoriser et en faciliter la réalisation.

Avant tout, il établit, et de façon pressante, une obligation fondamentale: l'adoration totale et constante due au Christ, Seigneur du lieu: «Vivre dans le culte de Jésus-Christ et le servir dans la pureté du coeur et la rectitude de l'intention». C'était une obligation inévitable, incontournable, commune à n'importe quelle institution et forme de vie religieuse née en Terre Sainte, fief du Christ, conquis par lui au prix de son sang versé. Obligation, du reste, de saveur biblique quant à sa substance et à ses modalités.

Il faut bien noter, ensuite, la prescription centrale: celle qui concerne de plus près le *propositum* et en conditionne le plus efficacement la réalisation. C'est l'article qui se rapporte à l'occupation assidue, prépondérante de l'ermite: «rester retiré dans sa propre cellule, méditant jour et nuit la Loi du Seigneur et veillant dans la prière».

Cette disposition fournit la clef de voûte et le pivot basilaire de la «règle de vie». Telle fut, indubitablement, la conviction traditionnelle de l'Ordre. «Sans cette prescription, observe avec justesse le cardinal Anastasio Ballestrero, la signification spirituelle de la règle s'évanouit, son organisation pleine de sagesse chavire, son admirable équilibre psychologique s'annule et son efficacité en matière de formation disparaît».

Première et principale occupation, nettement théologale, qui doit s'ancrer dans une foi solide comme un bouclier protecteur contre les flèches enflammées de l'ennemi infernal, qui doit s'ancrer encore dans une bienheureuse espérance semblable à un casque de salut à recevoir du Christ Rédempteur, dans un amour sans partage envers Dieu et envers le prochain pareil à une inexpugnable cuirasse de justice. Occupation soutenue jour après jour par l'Eucharistie, continuellement

100

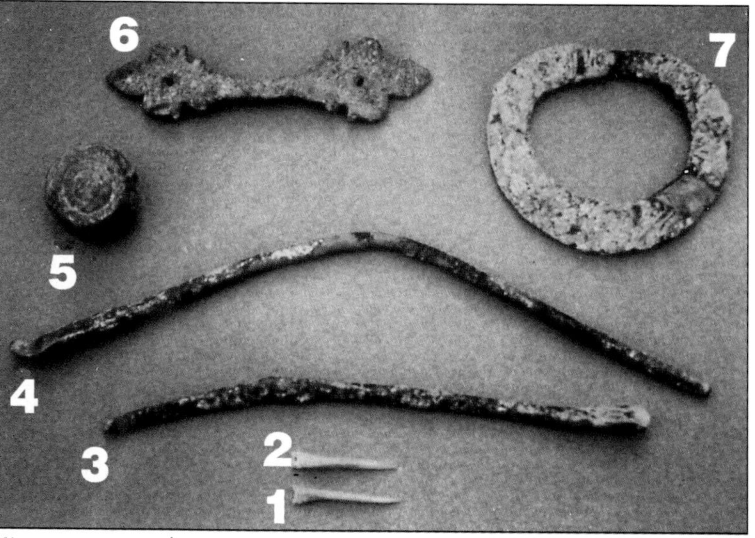

101

102. Wadi 'ain es-Siah. Vue générale vers la mer. Au premier plan, à gauche de la photo, l'ensemble de ce qui reste de l'ancien couvent.

102

avalisée par le service vigilant d'un prieur, représentant le Christ en personne. Avec sa constante et généreuse praxis, elle mûrit lentement jusqu'à atteindre le sommet de sa conceptualisation, vers la fin du XIVe siècle, que nous trouvons formulée par le Provincial de Catalogne, Philippe Ribot († en 1391) dans les termes suivants:

«Double est le but proposé aux disciples d'Elie. D'une part, il consiste dans l'offrande à Dieu d'un coeur pur et saint, exempt de toute tache de péché actuel; nous pouvons l'atteindre — avec au préalable l'aide divine — par notre effort personnel dans l'incessant exercice des vertus, façonné par la charité. D'autre part, au contraire, il dépasse toutes nos capacités et il réside dans le fait de pouvoir nous-mêmes — par une divine condescendance — goûter en quelque mesure dans notre coeur et expérimenter dans notre esprit la force de la divine présence et la douceur de la gloire future, non seulement après notre mort, mais dès cette vie mortelle».

Deux fins, deux intentions, mais étroitement jointes! L'une ascétique, comme prédisposition, l'autre mystique, comme couronnement.

Cette activité prédominante nous révèle tout d'abord l'impulsion initiale de nos Pères, que nous découvrons tendus en une anxieuse recherche de valeurs absolues, et dévorés par une soif brûlante de rencontrer Dieu. Mais il faut dire aussi que cette obligation de la prière constante a imprimé à la spiritualité carmélitaine un caractère typique qui la met à part, et consiste en une ardente aspiration à l'union la plus intime avec le Seigneur, à l'expérimentation mystique de Ses attributs. Inutile d'ajouter que son influence dynamique devait créer une admirable «école de spiritualité», dirigée par deux docteurs de l'Eglise, Thérèse de Jésus et Jean de la Croix.

Pour faciliter aux Carmes la réalisation

de leur très noble projet, Albert établit quelques principes pratiques, inspirés par la radicalité évangélique et, en grande partie, tirés littéralement de l'Ecriture Sainte. Nous mentionnons ici les principaux:

1) *érémitisme collectif* ou «fuite loin du siècle», avec l'installation dans des lieux écartés, loin du tintamarre des centres habités, solitude claustrale, assurée par l'oeil vigilant du prieur, résidant à l'entrée de l'ermitage;

2) *érémitisme personnel,* comme «désert» dans le «désert» : garanti par l'habituelle retraite de chaque ermite dans sa cellule séparée, de façon à se sentir pleinement à son aise dans sa recherche de Dieu, qui aime se révéler dans la solitude;

3) *silence extérieur,* prédisposition au silence intérieur, c'est-à-dire usage modéré de la parole humaine, qui souvent distrait, pour pouvoir se concentrer dans le silence des puissances de l'âme, de manière à pouvoir accueillir avec facilité le Verbe, Parole divinement proférée dans un silence éternel;

4) *oraison contemplative,* acquise au moyen de l'écoute docile de la Parole de Dieu révélée par les Livres sacrés et rendue opérante par l'impulsion de l'Esprit-Saint, exprimée et avalisée par l'imploration de l'aide divine, avec admiration et émerveillement face à la Parole déjà perçue et savourée;

5) *mortification corporelle,* diverse selon les articles: avec le travail manuel, avec l'abstinence continuelle de viande, avec un jeûne prolongé chaque année de la fête de l'Exaltation de la Sainte Croix (14 Septembre) au Dimanche de la Résurrection, comme une active participation au mystère pascal du Christ;

6) *participation modérée à une vie communautaire,* ranimée chaque matin par la célébration en commun de la sainte messe; chaque semaine par le chapitre conventuel pour une fraternelle correction des manquements et, périodiquement, par l'élection du prieur.

Règles sages, qui aident le Carme à se conformer à l'image du Fils de Dieu, particulièrement en deux de ses traits: au Christ «orant», au Christ «souffrant».

Les prescriptions de la règle d'Albert reçurent pour la première fois l'approbation pontificale d'Honorius III le 30 Janvier 1226. Vingt ans plus tard, Innocent IV en autorisa la révision de façon à inscrire irrévocablement le Carmel parmi les ordres «mendiants».

Les deux personnes chargées de la révision, Hugues de Saint-Cher, cardinal de Sainte-Sabine et Guillaume, évêque d'Antarados, se comportèrent vraiment avec beaucoup de bon sens. Ils respectèrent la majeure partie du texte primitif, en laissant intactes les prescriptions se rapportant à la vie intérieure — à l'idéal contemplatif — et ils y introduisirent peu de modifications, juste celles qui étaient indispensables pour qu'en tant que «mendiants» les moines puissent s'acquitter de leur apostolat extérieur de façon convenable. Si bien que, une fois terminée la révision, le *propositum,* ou inspiration d'origine, le charisme contemplatif, au lieu d'être appauvri, ressortit de l'épreuve enrichi d'une dimension plus verticale encore.

En vertu de cette révision — sanctionnée par la Bulle *Quae honorem Conditoris,* du 1er Octobre 1247 — l'activité «prophétique», apostolique, devint un élément essentiel pour le Carme, un élément que nul ne pourrait plus supprimer. Au nom de son charisme intégral, il était désormais appelé à «fraterniser» avec son prochain. Au lieu de se considérer uniquement occupé à la pratique d'une oraison qui aurait pu l'isoler, hermétiquement clos dans une contemplation aliénante, il devait, à partir de ce moment, s'ouvrir au monde qui l'entourait, pour le faire participer aux fruits salvifiques mûris dans son intimité avec le Seigneur. De la plénitude de la contemplation, il devait se tourner vers les âmes pour une féconde action apostolique.

Chapitre Troisième

La présence renouvelée

Retour sur le Mont Carmel

« Nous provenons de nos saints Pères du Mont Carmel qui, dans une si grande solitude et avec un si grand mépris du monde, cherchaient ce trésor, cette perle précieuse» écrivait Thérèse de Jésus dans son Château intérieur.

Le désir de faire revivre un idéal dans le lieu même où il était né, désir jamais éteint puisque continuellement entretenu, connut sa réalisation lorsque Prosper du Saint-Esprit put rallumer là-bas une présence. Séjour difficile, souvent interrompu par les renversements de l'histoire ou par les duretés idéologiques, étayé en dernière analyse par un élan contemplatif dans une perspective missionnaire.

Tout cela fut toujours soutenu par les grandes et vivantes figures de Marie, d'Elie, d'Elisée, que nos Pères anciens, nos prédécesseurs, avaient voulu rattacher à chaque angle du mont.

Ces signes, relus et enrichis à distance de plusieurs siècles, convergent dans l'édification du sanctuaire: la maison de Marie, Patronne du Mont.

103

103. Haïfa (Israël). Le promontoire du Mont Carmel.

P. Silvano
Giordano

LE SANCTUAIRE RECONSTRUIT

L'attente

En 1291, après que les Mameluks eurent occupé Haïfa et détruit les monastères qui existaient sur le Mont Carmel, un voile de silence tomba sur le berceau des Carmes. La Chrétienté ne réussit plus à organiser, comme elle l'avait fait deux siècles auparavant, une expédition militaire capable de reconquérir les Lieux Saints. Et même, pendant longtemps, sera-t-elle contrainte de demeurer sur la défensive en face des Turcs et des Sarrasins, maîtres de la mer.

Une fois coupés les liens avec la Terre d'origine, les Carmes se détachèrent vite des formes de vie érémitique pratiquées au Mont Carmel et s'incorporèrent rapidement au groupe des ordres mendiants. Toutefois, ils n'oublièrent pas leur berceau. La formation de ce qu'on a appelé «la tradition élianique» répondait certainement à une nécessité d'assurer l'existence de l'Ordre en face des menaces de suppression, en en revendiquant l'ancienneté, aussi bien qu'au désir de glorifier un passé obscur en plusieurs de ses aspects et qui, de toute façon, ne pouvait être comparé aux splendeurs d'instituts semblables, nés à peu près simultanément dans ce siècle-là. En même temps, cependant, le souvenir des origines élia-

104. Désert de Varazze (département de Savona). Premier couvent. Ermitage des Carmes Déchaux en Italie. Le Père Prosper du Saint-Esprit y passa environ deux ans avant de partir pour l'Orient.

104

niques servait à raviver l'esprit et l'identité de l'Ordre.

Nous en trouvons un exemple, parmi d'autres dont la valeur littéraire est sûrement plus grande, dans un écrit du Carme Nicolas Calciuri († en 1466), qui vécut longtemps en Toscane, attiré probablement par la ferveur religieuse du couvent *Delle Selve* (= des forêts) près de Florence.

En 1461, Calciuri composa un bref opuscule, intitulé *Vita fratrum del sancto Monte Carmelo,* destiné, semble-t-il, à la formation spirituelle des Carmélites de Sainte-Marie des Anges à Florence. Cette oeuvre, rédigée en italien, présente encore une fois l'expérience d'Elie et d'Elisée au Mont Carmel et aussi celle de leurs disciples au cours des siècles. Au début du second Livre, avant d'exposer les usages des frères, Nicolas Calciuri décrit de façon assez précise le couvent du Mont Carmel, en puisant ses informations auprès d'un visiteur de la Terre Sainte. Ce qui prouve que la doctrine n'était pas éloignée du désir d'un contact direct avec les lieux d'origine.

105

105. Gênes. Couvent de Sainte-Anne. Portrait de Paul Simon de Jésus Marie Rivarolo *(1576-1643). Missionnaire et plusieurs fois Général de l'Ordre, il soutint Prosper du Saint-Esprit dans son projet de récupérer le Mont Carmel.*

De fait, même si c'est dans une mesure moindre qu'au temps de l'occupation romaine, les Lieux Saints et le Mont Carmel continuèrent à exercer un puissant attrait sur les Chrétiens occidentaux. Le Dominicain Humbert de Dijon en 1332 visita le Mont: «Là se trouve une chapelle pieuse, élevée en l'honneur de la bienheureuse Vierge Marie. De la montagne et de cette chapelle les frères Carmes tirent leur origine». Quelques années plus tard, en 1350, Ludolphe de Suchem s'étant rendu en pèlerinage au Mont Carmel, évoque le couvent des Carmes et la Source d'Elie: «Sur le versant de la montagne, il y a une source limpide qui coule vers la mer. A cette source, Elie le prophète avait l'habitude de se désaltérer».

L'histoire nous a transmis quelques noms de Carmes qui visitèrent le Mont Carmel: l'Anglais John Buckhill avec plusieurs compagnons en 1312; Jean d'Angers, que l'on dit mort sur le Mont vers 1384; l'Allemand Jean Fritag vers 1475; Pascasio Brusaert mort en 1496; le Français Nicolas Huen, maître en théologie, qui s'y rendit en pèlerinage en 1487 et fit imprimer son *Itinerarium Terrae Sanctae,* dédié à Marguerite d'Autriche, épouse du roi Charles VIII.

Ceux qui tentèrent de retourner habiter dans le berceau de l'Ordre ne manquèrent pas. Selon l'historien anglais John Bale, «Quatre ou cinq religieux italiens supplièrent le Sultan de leur permettre de restaurer le couvent du Mont Carmel, mais ils n'obtinrent aucun résultat». Il semble que de ce groupe faisaient partie Alberto Bartoli et Stefano de Andrea, morts en 1375, le premier à Candie et le second dans l'île de Chypre, tandis qu'ils revenaient de leur voyage en Terre Sainte.

On ne sait rien des pèlerins carmes en Terre Sainte au XVIe siècle. Au cours de l'été 1600, le Père Jérôme Gratien écrivait de Gênes à ses soeurs, carmélites déchaussées, Marie, Isabelle et Julienne: «Mon supérieur général m'a donné la charge de pourvoir à la réédification du couvent du Mont Carmel où commença notre Ordre». Le Père Gratien devait aller prêcher le Jubilé de 1600 aux Chrétiens d'Afrique du Nord. Une lettre patente du Général de l'Ordre le constituait Commissaire du Général dans toutes les régions orientales, avec le pouvoir de fonder des couvents au nom de l'Ordre et de donner l'habit à d'éventuels candidats. On ne parlait pas du Mont Carmel. En fait, après un bref séjour à Ceuta, en 1602, le Père Gratien revint en Espagne. Le rétablissement des Carmes au Mont Carmel devait se produire autrement.

Les Carmes Déchaux

Parmi les réformes des ordres religieux qui eurent lieu en Espagne pendant le XVIe siècle, la plus connue est probablement celle de l'Ordre du Carmel, sur l'initiative de Thérèse de Jésus qui, après avoir déclenché en 1562 ce mouvement dans la branche féminine de l'institut, suscita en 1568, en collaboration avec Jean de la Croix, une transformation analogue dans la branche masculine. Les Carmes Déchaux connurent un développement rapide, numérique et institutionnel, qui les conduisit bientôt à s'organiser, d'abord en Province, puis en Congrégation, avec une large autonomie à l'intérieur de l'Ordre auquel ils appartenaient. En 1584 et en 1590, sur l'initiative du Père Nicolas Doria, génois, un couvent de frères et un de moniales furent fondés dans la ville de Gênes, posant ainsi des bases pour une expansion ultérieure, à l'intérieur de la Chrétienté. En 1597, les Carmes Déchaux fondèrent le couvent de Santa Maria della Scala à Rome et se mirent aussi en contact avec le mouvement de réforme de la Chrétienté, patronné en ces années-là par le pape Clément VIII.

Des raisons liées à la politique religieuse menée par les monarques espagnols et à l'organisation interne des religieux eux-mêmes conduisirent à la division des Carmes Déchaux en deux organismes juridiquement indépendants. En 1600, le pape Clément VIII érigea la Congrégation de Saint-Joseph, dite aussi Espagnole, qui se développa dans la péninsule ibérique et dans les possessions espagnoles en Amérique, et la Congrégation de Saint-Elie, ou italienne, qui se répandit dans le reste du monde.

La réciproque indépendance fit que les deux congrégations de Déchaux élaborèrent chacune un style de vie particulier; tandis qu'en Espagne prévalait la vie de recueillement et d'étude, en Italie, sous l'impulsion de la Curie romaine, les Carmes Déchaux unirent à l'observance de la vie régulière l'apostolat missionnaire.

Vers le Mont Carmel

L'idée de remonter aux sources de notre existence en tant qu'ordre religieux, naquit de l'union de l'esprit érémitique pro-

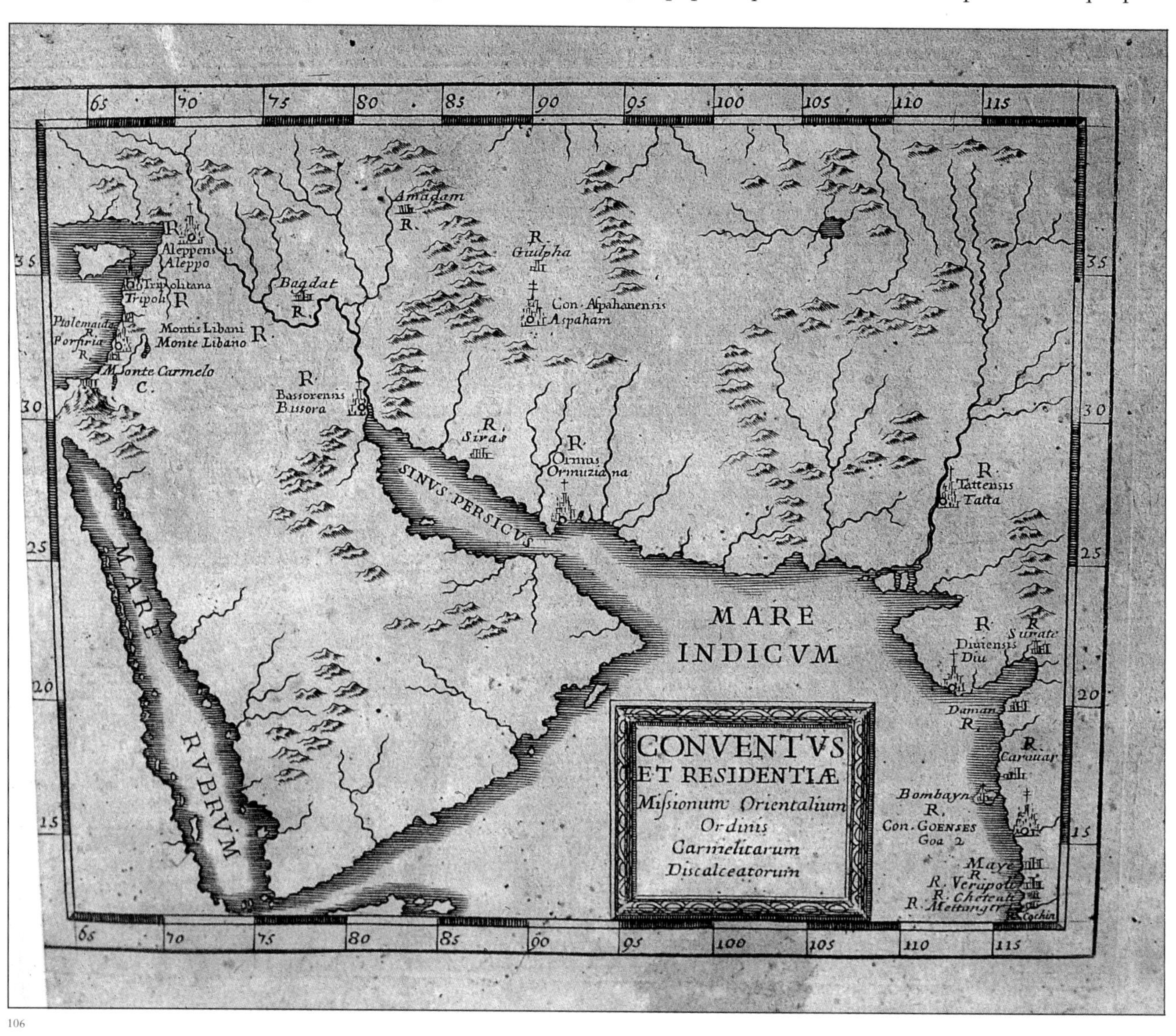

106. Conventuum fratrum Discalceatorum Ordinis B. Virginis Mariae de Monte Carmelo Congregationis Italiae Chorographica, et Topographica descriptio. *La carte du XVIIIe siècle représente les missions au Moyen-Orient et sur la côte occidentale de l'Inde, fondées par les Carmes Déchaux, principalement pendant la première moitié du XVIIe siècle.*

106

pre à la spiritualité des Déchaux avec le désir de se rendre dans des pays lointains pour y annoncer l'Evangile.

Le projet prit corps au couvent de Naples, fondé en 1602. Là se trouvaient Paul Simon de Jésus Marie Rivarola, d'une famille de Chiavari et Jean de Saint-Elisée Roldan, d'origine espagnole. Ils exposèrent au Supérieur d'alors, Pierre de la Mère de Dieu, leur désir de se rendre au Mont Carmel pour rétablir la vie religieuse dans le couvent primitif et en même temps de se dédier à la prédication parmi les populations musulmanes. Après quelques hésitations, le Père Pierre de la Mère de Dieu présenta le projet au Pape, lequel ne jugea pas opportun d'envoyer d'autres religieux en Terre Sainte où, depuis des siècles, la présence du catholicisme latin était assurée par des Franciscains et par une hiérarchie locale. Il leur proposa au contraire de partir comme missionnaires pour la Perse.

La demande du Pape donna lieu à un vif débat intérieur parmi les Déchaux, au sujet de la convenance de l'apostolat missionnaire pour un Ordre né surtout dans le but de s'adonner à la contemplation. La réponse affirmative à l'invitation fut un premier pas vers une définition autonome de l'identité de la Congrégation italienne et elle fut à l'origine de la mission d'Ispahan, fondée en 1607. De ce lieu, dans les années qui suivirent, les Carmes se mirent en route vers l'Inde à l'Est et vers la Syrie à l'Ouest. Absorbés par la nouvelle mission et par ses riches développements immédiats, ils n'eurent plus la possibilité de s'intéresser à la récupération du Mont Carmel.

Toutefois, l'idée continua à cheminer et resurgit une vingtaine d'années plus tard, pour être réalisée par Prosper du Saint-Esprit. Espagnol, né à Nalda, dans le diocèse de Calahorra, Prosper entra au noviciat romain de Santa-Maria della

107. Rome. Archives générales O.C.D. Dessin fait par Prosper du Saint-Esprit. *Il représente la baie d'Haïfa et le promontoire du Mont Carmel, avec l'indication des lieux qui intéressent les Carmes.*

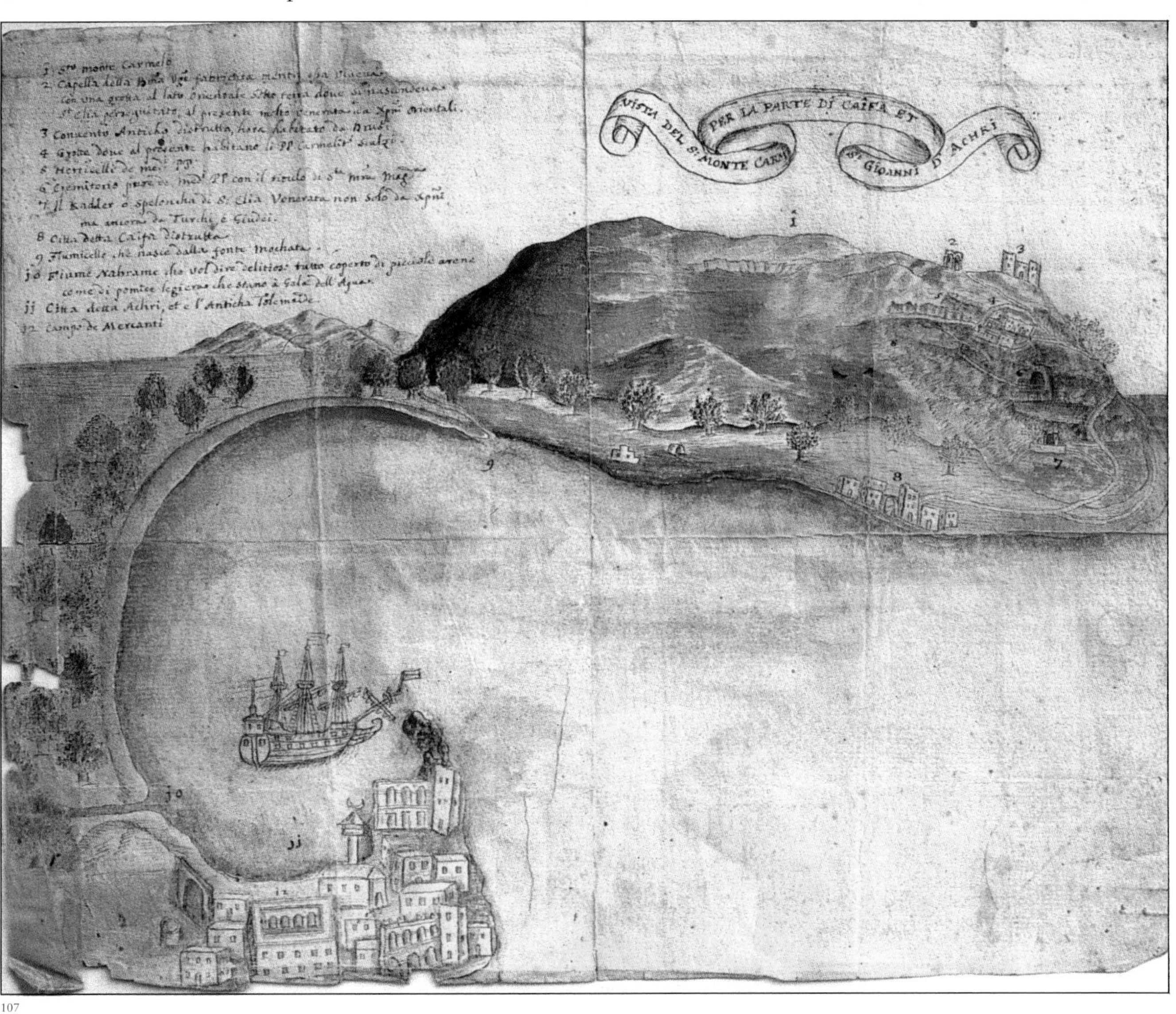

107

Prosper du Saint-Esprit

Martin Garayzabal naquit à Nalda, dans le diocèse de Calahorra en Espagne. Ses parents lui firent faire des études auprès des Jésuites de Logroño. Il entra au noviciat des Carmes Déchaux de Santa Maria della Scala à Rome, où il prononça ses voeux religieux le 1er Novembre 1608 en prenant le nom de Prosper du Saint-Esprit. Il eut comme maître des novices Jean de Jésus-Marie et, pendant un certain temps, Dominique de Jésus-Marie, ses concitoyens.

Après une longue période d'activité à Palerme et à Naples, il fut envoyé au Désert de Varazze, couvent de vie érémitique inauguré en 1618, où il resta environ deux ans. En 1620 il partit pour la mission de Perse. Arrivé là-bas, il fut élu supérieur du couvent d'Ispahan. C'est à lui qu'on doit l'initiative de la fondation de la mission de Bassora sur les rives du Golfe Persique.

En 1625, il revint à Rome dans le but de présenter le projet d'ouvrir une mission à Alep. Par la même occasion, il lança l'idée d'établir un couvent sur le Mont Carmel. En 1627 il repartit pour le Moyen-Orient, où il fonda la mission d'Alep, dont il fut le premier supérieur. Elle devait rester longtemps le centre des missions carmélitaines en Syrie.

En 1631, Prosper obtint de l'émir Ahmed Turabay l'autorisation de construire un couvent sur le Mont Carmel, ainsi que la propriété d'une partie de cette montagne. Le document relatif à cette donation porte la date du 29 Novembre 1631. Le même jour, le Père Prosper célébra la messe dans une des grottes en signe de prise de possession et il partit peu après pour Rome, afin d'annoncer la nouvelle. Il revint au Mont vers le milieu de 1632, nommé supérieur du couvent. Il devait y rester en charge jusqu'à sa mort.

Le Père Prosper adapta à la vie communautaire quelques grottes situées aux alentours de ce qu'on appelait «l'Ecole des prophètes». Toutefois, à cause des tensions avec les musulmans, qui considéraient cette grotte comme un sanctuaire leur appartenant, il dut chercher un autre emplacement.

Il trouva, un peu plus haut sur la pente du promontoire, une grande grotte, connue comme grotte des fils des Prophètes, qu'il adapta à la fonction de couvent, tout comme quelques grottes voisines plus petites. En ce lieu, qui fut désigné par le nom de son constructeur, les Carmes Déchaux demeurèrent pendant environ 130 ans.

Le Père Prosper se consacra aussi à l'exploration de la montagne, où il retrouva d'anciens établissements monastiques et, surtout, il put repérer, grâce à la tradition jamais interrompue, le couvent primitif des Carmes, connu comme couvent de Saint-Brocard.

Tout en habitant à la montagne. Le Père Prosper se dévoua aussi à l'apostolat parmi les Chrétiens du lieu et parmi les marins occidentaux qui débarquaient au port d'Akko.

Il mourut le 20 Novembre 1653, à l'âge de soixante-dix ans et fut enterré sur la terrasse du promontoire, lieu qu'il avait lui-même choisi pour être le cimetière des religieux.

Il a laissé de nombreux écrits, pour la plupart inédits, qui constituent une précieuse source de renseignements sur les missions de Perse, de Syrie et sur le Mont Carmel, où il oeuvra au cours de sa vie. Il s'agit le plus souvent de relations, rédigées pour informer les Supérieurs généraux des Carmes Déchaux ou la Congrégation pour la Propagation de la Foi. Elles sont complétées par la correspondance qu'il envoya à Rome, remarquable par sa quantité et sa valeur documentaire.

108

108. Anonyme du XVIIe siècle. Portrait de Prosper du Saint-Esprit.

Scala en 1607. Après plusieurs expériences en divers couvents, parmi lesquels le Désert de Varazze, il fut envoyé en 1620 à la mission d'Ispahan en qualité de supérieur. Après environ quatre ans d'activité missionnaire, en 1625, Prosper revint à Rome. Avec les Supérieurs généraux, il parla de la convenance d'ouvrir une mission à Alep en Syrie, lieu obligé de passage pour les missionnaires qui devaient se rendre en Perse. Le Supérieur général, Paul Simon de Jésus Marie, l'invita à présenter un mémoire en ce sens à la Congrégation de la Propagation de la Foi, organisme pontifical chargé de la promotion de l'apostolat missionnaire.

En même temps, Prosper relança l'idée de récupérer le Mont Carmel et recueillit des avis opposés. Dans l'attente de la réponse de la Propagation de la Foi au sujet de la possible fondation d'Alep, Père Prosper fut envoyé en Espagne, pour récolter des aumônes en faveur de la mission.

Quand Prosper du Saint-Esprit revint à Rome, à la fin de 1626, il apprit que le Définitoire général avait officiellement demandé à la Congrégation pour la Propagation de la Foi de pouvoir ouvrir une mission sur le Mont Carmel. La réponse positive de la Congrégation arriva le 30 Janvier 1627.

Dans les mois qui suivirent, la Congrégation pour la Propagation de la Foi demanda la collaboration des consuls de France et de Venise à Alep; elle intervint auprès du roi de France lui-même afin qu'il recommandât à son ambassadeur à Istanbul les Carmes envoyés au Mont Carmel. Ainsi débuta l'assistance diplomatique de la part des fonctionnaires français, qui accompagnera les Carmes Déchaux tant qu'ils demeureront sur le Mont.

Les origines retrouvées

Le Général, Mathias de Saint François, élu l'année précédente, nomma le Père Prosper fondateur et supérieur de la mission d'Alep et du Mont Carmel, en l'invitant à commencer par la première, vu les appuis diplomatiques obtenus. Après avoir été reçu par le Pape, le 27 Mars 1627, Père Prosper partit de Rome avec deux compagnons et arriva à Alep le 6 Juillet.

En 1629, le Père Prosper du Saint-Esprit jugea qu'il avait suffisamment assuré les bases de la fondation d'Alep et il demanda aux Supérieurs de Rome la permission de partir pour le Carmel. En sa session du 8 Janvier 1630, le Définitoire général ratifia formellement la décision négative du Supérieur. Ferdinand de Sainte Marie écrivit au Père Prosper qu'il devait renoncer pour toujours à gravir le Mont Carmel en Palestine et qu'il devait s'enfoncer au contraire dans la *Montée du Carmel* de Jean de la Croix.

Mais le 23 Mars 1631, Ferdinand de Sainte Marie mourut et le Procureur général, Paul Simon de Jésus-Marie obtint du nouveau Vicaire général et des définiteurs un avis positif. Il écrivit donc au Père Prosper du Saint-Esprit de se mettre en route immédiatement vers le Carmel. Prosper reçut la lettre le 5 Octobre 1631 et partit le 11. En passant par Nazareth, il demanda assistance aux Franciscains, qui l'accompagnèrent à Haïfa où résidait Dimitrios, de religion grecque orthodoxe, ministre plénipotentiaire de l'émir Ahmed Turabay, seigneur du lieu.

Les pourparlers furent brefs. Le 29 Novembre 1631, après avoir payé 500 piastres, le Père Prosper obtint la permission de fonder au Mont Carmel. En tant que représentant des Carmes Déchaux, lui furent concédées la petite grotte de la Madone, située à la base de la montagne, près de la mer, toutes les grottes qui se trouvaient autour d'elle et jusqu'à la cime de la montagne; toutes les maisons et les ruines présentes sur le terre-plein du promontoire, à côté de l'église des Grecs; enfin, toutes les pierres nécessaires pour construire un couvent au sommet du promontoire. Le jour même de la signature, le Père Prosper célébra la messe dans la grotte de la Madone, en signe de possession; il retourna ensuite à Alep et de là à Rome pour communiquer à ses supérieurs le résultat de ses tractations. Il voulait aussi et surtout se procurer l'argent nécessaire pour honorer le contrat, étant donné qu'il n'avait versé qu'un petit acompte.

Haïfa vers 1631

En Décembre 1516, un village tombé en ruines, appelé Haïfa, fut pris par les troupes du sultan turc Selim Ier. Il y avait alors, entre les Turcs et les Mameluks, une guerre à la suite de laquelle les Turcs, à l'apogée de leur puissance, conquirent la Syrie, la Palestine et l'Egypte. Haïfa fut rattachée à la province de Damas et, à l'intérieur de cette province, au district de Laggun. Plus tard, en 1690-91, elle devait passer à celui de Jérusalem.

L'administration locale n'était pas confiée à des fonctionnaires nommés par le pouvoir central, mais elle s'appuyait plutôt sur un régime de type féodal. Concrètement, Haïfa et le Mont Carmel se trouvaient soumis à la famille Turabay: une famille de Bédouins originaires d'Arabie, qui s'était emparé d'une partie de la Palestine qu'elle devait tenir pendant presque tout le XVIIe siècle. Le pouvoir était transmis de père en fils et leur domination était reconnue par les Turcs, sur la base d'un rapport de fidélité, garanti par un tribut. Les émirs de la famille Turabay avaient à Haïfa un représentant originaire du lieu, dont la fonction était de toucher les taxes imposées aux pèlerins, d'empêcher les pirates maltais de

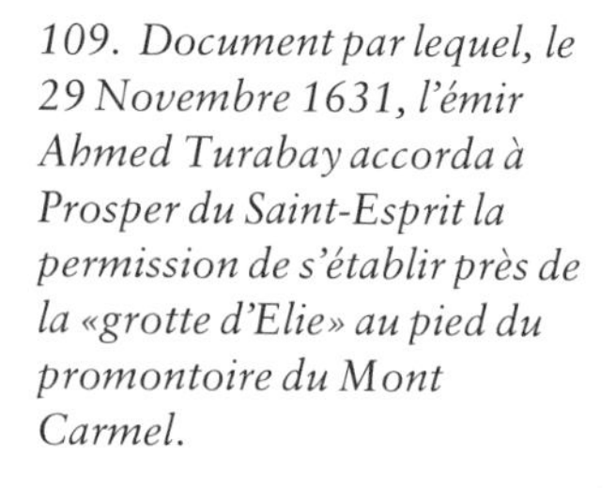

109. Document par lequel, le 29 Novembre 1631, l'émir Ahmed Turabay accorda à Prosper du Saint-Esprit la permission de s'établir près de la «grotte d'Elie» au pied du promontoire du Mont Carmel.

110. Mont Carmel. Entrée actuelle de la grotte d'el-Khader, appelée autrefois par les Déchaux «Ecole des prophètes».

109

110

111

111-112. Intérieur de la grotte d'el-Khader, ou «grotte d'Elie», aujourd'hui transformée en synagogue.

112

dévaster la région, de contrôler le commerce et de prélever le tribut auprès des habitants.

La domination des émirs Turabay signifia pour Haïfa une longue période de relative tranquillité. Le seigneur ne pratiquait pas une excessive discrimination entre ses sujets musulmans ou non musulmans, et celui qui payait son impôt avec régularité était laissé en paix. Les commerçants européens qui visitèrent Haïfa au XVIIe siècle pour leurs affaires, purent s'entendre avec l'administration locale. Les Carmes eux-mêmes trouvèrent souvent à Haïfa refuge et protection contre les pillards qui assaillaient leur maison construite sur les pentes du Carmel et exposée aux attaques des bandes qui, non seulement ne venaient pas d'Haïfa, mais craignaient plutôt de s'approcher de l'agglomération.

A la fin du XVIe siècle et jusqu'à la moitié du XVIIIe, Haïfa présentait un aspect plutôt désolant. Les voyageurs qui la visitèrent parlent des ruines d'une vieille ville détruite au temps des Croisades, dont les maisons démolies étaient éparses dans une vaste plaine. Les habitants, pendant l'hiver, semblaient vivre dans une partie des ruines. Durant l'été, au contraire, ils demeuraient dans des cabanes de branchages construites devant les maisons. L'édifice le mieux conservé de la ville, qu'on appelait la Forteresse, n'était qu'une église des Croisés, à demi détruite et en partie restaurée, qu'on utilisait pour diverses nécessités: entrepôts, écuries pour chevaux, abris pour les voyageurs et les pèlerins. Plus tard, le représentant local de la famille Turabay y établit sa résidence. Les Carmes y eurent même une chambre qui leur servait de dépôt. La Forteresse avait surtout la fonction de protéger le centre habité contre les pirates maltais qui infestaient la mer.

Dès le début du XVIIe siècle, Haïfa commença à se développer comme port, surtout à la suite de la progression du commerce entre l'Occident européen et le Moyen-Orient: son port est nettement indiqué sur une carte de 1651.

D'autre part, Haïfa n'était qu'une petite agglomération. Selon une note remontant à 1628, le village comptait une centaine d'habitants, pratiquement tous musulmans. Vers 1625, une autre note mentionne une petite communauté d'Hébreux qui avait construit une synagogue. Avec le temps, une petite communauté chrétienne s'y développa aussi, probablement favorisée par la présence des Carmes.

L'économie du village était plutôt simple: en plus du fruit des rapines perpétrées aux dépens des voyageurs et du profit retiré du trafic avec les pirates maltais, le commerce s'alimentait du blé et du coton qui d'Haïfa étaient portés à Akko. Sur le marché, on trouvait toujours d'excellents poissons, la pêche était l'activité principale de la population.

Le couvent du Père Prosper

Prosper du Saint-Esprit arriva à Rome en Mai 1632, tandis que le Chapitre général était réuni au couvent romain de Sainte-Marie de la Victoire. La nouvelle de la ré-acquisition du Mont Carmel causa une vive émotion parmi les capitulants, étant donné qu'une telle concession semblait impossible à obtenir des Turcs.

Le Chapitre général avait élu Supérieur Paul Simon de Jésus-Marie qui, dans les années précédentes, avait encouragé le Père Prosper dans son initiative. Le 13 Mai, on traita de la question du Mont Carmel. Après lecture du décret de la Propagation de la Foi, qui accordait aux Carmes la faculté d'ouvrir la mission du Mont Carmel, et du document par lequel l'émir Turabay attribuait une partie du mont aux Carmes, on approuva tout ce qu'avait fait le Père Prosper et il fut même décrété que le Général porterait le titre de «Prieur Général du Mont Carmel».

Dans les années suivantes, il y eut d'autres interventions officielles visant à assurer aux Déchaux la jouissance de leurs droits. Deux décrets successifs de la Propagation de la Foi, en date du 26 Juin 1632 et du 24 Janvier 1633, établirent qu'aucun autre ordre religieux ne pourrait s'installer sur le Mont Carmel.

Une fois terminé le Chapitre général, Prosper du Saint-Esprit partit avec les Pères André, Melchior et Léon, ainsi qu'avec le Frère lai Hippolyte, le 15 Juin 1632, en direction de la Syrie. A Malte, il prit avec lui deux autres compagnons: le Père Philippe, un Flamand, et le Frère Félicien, qui devait être son compagnon inséparable pendant de nombreuses années, en remplacement du Frère Hippolyte, décédé à Palerme.

Prosper du Saint-Esprit arriva à Alep le 25 Décembre 1632. Avant de rentrer au Mont Carmel, il se rendit à Damas pour solliciter l'aide du Consul français Marc Dorat. Celui-ci lui obtint du sultan d'Istanbul et du pacha de Damas des ordres pour l'émir Turabay, afin qu'il lui permît de prendre effectivement possession du Carmel.

Le 17 Février 1633, le Père Prosper célébra pour la deuxième fois la messe dans la grotte dite de la Madone. Il y avait érigé un autel sur lequel il avait placé un tableau de la Vierge que lui avait donné le cardinal Francesco Barberini. C'était une copie d'une image conservée à Sainte-Marie Majeure et que la tradition attribue à saint Luc.

Le lieu où le Père Prosper célébra la messe était une petite grotte, creusée dans la paroi d'une caverne plus grande, appelée «Ecole des prophètes». Dans celle-ci, quelques années auparavant, un groupe de religieux musulmans avaient remis en vigueur la dévotion à saint Elie, vénéré sous le nom d'el-Khader.

En raison de leur défiance réciproque, le Père Prosper avait déjà projeté d'ouvrir un accès indépendant à la petite grotte, de creuser les habitations des moines dans quelques grottes environnantes et de remettre en état une chapelle sise au sommet

113

113. Ruines du couvent construit par Prosper du Saint-Esprit, à mi-côte sur le promontoire, que les Carmes Déchaux occupèrent pendant 130 ans environ.

du promontoire, que la tradition tenait pour la première chapelle dédiée à la Madone.

Le 30 Avril 1633, la vie érémitique fut inaugurée. Père Prosper, Père Philippe de Saint-Jacques et Frère Félicien s'installèrent dans trois grottes. Le Père Philippe, natif de Sora, avait été le premier supérieur du Désert de Varazze et devait devenir plus tard Supérieur général de la Congrégation italienne des Déchaux.

Mais les disputes se firent plus aiguës avec les derviches musulmans. Ceux-ci recoururent au pacha de Damas qui envoya un groupe d'hommes armés. Le Père Prosper et ses compagnons purent échapper à la capture en se cachant dans la montagne et grâce à l'aide que leur prêta l'émir Turabay. Il parut donc nécessaire que les Carmes cherchent une autre demeure.

A mi-pente, un peu au-dessus de l'«Ecole des prophètes», se trouvait une vaste caverne, dite «Grotte des disciples d'Elie», à côté de laquelle était creusée une autre plus petite, appelée «Grotte de saint Simon Stock». Cette dernière fut transformée en chapelle, tandis que dans la plus grande fut construit un couvent en miniature: cellules pour les religieux, petite bibliothèque, réfectoire, chambres pour hôtes et pèlerins et jusqu'à un petit jardin autour du couvent. L'ensemble fut dédié à sainte Thérèse de Jésus.

Le Père Prosper acheta ensuite, à Haïfa, une maison et un bout de terrain et se consacra à l'assistance religieuse des Chrétiens qui arrivaient au port. En 1634, on ouvrit encore un petit couvent à Akko, dans lequel les Carmes se dévouèrent à l'apostolat parmi les commerçants et les marins occidentaux.

Une existence compliquée

Les conditions de vie des religieux restaient cependant compliquées. Le fait d'habiter dans une grotte n'était pas idéal pour la santé. Aussi, le 14 Janvier 1635, mourut le Père Ambroise de Saint Arsène, flamand. Il était arrivé au Carmel seulement six mois auparavant et il fut le premier à y mourir. Peu après, repartirent pour l'Europe les Pères Philippe de Saint

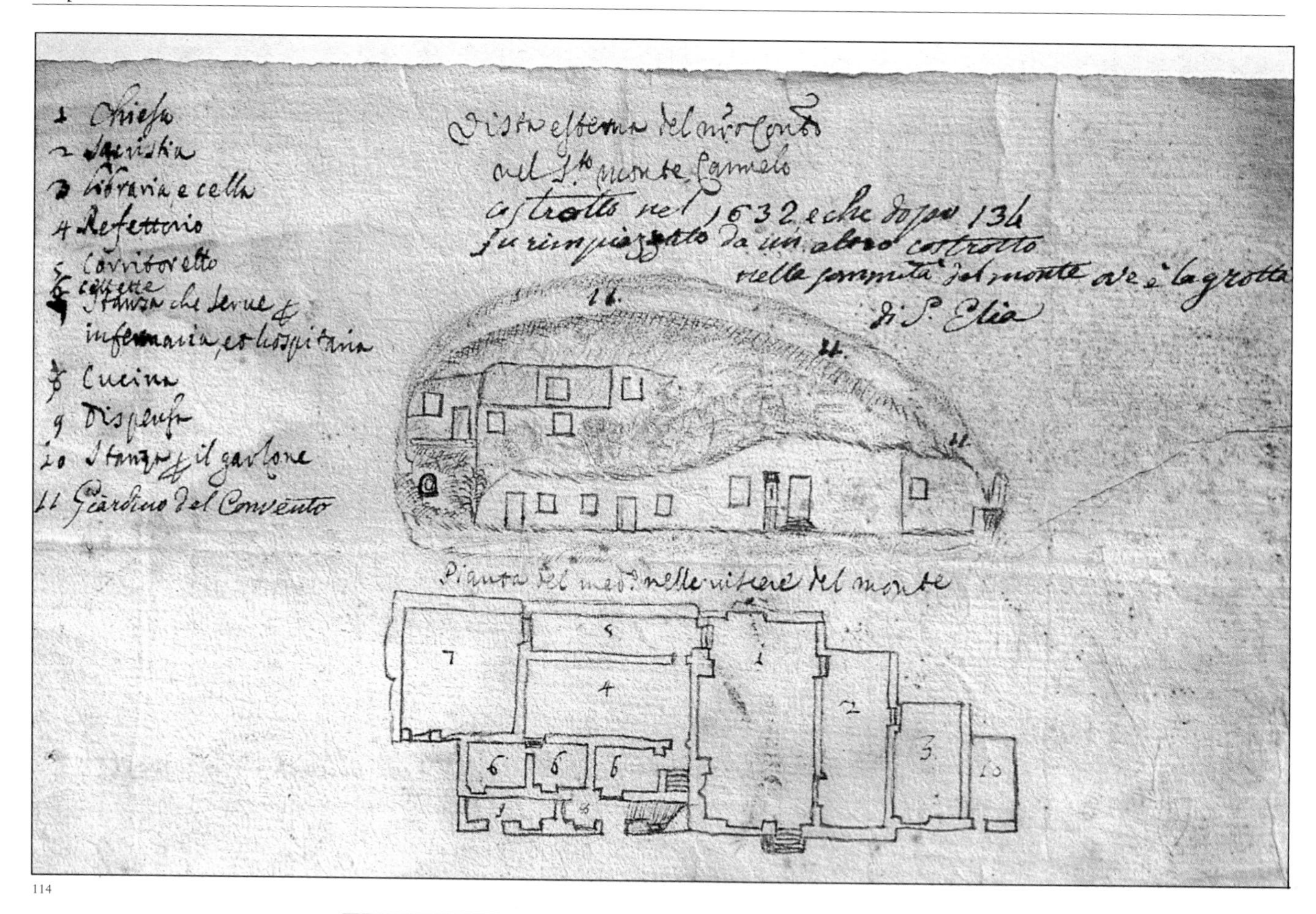

114

114. Rome. Archives générales O.C.D. Esquisse de Prosper du Saint-Esprit, *représentant la coupe transversale de haut en bas et le plan du couvent qu'il a installé dans une grande grotte.*

115

115. Rome. Archives générales O.C.D. Extrait de la lettre autographe de Prosper du Saint-Esprit *au Supérieur général de l'Ordre, en date du 3 Novembre 1633.*

Jacques et Jean de la Croix, qui supportaient mal le climat et les conditions de vie du Carmel. Seuls restèrent le Père Prosper et Frère Félicien. Ils auraient voulu construire un couvent sur la terrasse du promontoire, en un lieu salubre, mais les habituels problèmes financiers ne le leur permirent pas.

La situation, déjà difficile, fut compliquée encore plus par des guerres locales entre les émirs voisins, dans lesquelles intervint le Sultan. L'émir Turabay lui-même conseilla à Prosper de quitter le petit couvent et de partir loin d'Haïfa. Prosper confia leurs quelques meubles à Dimitrios, intendant de Turabay, et se retira à Akko. Puis des bruits coururent, annonçant une imminente persécution des Chrétiens par les Musulmans. La résistance du Père Prosper en fut minée au point qu'il décida de quitter le pays. Le 7 Septembre 1635 il s'embarqua pour Malte.

A peine débarqué en cette île, Prosper se repentait déjà de son geste irréfléchi. Toutefois, il poursuivit son voyage jusqu'à Rome pour exposer la situation à ses supérieurs. Arrivé à destination dans les derniers jours de 1635, il trouva comme Supérieur général Jean de Saint Jérôme. Le récit de ses aventures fit tomber les

116

116. Mur d'enceinte du couvent construit par Prosper du Saint-Esprit.

enthousiasmes, c'est pourquoi le Général jugea prudent d'attendre de nouveaux développements avant de le renvoyer au Mont Carmel.

Mais alors intervint la Congrégation pour la Propagation de la Foi. Elle se préoccupait du séjour à Rome du Père Prosper, séjour injustifié à ses yeux. Mise au courant des revers de la situation, elle fit intervenir l'ambassadeur français à Istanbul, qui procura aux Carmes des lettres de recommandation auprès des autorités locales de Palestine. Le 15 Novembre 1637, le Père Prosper et Frère Félicien étaient de retour à Haïfa.

La rencontre avec l'émir Turabay eut un résultat favorable. Il promit une nouvelle fois sa protection et fit restituer aux Carmes ce qu'ils avaient laissé en garde deux ans plus tôt, au moment de leur départ. Le Père Prosper lui versa 200 piastres en guise de tribut pour un an. Peu après, de nouveaux confrères commencèrent à arriver. Le 5 Janvier 1639, ce fut le tour du Père Célestin de Sainte Ludivine, Hollandais, missionnaire au Moyen-Orient et expert en langues orientales. Le Père Prosper aurait voulu lui confier l'évangélisation des Druses qui habitaient le Mont Carmel, mais le Père Célestin fut appelé ailleurs.

Vers la fin de 1640, en revenant de Goa, le Père Philippe de la Trinité, envoyé par les supérieurs de Rome comme visiteur des missions au Moyen-Orient et en Inde, passa par le Mont Carmel. Dans son *Itinerarium Orientale,* il a laissé une ample description du Mont Carmel et de l'activité des religieux:

«Bien que les Pères qui habitent le Mont Carmel soient occupés par la contemplation, comme partie principale de leur vie, ils ne négligent pas pour autant le salut de leur prochain; en effet, par leurs exhortations, ils enseignent continuellement les mystères de la foi aux autres habitants du Carmel, lesquels, suivant la tradition, descendent des anciens Chrétiens qui y résidèrent; ils aident à fuir dans les pays chrétiens les esclaves qui cherchent refuge sur cette sainte montagne; par leur comportement religieux, ils édifient les Chrétiens orientaux et ceux qui, venus d'Europe, passent par ces lieux».

«Cet amour du prochain les pousse à sortir de la douce solitude pour aller parmi les gens. Ils vont spécialement à Ptolémaïs, normalement appelée Saint-Jean d'Acre où, pour des raisons de commerce, résident des Français et des Italiens,

117

117. Chapelle contemporaine édifiée sur le lieu où s'élevait la chapelle bâtie par Prosper du Saint-Esprit.

lesquels ne peuvent assister au culte divin par manque de prêtres. Ils n'ont même pas quelqu'un qui leur prêche la Parole divine. Bien que la ville soit distante de 9 milles du Carmel, nos Pères s'y rendent à pied, pour coopérer au salut de ces âmes. Tous les dimanches et toutes les principales fêtes de l'année, ils célèbrent là la sainte messe, prêchent, administrent les sacrements. Pour accomplir plus facilement cette oeuvre de charité, ils ont une maison à Ptolémaïs. Ils y vont plus fréquemment quand arrivent au port des navires de Marseille ou d'ailleurs».

Le temps passait aussi pour le Père Prosper, désormais nommé Vicaire perpétuel du Mont Carmel. Dans une lettre du 10 Août 1645, il écrivait au Général, le Père Eugène de Saint-Benoît, que lui-même et le Père Basile «attendaient le bateau dans le but de s'embarquer vers la vraie patrie». C'est pourquoi ils avaient décidé d'organiser de façon définitive le cimetière des religieux. Celui-ci fut situé sur le terre-plein du promontoire, parmi les ruines de ce qu'on avait cru être la première église dédiée à la Sainte Vierge. On y déposa les restes des trois premiers religieux morts au Mont Carmel: Ambroise de Saint Arsène, décédé en 1635, Philippe-Marie, décédé le 17 Février 1645 et Frère Félicien, l'inséparable compagnon du Père Prosper, mort le 9 Mai 1645 à l'âge de 30 ans.

En 1647 disparut aussi l'émir Ahmed Turabay, celui qui avait accordé aux Carmes l'autorisation de résider sur le Mont Carmel et les avait en somme protégés. Son fils lui succéda. Il promit de respecter tout ce que son père avait établi.

Le déclin du Père Prosper

Les dernières années du Père Prosper furent réjouies par la venue de deux Frères qui l'aidèrent particulièrement. Frère Jean-Charles de Sainte Marie, fils d'Hercule Gonzague, arriva au Carmel en Novembre 1647. Il assista le Père Prosper dans ses fréquentes maladies et en même temps se consacra à l'embellissement des grottes, en cultivant devant elles de petits jardins potagers qui suffisaient à la nourriture de la communauté. En 1651 les rejoignit Michel-Ange de Jésus, Piémontais. Il avait passé une partie de sa vie comme missionnaire dans les Indes Orientales. Capturé par des corsaires au cours d'un de ses voyages, il avait été conduit, prisonnier, en Algérie, où il s'était dévoué à l'assistance spirituelle et au rachat des esclaves chrétiens. En 1648 il avait obtenu la liberté et en 1651 il avait été envoyé au Mont Carmel, afin de succéder à Prosper du Saint-Esprit, en qualité de supérieur.

La robuste santé du Père Prosper résistait malgré les infirmités. Cependant, un grave accident hâta sa fin. S'étant rendu à Saint-Jean d'Acre pour l'assistance spirituelle des Chrétiens, sur le chemin du retour il fut assailli et maltraité par des brigands. Il rentra comme il put au couvent et remit au Père Michel-Ange la nomination de Vicaire du Carmel qu'il avait reçue de Rome quelques jours plus tôt. Selon ce document, le Père Michel-Ange devait, à la mort du titulaire, lui succéder dans la charge de Vicaire. Le Père Prosper expira le 20 Novembre 1653. Il avait soixante-dix ans et en avait passé vingt dans les grottes du Carmel. Son corps fut inhumé sur la terrasse du promontoire, dans le petit cimetière qu'il avait lui-même préparé pour les religieux.

Stabilité précaire

A la mort de Prosper du Saint-Esprit, la petite communauté du Mont Carmel avait acquis une certaine stabilité. Les religieux continuèrent à être peu nombreux et à changer assez fréquemment en raison des conditions précaires de leur installation, qui minaient leur santé. Leur vie s'écoulait entre les exercices de la vie conventuelle et l'assistance aux Chrétiens résidents ou de passage à Haïfa et à Saint-Jean d'Acre.

En 1660 eut lieu une période de tension entre les Carmes et l'émir Zeben Tubaray, au sujet de divers impôts indûment exigés par son procureur à Haïfa. En manière de protestation, les Carmes quittèrent pour six mois le Mont Carmel et se retirèrent à la mission d'Alep. Cela fournit l'occasion au Vicaire du moment, le Français Emmanuel de la Croix, de remettre à jour le contrat de concession du mont qui avait été signé entre l'émir et les religieux. Le consul français de Sidon intervint comme médiateur. L'émir se déclarait protecteur des religieux du Carmel. En échange, ceux-ci s'engageaient à payer un tribut annuel de 220 piastres qui les libérait de tout autre engagement pécuniaire.

En 1676 les privilèges des Carmes furent étendus pour l'avenir sous le gouvernement de l'émir Saleh. Le tribut de 220 piastres annuelles était maintenu. Il était payable le 1er Mars de chaque année. Il constituait la reconnaissance de la souveraineté de l'émir. Les Pères furent exemptés des formalités douanières pour toutes les marchandises qui leur arriveraient par voie maritime et pour les bagages qu'ils porteraient eux-mêmes au moment de débarquer dans le port. Ils furent également dispensés des taxes sur les passeports.

Il était interdit à quiconque de les molester pendant leurs prières et le libre usage des grottes du Carmel leur était concédé. Ils pouvaient ensevelir leurs défunts où ils voulaient; la propriété du couvent et du cimetière leur était reconnue, ainsi que celle du magasin qu'il possédaient à Haïfa. En outre, il leur était permis de prendre des pierres où ils le jugeaient bon, pour d'éventuelles nouvelles constructions.

Ils avaient le droit d'entretenir des chiens de garde et d'utiliser des armes à feu pour leur défense personnelle. Dans le cas où, pour se défendre, ils tueraient un assaillant, ils ne seraient pas poursuivis. Enfin, les habitants d'Haïfa étaient tenus de les protéger et de les aider dans toutes leurs nécessités.

Ce décret de l'émir régla les rapports des Carmes avec la population pendant environ quarante ans, et cela permit aux Pères de poursuivre tranquillement leurs activités habituelles.

Les Carmes Déchaux furent respectés, même pendant la période difficile qui suivit la défaite des Turcs sous les murs de Vienne (1684). Les populations de Palestine se soulevèrent contre l'occupant, mais elles ne surent pas aller au-delà d'une série de conflits internes, vite étouffés par les autorités turques. Le renforcement de la puissance d'Istanbul valut à la région une période de relative tranquillité et de sécurité, due à une plus grande tolérance à l'égard des Chrétiens et des pèlerins.

Au vu de cette situation et sur la suggestion de la communauté résidant au Mont Carmel, les supérieurs généraux envisagèrent de commencer la construction d'un véritable couvent en maçonnerie, digne du berceau de l'Ordre. On devait l'ériger sur l'esplanade du promontoire, près du lieu où l'on croyait qu'avait été construite, par les anciens habitants du Carmel, la première église en l'honneur de la Vierge Marie. Le projet correspondait au désir initial de Prosper du Saint-Esprit, qu'aucun de ses successeurs n'avait pu réaliser en raison de l'insécurité constante de la région.

Toutefois, un petit incident vint troubler les projets. Au début de 1716, un bateau vénitien captura une embarcation locale ancrée dans le port d'Haïfa. En représailles, les habitants de la ville assaillirent à main armée le couvent des Carmes, qui purent échapper à leurs agresseurs grâce à la prompte intervention du consul français de Saint-Jean d'Acre. Les religieux se réfugièrent là et restèrent trois ans loin du Carmel. Leur couvent fut cependant saccagé et détruit.

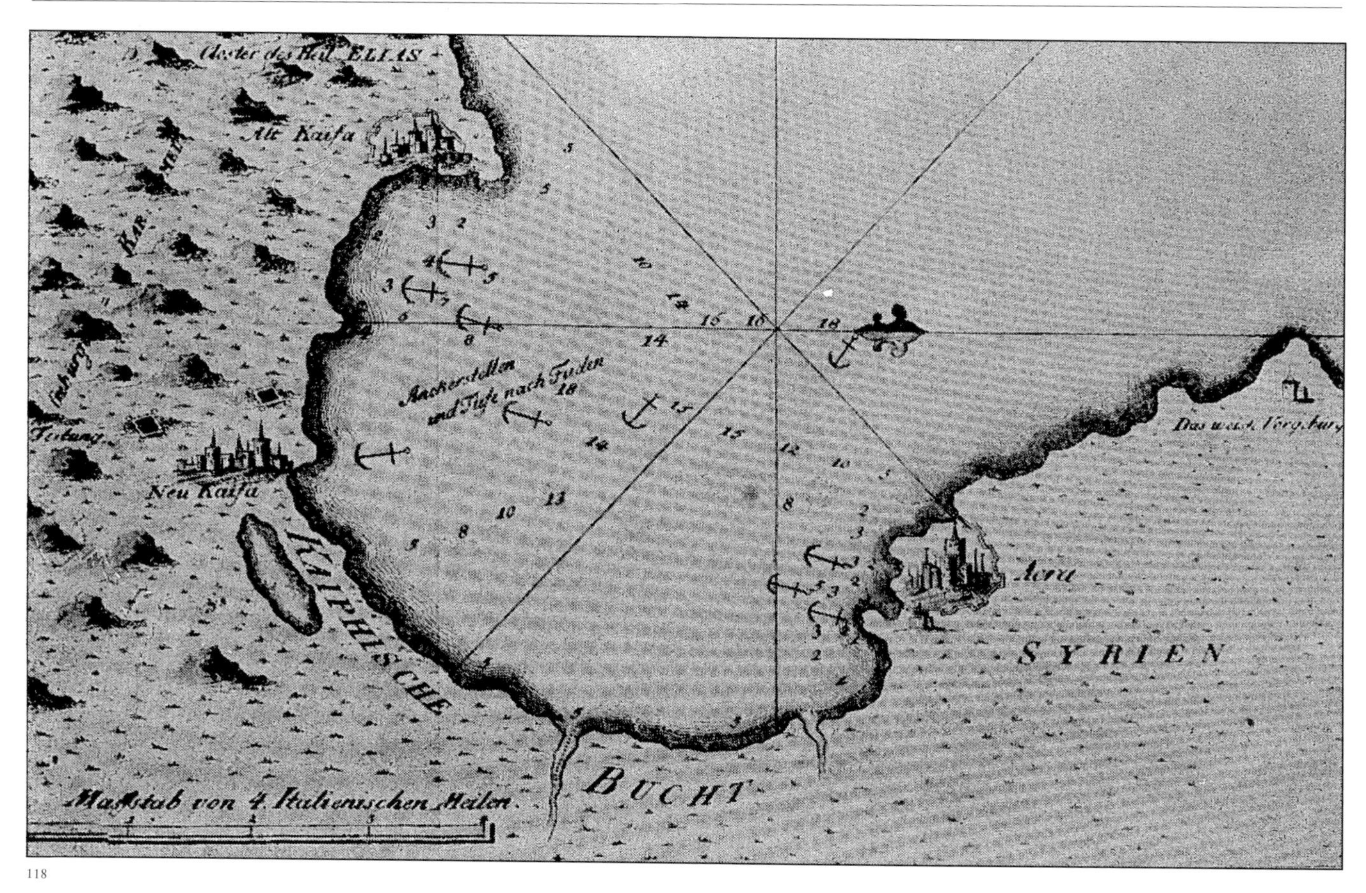

118

118. La baie d'Haïfa, dans une estampe remontant aux années 70 du XVIIIe siècle. En plus d'Akko (= Acre) et du couvent de Saint-Elie (Kloster Heiliger Elias) *on distingue nettement le site où se dressait le vieil Haïfa* (Alt Kaïfa) *et la nouvelle agglomération* (Neu Kaïfa).

La nomination du Père Just de Saint Philibert, de la Province de Flandres-Belgique, à la fonction de Vicaire du Carmel intensifia les transactions pour un prompt retour de la communauté au couvent du Carmel. Aidés par le consul français de Sidon, qui jouissait de bons appuis auprès de la cour de Damas, les Pères purent regagner leur résidence en 1719. Le même consul insista sur l'idée d'édifier un couvent «en dur» sur l'esplanade du promontoire. En particulier, le Père Just invita les supérieurs de Rome à se dépêcher, parce que le bruit courait que les Turcs voulaient élever une mosquée sur les ruines du promontoire. Quant aux orthodoxes grecs, ils semblaient avoir l'intention de faire valoir leurs droits sur ces ruines, qui avaient été autrefois habitées par des moines leurs coréligionnaires.

Dans l'intervalle, l'augmentation continuelle de leur activité pastorale dans la ville portuaire de Saint-Jean d'Acre, et la sécurité plutôt précaire des routes, poussèrent les Carmes à agrandir, au début du XVIIIe siècle, l'hospice primitif construit en cette ville par Prosper du Saint-Esprit. On y édifia même une petite église ouverte au public et un petit couvent, pourvu de l'essentiel pour la vie de la communauté. La petite église était pourvue du mobilier nécessaire à la célébration du culte, et la bibliothèque suffisamment dotée de livres, parmi lesquels on remarquait ceux qui servaient à l'étude des langues orientales. Toutefois, cette maison dura peu: quelques années plus tard, les Franciscains se firent charger de la paroisse latine de Saint-Jean d'Acre, tandis qu'aux Carmes était confiée celle d'Haïfa.

La nouvelle Haïfa

Vers le milieu du XVIIIe siècle, un nouveau personnage apparut sur la scène palestinienne: Zahir el-Umars. Membre d'une famille de Bédouins émigrée d'Arabie à la fin du XVIe siècle, Zahir commença sa carrière comme collecteur d'impôts dans les villages de la Galilée. Vers 1730, le pacha de Sidon le nomma gouverneur de Tibériade. De là, Zahir étendit son autorité sur Nazareth et sur la plaine de Yisréel et de Safat. Plus tard, vers la fin des années 40, il déplaça sa résidence à Akko, en faisant fortifier cette ville.

Peu après, dans les années 1752-53, il occupa la cité voisine, Haïfa. Mais la défense de la ville présentait de sérieuses difficultés: ses maisons étaient éparpillées dans la plaine et il n'existait pas de mur

119

119. Haïfa. Monastère Stella Maris, Musée. Reproduction d'une estampe du XVIIe siècle représentant la baie d'Haïfa et le promontoire du Mont Carmel. Sur la terrasse se détache le monastère de Sainte-Marguerite. Au début du XIIIe siècle, il était habité par des moines grecs.

d'enceinte. En outre Zahir voulait donner une nouvelle organisation au port. C'est pourquoi il décida de transporter la ville en un lieu plus favorable, qu'il avait repéré, à deux ou trois kilomètres de distance, au Sud-Est de la position existante. En 1761, il commanda à ses soldats de détruire Haïfa. L'ordre arriva, tout à fait inattendu, même pour les habitants: toutes les maisons furent rasées au sol et le port fut rempli de pierres.

La nouvelle petite ville, construite sur un plan quadrangulaire, au bord de la mer, fut entourée de murs et, par la suite, protégée par une forteresse qui surgissait du flanc de la montagne.
Sa superficie recouvrait environ vingt mille mètres carrés. Aux quatre angles des murailles s'élevaient des tours armées de canons. La ville était construite de manière à assurer le contrôle de la route qui de Jaffa conduit à Akko; ainsi constituait-elle une ultime protection pour la capitale de Zahir contre les attaques provenant du Sud. A l'origine, Haïfa comptait environ deux cent cinquante habitants, pratiquement tous ceux qui avaient vu leurs vieilles maisons détruites et qui avaient dû déménager.

Le développement que Zahir imprima à sa capitale Akko eut des répercutions positives, même sur Haïfa. Avant tout, son gouvernement fort rendit la sécurité aux voies de communication. Les incursions de pillards et de brigands cessèrent et la prospérité du port fut assurée. C'étaient des navires européens qui l'utilisaient, surtout de septembre à avril. Le transport des marchandises entre Akko et Haïfa était effectué par mer, au moyen de petites embarcations locales.

Près du port, situé entre la nouvelle Haïfa et l'embouchure du Kishon, demeuraient les commerçants étrangers, en majorité des Français, avec leurs consulats respectifs. Au début, Haïfa était une succursale d'Akko, car à Haïfa se trouvaient concentrées et emmagasinées les marchandises. Ce n'est qu'au début du XIXe siècle qu'Haïfa commença à travailler pour son propre compte, mettant ainsi en route un processus au terme duquel son port se rendit complètement autonome.

Le développement des activités économiques de la ville conduisit à une augmentation de la population. Des deux cent cinquante habitants présents en 1761, on arriva à un millier en 1815, dont une moitié était musulmane et l'autre composée de Chrétiens de diverses confessions. Il s'y ajoutait une minorité de Druses. En 1821,

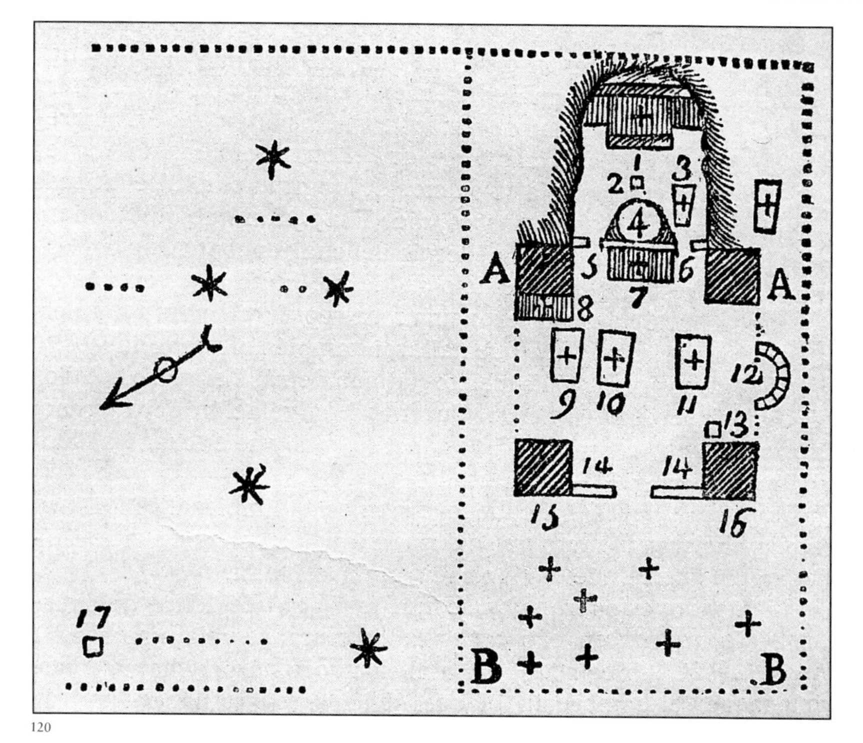

120

120. Carte tracée par Jean-Baptiste de Saint Alexis, *qui situe dans les ruines de l'esplanade du promontoire du Mont Carmel, ruines qu'il a explorées en 1765, ses notions d'histoire carmélitaine:*
1) Banc de pierre sur lequel dormait le prophète Elie et qui a été transformé en autel;
2) Piscine; 3) Sépulcre creusé dans le rocher; 4) Baptistère;
5) Porte d'entrée de la grotte;
6) Fenêtre de la grotte;
7) Autel taillé dans le rocher;
8) Autel plus petit adossé à un pilier; 9-10-11) Tombes des saints Berthold, Brocard et Cyrille; 12) Niche;
13) Citerne des fils de prophètes; 14) Siège taillé dans la roche; 15-16) Bases de grands piliers; 17) Citerne.

le nombre d'habitants était monté à 2500, parmi lesquels une cinquantaine de Juifs.

En plus des activités portuaires, la population se consacrait à l'agriculture et à l'élevage. Quelques-uns continuèrent l'antique occupation du pays: la pêche. Zahir se montra tolérant vis-à-vis de ses sujets non musulmans. Les Chrétiens purent construire deux églises à Haïfa. Ses rapports avec les Carmes et les Chrétiens latins en général furent bons, tandis que son vizir Ibrahim Sabbag, de confession grecque-catholique, assurait de bonnes relations avec les Grecs.

En 1768, à la suite de la déclaration de la guerre russo-turque, Zahir el-Umars s'allia avec l'Egyptien Ali Bey, afin de se débarrasser de la suprématie du sultan. Malgré les succès initiaux, sa tentative fut de brève durée. Une fois terminée la guerre entre les deux grandes puissances, les Turcs reprirent le contrôle de la Palestine et Zahir mourut en 1775, de la main de ses propres soldats, permettant ainsi aux Turcs de reconquérir facilement Akko.

Vers 1750, vivaient au Mont Carmel trois prêtres et un frère lai. Ils habitaient encore dans le logement que le Père Prosper avait adapté à leur usage dans une grotte, mais ces cabanes montraient maintenant tous les signes de l'âge.

La relative tranquillité de la région et la tolérance du régime politique avaient remis en route les premiers projets pour construire un véritable couvent au sommet du promontoire. Déjà en 1730 on recueillait des fonds et le Définitoire général avait pris les dispositions nécessaires.

Cependant, l'ordre de Zahir el-Umars de raser au sol la vieille Haïfa avait eu de désagréables conséquences pour les Carmes aussi. Les soldats interprétèrent les ordres de leur seigneur de la façon la plus large; ils montèrent au couvent et le mirent à sac. Les religieux se réfugièrent près de leurs confrères du Liban et de Syrie.

La situation fut sauvée par le Père Prosper de Saint Corneille, qui travaillait à la mission de Bassora. Devant aller à Rome, il s'était proposé de visiter le Carmel. Arrivé à Saint-Jean d'Acre, il chercha à convaincre le Vicaire, Père Pierre-Damien, de retourner dans son couvent. Celui-ci, au contraire, épouvanté de ce qui s'était passé, préféra partir pour Rome, afin de raconter à ses supérieurs ce qui était arrivé.

Pour ne pas laisser le couvent abandonné, le Père Prosper alla y habiter, accompagné par un Chrétien du lieu. Les marchands français d'Acre avaient acheté une grande partie du mobilier du couvent qui, après le saccage, avait fini sur le marché local. Ils le restituèrent à leurs premiers propriétaires.

Un nouveau couvent

A Rome, la nouvelle de cette deuxième destruction avait éveillé beaucoup de préoccupations, d'autant plus qu'on savait qu'à Istanbul, les Grecs-orthodoxes étaient en train de manigancer pour obtenir la permission de construire un édifice de culte sur la terrasse du promontoire. En outre, profitant de la fuite des Carmes, ils détruisirent la porte qui avait été placée à la chapelle de la Madone et à la grotte de saint Elie et la remplacèrent par une autre qui leur appartenait.

Cette fois, les supérieurs de Rome réagirent rapidement. Ils demandèrent la collaboration des nations chrétiennes, dont les ambassadeurs étaient accrédités auprès du Turc, et envoyèrent comme Vicaire au Carmel un homme d'envergure, le Père Philippe de Saint Jean. Celui-ci, jeune homme de 27 ans, arriva au Mont le 22 Octobre 1762 et reprit possession des ruines, sans rencontrer d'opposition de la part des Turcs. On l'avait chargé d'informer ses supérieurs de la situation du couvent; sur la base de ces renseignements,

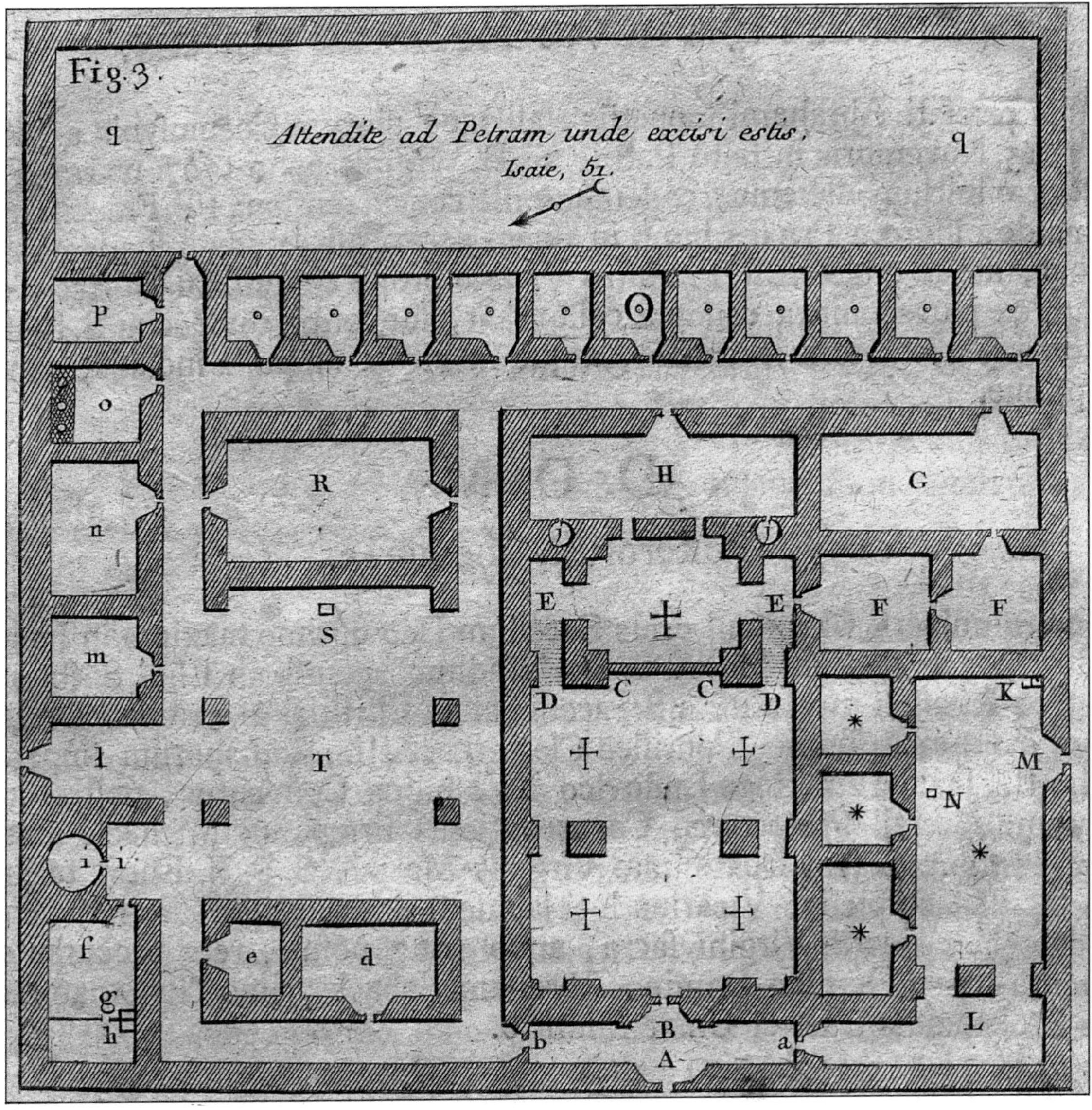

121

121. Plan du couvent dans le projet de Jean-Baptiste de Saint Alexis. *La première pierre fut posée en 1767: A) Porte principale; B) Porte de l'église; +) autels; C) Entrées de la grotte d'Elie; D) Escaliers; E) Galeries; F) Sacristie; G) Petit atrium; H) Choeur; I) Escaliers; +) Autel de la Vierge Marie; K) Latrines; L) Loggia; M) Porte; N) Citerne; O) Cellules des religieux; P) Bibliothèque; Q) Latrines; qq) Jardin; R) Ecurie; S-T) Grand atrium; a) quartier des hôtes; b) porte intérieure du couvent; d) chambre du portier; e) escalier; f) cuisine; g) escalier secret; h) cave avec citerne; i-k) lavoir; l-m) chambres pour les domestiques; n) parloir.*

on lui donnerait des instructions ultérieures.

Effectivement, il trouva tout, tel qu'on le lui avait rapporté: la grotte d'Elie était devenue une tanière de bêtes sauvages, tandis que le seul ornement resté au couvent du Père Prosper était le tableau de la Sainte Vierge. Le Père Philippe nettoya sommairement les lieux, plaça une porte à l'entrée de la grotte d'Elie et la ferma à clef en signe de propriété. Puis il se mit à l'étude de l'arabe et se consacra à l'assistance des pèlerins qui arrivaient régulièrement à la grotte d'Elie. Ces pèlerins l'aidaient par leurs aumônes. Au mois de Juin 1763, il reçut la visite de l'évêque grec-catholique d'Alep, accompagné d'Ibrahim Sabbag et d'Ibrahim Abdenor, ministres de Zahir el-Umars et d'un groupe de chrétiens de rite grec-catholique.

Avec l'affluence des pèlerins et leurs aumônes, le Père Philippe avait plus qu'il ne fallait pour couvrir ses besoins personnels. Il considéra donc qu'était arrivé le moment d'exécuter quelques travaux urgents au couvent du Père Prosper, afin de le rendre habitable jusqu'au moment où serait prêt le couvent qu'on projetait de construire sur le terre-plein. Pour l'encourager dans ses plans, vint bien à point la donation d'un chrétien grec-catholique qui, sur le point de mourir, lui légua une somme d'argent pour construire un portique devant la grotte d'Elie. Les concitoyens du défunt s'offrirent gratuitement à le réaliser et en peu de temps le travail fut achevé. Conforté par ce petit succès, le Père Philippe écrivit à Rome pour demander l'envoi d'un expert pour commencer la construction du couvent, et aussi l'autorisation de recueillir des offrandes.

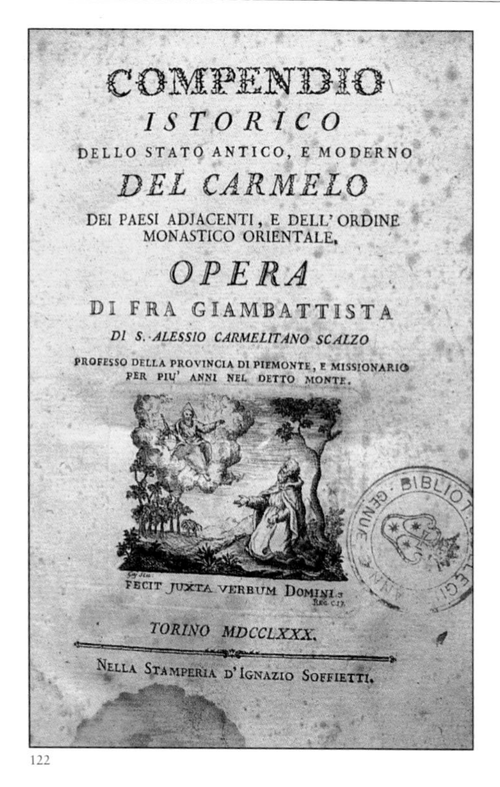

COMPENDIO
ISTORICO
DELLO STATO ANTICO, E MODERNO
DEL CARMELO
DEI PAESI ADJACENTI, E DELL' ORDINE MONASTICO ORIENTALE.
OPERA
DI FRA GIAMBATTISTA
DI S. ALESSIO CARMELITANO SCALZO
PROFESSO DELLA PROVINCIA DI PIEMONTE, E MISSIONARIO PER PIU' ANNI NEL DETTO MONTE.

FECIT JUXTA VERBUM DOMINI

TORINO MDCCLXXX.

NELLA STAMPERIA D'IGNAZIO SOFFIETTI.

122

122. Frontispice de l'oeuvre de Jean-Baptiste de Saint Alexis, Compendio historico dello stato antico e moderno del Carmelo, *publié à Turin en 1780.*

Jean-Baptiste de Saint Alexis

La réponse arriva par l'intermédiaire de Jean-Baptiste de Saint Alexis. C'était un frère convers piémontais, expert en mécanique. Il arriva à Saint-Jean d'Acre le 12 Août 1765 et voulut tout de suite se rendre compte de l'état des constructions. En effet, étant donné la décrépitude de l'édifice, les petites réparations effectuées au couvent du Père Prosper n'auraient pas pu durer longtemps. La venue de l'hiver les mit à rude épreuve.

Deux situations contribuèrent à hâter les événements. D'une part, les religieux musulmans d'El-Khader continuaient à protester parce que, de temps en temps, des pierres tombées du couvent des Carmes roulaient jusqu'au bas de la pente et mettaient en danger l'intégrité de leurs visiteurs; d'autre part, les grecs-orthodoxes tentaient de s'emparer de l'esplanade du promontoire. Les circonstances semblaient favorables à la réalisation du rêve que les Carmes caressaient depuis si longtemps.

Philippe de Saint Jean et Jean-Baptiste de Saint Alexis prirent conseil de leurs amis latins et des amis natifs de Palestine, qui les encouragèrent dans leur intention. Le Père Philippe partit pour Istanbul, afin d'obtenir du sultan l'autorisation d'édifier le couvent et il poursuivit son voyage vers Rome pour informer ses supérieurs généraux. Avant de partir, il avait soumis le projet de construction à Zahir el-Umars.

Jean-Baptiste de Saint Alexis resta seul, avec Théodore de Saint Ange arrivé depuis peu au Carmel. Tous deux commencèrent à nettoyer, selon les ordres du Vicaire, la grotte de saint Elie et la chapelle de la Madone. Tandis qu'ils travaillaient dans la grotte d'Elie, ils abattirent un petit mur de séparation, derrière lequel ils trouvèrent un squelette, étendu sur un support plat en pierre. Dans la même grotte gisaient d'autres ossements humains réunis dans une fosse. Frère Jean-Baptiste pensa que l'étagère de pierre pouvait avoir servi de lit au prophète Elie et il la transforma en autel. En nettoyant ensuite la chapelle, ils découvrirent encore d'autres sépultures, dont quelques-unes devaient correspondre au petit cimetière conventuel que le Père Prosper du Saint-Esprit avait fait aménager.

Interprétant ses diverses trouvailles à la lumière des notions d'histoire carmélitaine courantes en son temps, Frère Jean-Baptiste identifia la grotte comme étant celle où Elie s'était réfugié quand il fuyait la colère de Jézabel; il vit dans les fosses les tombes des saints Carmes Berthold, Brocard et Cyrille, et la citerne des fils des prophètes. Ainsi se confirma-t-il encore plus dans l'opinion qu'il était vraiment sur le point de restaurer la première église dédiée à la Vierge par les fils du prophète Elie.

Le 26 Mai 1767, le Père Philippe de Saint Jean revint au Carmel. Il avait obtenu du sultan, sur l'intervention de l'ambassadeur français, le permis de construire le nouveau couvent. A ce moment précis, Zahir el-Umars lui envoya l'ordre explicite de détruire le couvent du Père Prosper et de commencer une nouvelle construction sur l'esplanade du promontoire. Les Carmes obéirent avec joie. Le rêve d'autrefois allait être réalisé et l'on avait même trouvé une formule élégante pour surmonter la longue résistance des grecs-orthodoxes. Certainement, l'«ordre» fut accepté d'un commun accord par les deux parties. Frère Jean-Baptiste de Saint Alexis ne dit ni si, ni combien, les Carmes durent payer au gouverneur d'Akko.

L'ordre fut exécuté immédiatement. Des équipes d'ouvriers démolirent le couvent du Père Prosper et transportèrent les matériaux sur la terrasse du promontoire, afin de rendre irréversible le transfert et aussi pour pouvoir les utiliser dans la construction du nouveau couvent.

Le 15 Novembre 1767, la première

Jean-Baptiste de Saint Alexis

Berthold Antoine (Bertoldo Antonio) Gioberti naquit le 9 Avril 1723 à Centano, dans le diocèse de Turin. Il commença ses études ecclésiastiques, mais dut les abandonner en raison de la mort prématurée de son père. Il apprit donc la mécanique, pour subvenir aux besoins de sa famille. Plus tard, il revêtit l'habit du Carmel au couvent de Mondovi en prenant le nom de Jean-Baptiste de Saint Alexis. Il fit ses voeux religieux en qualité de Frère convers, le 18 Juillet 1747.

En 1765, après quelques années de service dans la Maison généralice de Rome, il fut envoyé au Mont-Carmel pour reconstruire le couvent abandonné. Ce fut en cette circonstance que les Carmes Déchaux reçurent du gouverneur Zahir el-Umars l'ordre de quitter le vieux couvent, construit dans une grotte par le Père Prosper du Saint-Esprit et de s'installer plus haut, sur la terrasse du promontoire.

En 1766, tandis qu'on attendait des autorités l'autorisation de commencer la construction, Frère Jean-Baptiste se mit à nettoyer les édifices, à l'abandon depuis longtemps, sur cette esplanade du promontoire du Mont Carmel. En 1767, le couvent du Père Prosper fut démoli et ses matériaux réutilisés pour commencer la nouvelle construction, dont la première pierre fut posée le 15 Novembre.

Frère Jean-Baptiste dessina le projet d'un édifice à deux étages, pas très grand, de forme quadrangulaire, qui renfermait une grotte, vénérée, selon la tradition, comme le lieu où Elie se serait caché lorsqu'il fuyait la colère de Jézabel, et une chapelle, elle aussi identifiée comme la première chapelle dédiée à la Sainte Vierge, mais qui était en réalité un oratoire édifié par des moines byzantins au Moyen Age. Les travaux avancèrent lentement, à cause des difficultés provoquées par les autorités locales et par le manque chronique de fonds.

Entre 1768 et 1774, Frère Jean-Baptiste dut faire plusieurs voyages en Europe et en Egypte pour recueillir des aumônes en faveur de la construction du Mont Carmel.

L'oeuvre de reconstruction, dont Frère Jean-Baptiste et le supérieur Philippe de Saint Jean furent les protagonistes, fut continuellement entravée par une série d'accusations, concernant surtout une supposée mauvaise gestion des finances. Ces accusations furent même portées devant les supérieurs de Rome. C'est pourquoi les deux moines furent rappelés en Italie en 1774. Philippe de Saint Jean mourut avant de pouvoir entreprendre le voyage, tandis que Frère Jean-Baptiste s'embarquait le 6 Novembre, en laissant le bâtiment inachevé.

Jean-Baptiste de Saint Alexis passa le reste de sa vie au couvent de Turin où il mourut en 1802.

Pendant ses voyages, il recueillit une série d'informations sur l'état et sur l'histoire du Mont Carmel, qui nous sont parvenues en partie manuscrites. En partie également, elles servirent à la composition de son ouvrage intitulé Compendium historique de l'état ancien et moderne du Carmel, des villages adjacents et de l'Etat monastique oriental. *Il a d'abord été publié en latin en 1772, puis en italien à Turin en 1780. Une partie de ce texte est consacrée à la description du travail de Frère Jean-Baptiste en faveur du Mont Carmel.*

pierre fut posée solennellement en présence du supérieur des Franciscains de Saint-Jean d'Acre. Les travaux s'arrêtèrent tout de suite, car Zahir el-Umars embaucha les meilleurs maçons pour édifier un château aux alentours d'Haïfa. Les Carmes se trouvèrent dans l'obligation de quitter le couvent du Père Prosper et, restant ainsi sans toit, durent accepter de s'installer à Haïfa, près de l'église déjà existante. Ainsi débuta la paroisse latine, la première qui fut formellement érigée après la fin de la domination des Croisés.

Au printemps de 1768, les travaux reprirent avec un rythme soutenu, mais les ressources financières étaient épuisées. Il fallut poursuivre avec l'argent prêté par Ibrahim Sabbag et avec les aumônes recueillies par Frère Jean-Baptiste à l'occasion de son premier voyage au Caire, probablement en mars ou avril. A peine était-il revenu d'Egypte, que le Vicaire l'envoya en Europe pour rassembler d'autres fonds et pour se justifier d'accusations calomnieuses, que Jean-Baptiste ne précise pas, mais qui étaient arrivées aux oreilles des supérieurs et qui concernaient les deux moines du Carmel. Frère Jean-Baptiste se mit en route le 25 Avril 1768.

Les travaux continuèrent malgré son absence. Dans une lettre du 31 Juillet 1768, Philippe de Saint Jean put raconter au Supérieur général les détails de l'inauguration solennelle du bâtiment. Elle avait eu lieu le 16 Juillet, fête de Notre-Dame du Mont Carmel. L'église fut bénie, bien que

123. Rome. Archives générales O.C.D. Perspective de la façade du couvent du Mont Carmel. *Dessin de Jean-Baptiste de Saint Alexis.*

123

non terminée; participait à la cérémonie le Père gardien des Franciscains de Nazareth. Dans la même lettre, Philippe de Saint Jean informait le Général des conditions favorables à une rapide édification du sanctuaire et du couvent, en raison de la bienveillance des autorités turques et du désir des Chrétiens de voir le bâtiment terminé. L'édifice en construction avait deux étages; il était de forme presque carrée et renfermait en son centre l'église, surmontée d'une coupole.

Frère Jean-Baptiste de Saint Alexis, arrivé à Rome, n'eut pas de difficulté à illustrer les progrès de l'édifice du Mont Carmel et à dissiper les malentendus, dus aux informations négatives de personnes qui n'auraient pas voulu la construction du sanctuaire.

Mais, sur place aussi, ce travail rencontra des difficultés. On se souvient qu'à peine la première pierre posée, Zahir el-Umars avait débauché les maçons pour les employer lui-même. Mais on a aussi connaissance d'ennuis causés aux Frères, par exemple: «des vexations venues de personnes qui voulaient entrer pour les molester dans leur couvent, ou pour demander des vivres ou d'autres choses et qui faisaient violence aux moines, contrairement aux nobles conventions» inscrites dans un décret du sultan en faveur des Carmes, promulgué en 1769, et par lequel on chercha à mettre fin aux tracasseries.

Un nouveau voyage fut entrepris par Frère Jean-Baptiste à la fin de 1769. Il visita Madrid et Paris où, grâce aux bons offices de la princesse de sang royal Marie-Louise, devenue Carmélite Déchaussée sous le nom de Thérèse de Saint Augustin, il put être reçu par le roi de France et obtenir la promesse de faire intervenir son ambassadeur auprès du sultan, en faveur de la communauté du Carmel. Il passa enfin par Vienne, où il remit un mémoire à l'impératrice. Tous ces appuis diplomatiques furent utiles pour surmonter les continuelles difficultés qui s'opposaient à l'avancement des travaux. Ces complications ne nous ont pas été racontées en détail, mais sans doute provenaient-elles des autorités locales. Peut-être Zahir cherchait-il à profiter du conflit permanent entre orthodoxes et Carmes pour augmenter le prix de ses concessions?

Au début de 1774, Frère Jean-Baptiste entreprit encore un ultime voyage au Caire, où il récolta 500 écus pour la poursuite des travaux.

Traçant la vue d'ensemble de tout ce qui a été fait après son retour du Caire, Jean-Baptiste décrit ainsi l'état des travaux:

«Nous avons terminé l'église et amené à bon point le couvent, construit un nouvel hospice dans le village voisin (Haïfa) pour y déposer nos provisions, les boeufs, les chèvres et trois mulets, avec lesquels nous faisions tourner là un moulin, par le travail d'hommes salariés. De plus, nous avons tracé une nouvelle route plus droite et plus commode pour monter de la plaine au Mont Sacré. Nous avons aussi défriché beaucoup de terrain à l'intérieur de notre couvent, et nous avons planté une vigne et quelques centaines d'arbustes. Finalement, nous avons acquis deux grands jardins hors du village, lesquels d'abord étaient arides et maintenant sont bien cul-

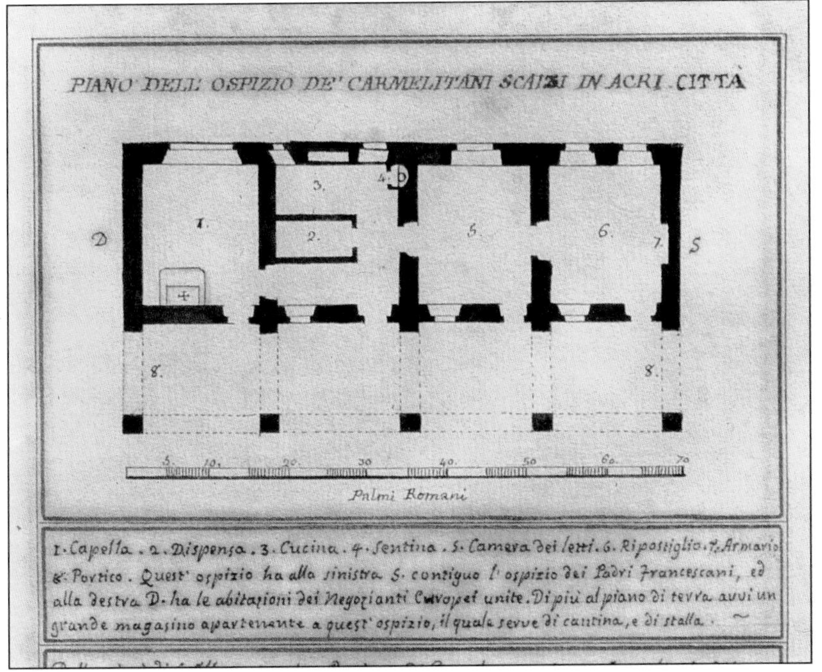

124

124. *Rome. Archives générales* O.C.D. Plan de l'hospice des Carmes Déchaux dans la ville d'Akko. *Dessin de Jean-Baptiste de Saint Alexis: 1) Chapelle; 2) Dépense; 3) Cuisine; 4) Sentine; 5) Chambre des lits (dortoir); 6) Débarras; 7) Armoire et Portique; S) Hospice des Frères franciscains; D) Habitations des marchands européens. Au rez-de-chaussée se trouve un magasin qui servait de cave et d'écurie.*

tivés. Nous y avons aussi planté des mûriers et des arbres fruitiers que nous avons fait venir du Liban».

A cet endroit de son compte-rendu, Frère Jean-Baptiste fait allusion à un ordre supérieur par lequel il lui a été enjoint, ainsi qu'au Vicaire Philippe de Saint Jean, de se rendre au plus tôt à Rome. Il semble que cela soit arrivé à la suite d'informations envoyées par leur confrère, Théodore de Saint Ange, venu au Mont Carmel en 1766, qui accusait les deux constructeurs de détourner les aumônes recueillies en faveur du couvent pour les utiliser contre les intérêts français au Moyen-Orient.

Tandis qu'il se disposait à obéir, Philippe de Saint Jean tomba gravement malade et mourut le 18 Octobre 1774, assisté par Frère Jean-Baptiste. Ce dernier s'embarqua pour l'Europe le 6 Novembre suivant et ne revit plus le Mont Carmel.

Une fois de plus, le couvent presque terminé subit les conséquences des guerres locales: en 1775, pendant la campagne militaire conduite par Abu Dahab contre Zahir, les soldats assaillirent le couvent, chassèrent les religieux et détruisirent une partie de la coupole et du mur d'enceinte. Ces dommages, pourtant, furent bientôt réparés.

Les événements liés à la Révolution française, qui avait éclaté à la fin du XVIIIe siècle, eurent des conséquences jusque sur le Mont Carmel. Les nouveaux régimes créèrent de sérieuses difficultés aux ordres religieux et le traditionnel appui, diplomatique et financier, de la France disparut. En 1799, après la Campagne d'Egypte, les troupes de Napoléon Bonaparte conquirent Haïfa et assiégèrent Akko. Le bâtiment du Carmel fut transformé en hôpital militaire. D'abord y furent abrités les blessés de l'armée française, puis il fut réservé aux soldats atteints de la peste.

Quand les Français furent contraints de se retirer, les Turcs, malgré l'avis opposé de quelques officiers anglais leurs alliés, prirent d'assaut le couvent, massacrèrent les soldats qui y étaient restés et le rendirent inhabitable. Les religieux se retirèrent dans leur petite résidence d'Haïfa et, peu après, vu l'incertitude de la situation, rentrèrent en Europe.

Jean-Baptiste Casini

Les circonstances politiques s'étant stabilisées, on envoya au Mont Carmel un Maltais, le Père Jules du Sauveur, qui arriva à destination au milieu de 1803. Pour pouvoir reprendre possession du couvent, il dut lutter contre l'opposition du gouverneur turc. Son premier geste fut d'ensevelir les restes des Français massacrés quatre ans auparavant. Après avoir constaté les conditions dans lesquelles se trouvait l'édifice, il écrivit à Rome en exposant la nécessité de la venue d'un expert pour la restauration du couvent.

A ce moment-là, les conditions des ordres religieux en Europe n'étaient pas faciles. De continuels conflits les opposaient au pouvoir civil qui, à plusieurs reprises, avait prévu leur suppression. C'est pourquoi la personne désignée, Frère Jean-Baptiste du Très-Saint-Sacrement, expert en architecture, ne put rejoindre le Mont Carmel avant 1816.

A peine arrivé, il inspecta l'édifice avec le Père Jules et se mit aussitôt à l'oeuvre. Il observa que la construction n'avait pas été entièrement terminée et qu'après les dernières mésaventures elle se trouvait dans un état déplorable. En outre, l'église était endommagée et privée de couverture. L'architecte traça un simple projet de restauration selon lequel il se proposait de remettre l'édifice en état.

Moins de deux mois après son arrivée, Casini revint à Rome. Ses projets furent approuvés et il put aller en Espagne, où il espérait rassembler l'argent nécessaire au commencement des travaux. En 1820 il

125

125. Haïfa en 1801 dans un dessin de Cooper Willyams.

passa à Istanbul pour demander au sultan les autorisations nécessaires. A cause de la guerre gréco-turque, il ne put rien obtenir. Néanmoins l'ambassade française promit de se charger des tractations et conseilla à Frère Jean-Baptiste de se rendre au plus tôt au Carmel.

En débarquant à Chypre, il apprit qu'Abdallah, le pacha d'Akko, voulait détruire le couvent, sous prétexte qu'il pourrait servir de refuge aux Grecs qui avaient commencé une guerre pour se libérer de la domination turque. Frère Jean-Baptiste s'embarqua en hâte pour Haïfa, mais alors que son bateau allait entrer dans le golfe, «je vis de mes yeux sauter un grand morceau de construction» écrivit-il. Avec ces pierres, Abdallah se fit construire à brève distance un palais que plus tard les Carmes acquerront.

Après que, sur l'intervention du roi de France Charles X, on eut obtenu du sultan la permission de reconstruire le couvent, Frère Jean-Baptiste fut renvoyé au Mont Carmel. Les travaux commencèrent le 5 Janvier 1827: les fondations de la précédente construction furent débarrassées des décombres [qui s'y étaient amassés] et l'on prépara le matériel nécessaire pour élever, selon le désir du roi de France, un édifice qui soit en même temps un sanctuaire, un couvent, un hospice pour les pèlerins, un hôpital et une forteresse. La première pierre fut posée au début de Juin 1827.

Cette fois, les travaux se poursuivirent sans interruption, pour éviter les continuelles pertes de temps dues aux nombreuses demandes d'autorisation. Les Carmes Déchaux furent soutenus diplomatiquement par les rois de France Louis XVIII, Charles X et Louis-Philippe, qui donnèrent des ordres à ce sujet à leurs ambassadeurs à Rome et à Istanbul. L'argent nécessaire fut rassemblé grâce à des collectes faites en Europe, auxquelles la France contribua généreusement. Le consul de France à Akko était chargé de préparer les «canaux» dont on avait besoin pour que l'argent récolté arrivât en Palestine. Ultérieurement, d'autres moyens de financement — offrandes des pèlerins et des visiteurs — furent trouvés sur place.

Les travaux purent avancer assez rapidement grâce aussi aux bons rapports que les Carmes réussirent à établir avec le pacha Abdallah, celui-là même qui avait détruit le couvent précédent.

En 1832, le premier étage était terminé et déjà les voyageurs y recevaient l'hospitalité.

Pendant l'occupation égyptienne de Palestine, qui débuta en 1831, les Carmes jouirent du respect du gouverneur, le pacha Ibrahim, grâce à la protection que leur offrirent les Français alliés des Egyptiens.

Le 12 Juin 1836, l'église fut solennellement bénie, bien que la décoration ne fût pas encore terminée. Et l'on inaugura officiellement la vie conventuelle.

En 1840, les Turcs reconquirent la Palestine. Les Carmes n'eurent rien à craindre de la nouvelle administration, en raison du prestige qu'ils s'étaient acquis dans les années précédentes. La communauté comptait plus de vingt membres et le couvent devenait toujours plus un point de référence pour les habitants des environs. Les activités liées au couvent contribuaient à créer du bien-être dans les villages, tandis que les connaissances médicales et les oeuvres caritatives des religieux allégeaient la situation des pauvres et des malades.

En 1841 commencèrent les pourparlers pour l'acquisition du palais d'Abdallah, qui se trouvait sur le promontoire à quelques dizaines de mètres du monastère. L'affaire doit être replacée dans la rivalité séculaire qui opposait orthodoxes et chrétiens latins pour la possession du Carmel. Soutenus par la Russie, les orthodoxes offrirent une grosse somme pour acquérir le palais. Les Carmes eurent recours à Istanbul et à l'appui de la diplomatie française. Après cinq ans de tractations, ils réus-

126. Jean-Baptiste Casini dirige la construction du couvent du Mont Carmel. *Peinture à l'huile sur toile, conservée au couvent Stella Maris d'Haïfa.*

sirent à s'adjuger le palais, qui fut utilisé pendant un certain temps comme hospice pour les pèlerins.

Les orthodoxes ayant ainsi vu échouer leur tentative de s'établir sur le promontoire, cherchèrent à s'emparer de la cime du Mont Carmel, lieu où, selon la tradition, serait advenu le sacrifice d'Elie raconté par la Bible. Mais les Carmes, cette fois encore, ne se laissèrent pas prendre par surprise. Avec l'aide économique fournie par Grégoire du Christ, un Carme Déchaux espagnol contraint d'abandonner son couvent par les lois de démantèlement des communautés de 1835, ils purent acheter en 1856 le sommet du mont, sur lequel fut édifiée une chapelle avec un petit couvent annexe.

La visite du Préposé général, Joseph-Marie du Sacré-Coeur, en Juillet 1851, fut un événement important pour le Mont Carmel. Depuis 1632, ses prédécesseurs avaient porté le titre de Prieur du Carmel, mais il était le premier Général des Carmes Déchaux à se rendre personnellement sur le Carmel. Sa visite sanctionna officiellement le rétablissement de la vie régulière au Mont Carmel. Cela signifiait que désormais le couvent répondait à toutes les conditions requises caractéristiques des maisons traditionnelles. La preuve en est qu'en 1860 y fut établi le noviciat où furent accueillis deux postulants du lieu.

En plus de l'activité interne de la communauté, qui prévoyait les exercices conventuels, l'étude et l'apostolat dans les environs, se développa une tradition d'hospitalité pour les voyageurs et les pèlerins. Le couvent était, sans aucun doute, le meilleur édifice d'Haïfa et des alentours. Le prieur et un frère lai s'occupaient de l'accueil des visiteurs. On y respirait un air européen avec une veine française, qui n'était pas facile à trouver en ces régions.

Dans les années 1867-1870, quand en Italie beaucoup de religieux furent expulsés de leurs couvents, certains allèrent vivre sur le Carmel. Parmi eux, il y avait quelques jeunes qui purent terminer là leurs études et contribuèrent plus tard aux missions en Syrie, en Mésopotamie et en Inde. La communauté abritait aussi divers missionnaires qui y finirent leurs jours au terme d'une vie toute donnée aux travaux apostoliques.

Jean-Baptiste du Très Saint Sacrement

Charles Casini naquit à Frascati, près de Rome, le 20 Décembre 1778. Après avoir fait des études d'architecture, il entra chez les Carmes Déchaux et commença son noviciat au couvent de Santa Maria della Scala à Rome, en prenant le nom de Jean-Baptiste du Très Saint Sacrement. Le 8 Décembre 1802 il fit ses voeux comme frère convers. Quelques temps après, ses supérieurs voulurent l'envoyer restaurer le couvent du Mont Carmel. Mais le projet fut interrompu en 1809, quand le gouvernement expulsa les religieux de leurs couvents.

Pendant sa sécularisation forcée, Casini exerça son métier, qui fut entre autres mis à profit par le gouvernement pontifical à partir de 1814, quand furent restitués les édifices ecclésiastiques qui avaient été placés sous séquestre par le gouvernement révolutionnaire. Jean-Baptiste fut aussi employé par la province romaine des Carmes Déchaux, dont il était membre, pour la réparation des dégâts subis par les couvents de Santa Maria della Scala et de Montecompatri.

En 1816, il fut envoyé au Mont Carmel pour restaurer le sanctuaire de Notre-Dame, construit une quarantaine d'années auparavant par Jean-Baptiste de Saint Alexis et endommagé successivement par les soldats français et par les Turcs, lors de la campagne napoléonienne en Orient. Pendant un premier séjour, il traça un projet de simple restauration. Revenu à Rome, il le présenta au Supérieur général, puis il commença une longue tournée en Europe à la recherche de fonds.

En 1821, il passa par Istanbul, dans le but de solliciter l'autorisation nécessaire pour commencer les travaux. En raison de la guerre en cours entre Grecs et Turcs, il ne put obtenir le permis avec la rapidité désirée. C'est pourquoi, ayant confié à l'ambassadeur de France le soin de recueillir cette autorisation, il partit pour le Mont Carmel. A son entrée dans la baie d'Haïfa il put voir le couvent sauter, dynamité sur l'ordre d'Abdallah, gouverneur de la ville.

Rapidement revenu en Europe, il reprit ses pérégrinations à la recherche de fonds, puisque maintenant le couvent devait être complètement reconstruit. En 1826, avec, cette fois, l'appui diplomatique et logistique de la France, qui mit à sa disposition sa flotte militaire pour le transport des matériaux, frère Jean-Baptiste revint au Mont Carmel. Au début de Janvier 1827, commencèrent les travaux de déblaiement des ruines du couvent détruit et, en Juin de la même année, fut posée la première pierre. Dans la conduite des travaux, l'architecte était aidé par Frère Matthieu de Saint Paul, qui faisait fonction d'administrateur, et par Frère Juste de l'Immaculée-Conception qui était chargé de l'intendance. En fait, Frère Jean-Baptiste continua à voyager pour rassembler de l'argent.

Le 12 Juin 1836, l'église, encore en voie d'achèvement, fut solennellement bénie, tandis que se poursuivait la construction du monastère. Frère Jean-Baptiste participait, en ces années-là, aux tractations pour l'acquisition du palais qu'Abdallah avait fait élever sur la terrasse du promontoire du Mont Carmel. Ces pourparlers aboutirent en 1846. En 1847 il commença à construire l'hospice pour les pèlerins.

Jean-Baptiste du Saint Sacrement mourut au couvent du Mont Carmel le 11 Octobre 1849. Il avait soixante-douze ans, sur lesquels il en avait passé trente à travailler pour son couvent. Au moment de sa mort, l'église était déjà en usage, même si sa décoration était encore incomplète.

127

128

127. Jean-Baptiste Casini, *dessin d'un auteur anonyme.*

128. *Le projet du couvent du Mont Carmel de Jean-Baptiste Casini.*

L'arrivée des «Nouveaux Templiers»

Le 30 Octobre 1868, débarquèrent à Haïfa deux familles allemandes venant du Wurtemberg et appartenant au groupe protestant des «Nouveaux Templiers». La secte avait été fondée en 1861 par Christophe Hoffman. Elle se proposait, en s'inspirant des prophéties de l'Ancien Testament, de constituer en Palestine un peuple de Dieu, dont l'existence aurait été porteuse de bénédiction pour l'humanité. Malgré l'opposition des autorités turques locales, qui craignaient que la venue de ces gens ait des visées politiques, les «Templiers» acquirent quelques terrains hors des murs d'Haïfa et construisirent, dans le style des villages germaniques, une petite agglomération qui en 1873 comptait plus de 250 habitants. A cette première colonie s'en ajoutèrent d'autres, qui atteignirent le nombre de sept pendant la première guerre mondiale.

L'arrivée des Allemands imprima une notable impulsion à la ville d'Haïfa. Ils introduisirent de nouvelles techniques agricoles, ils révolutionnèrent les transports locaux et construisirent la première fabrique de savons. Avec le temps, ils abandonnèrent graduellement l'agriculture qui, au début, était prédominante et se consacrèrent surtout au commerce, à l'industrie et à l'artisanat. Du point de vue culturel, les Allemands firent connaître à la population locale les bibliothèques, les concerts, le théâtre, l'activité sportive. L'importance de la colonie d'Haïfa crût dans la mesure où se renforçaient les relations diplomatiques entre la Turquie et l'Allemagne, qui resultèrent de leur part conjointe à la première guerre mondiale.

Dès l'arrivée des «Nouveaux Templiers» à Haïfa, leurs relations avec les Carmes furent tendues. En effet, une lutte commença pour la prédominance culturelle dans la ville. D'une part, les Carmes Déchaux, évidemment catholiques et principalement méditerranéens, soutenus par la culture et la diplomatie françaises, activement présentes au Moyen-Orient; d'autre part, les «Nouveaux Templiers», protestants et allemands. Sous certains aspects, se reproduisit en petit la lutte qui, en Europe et au même moment, opposait Français et Allemands.

L'objet immédiat de la rivalité, ce furent quelques terrains situés sur le versant du Mont Carmel, qui appartenaient aux Carmes et dont les «Nouveaux Templiers» voulurent s'emparer, sous prétexte qu'ils n'étaient pas cultivés. La dispute, qui connut même quelques épisodes — limités — de violence, se développa d'abord devant le tribunal d'Haïfa, qui donna raison aux Carmes. Les supérieurs de Rome intervinrent ensuite, en ayant recours à l'aide du Délégué apostolique et à celle de l'ambassadeur de France à Istanbul, afin qu'ils défendent les intérêts de l'Ordre.

Le Général des Carmes Déchaux, Jérôme-Marie Gotti jugea opportun, en Octobre 1886, de se rendre en Palestine pour rencontrer personnellement Frédéric Keller, porte-parole de la colonie allemande. Après quarante jours d'inutiles palabres, le Général regagna Rome. Keller fit appel auprès du tribunal d'Istanbul de la décision de celui d'Haïfa. En vain. Quand les Allemands déposèrent un troisième recours auprès du tribunal d'Istanbul, la question devint politique et s'éleva à un haut niveau entre la France et l'Allemagne qui protégeaient les parties en cause.

Le conflit fut résolu par un télégramme du Supérieur général, qui enjoignit aux religieux de trancher la question en cédant aux «Nouveaux Templiers» le terrain en question, en échange d'une compensation convenable qui, à l'épreuve des faits, se révéla dérisoire. Les protagonistes ne l'avouèrent pas expressément, ils laissèrent néanmoins comprendre que la décision avait mûri dans les milieux diplomatiques de France, d'Allemagne et du Vatican.

Le différend clos, les Carmes, désireux d'éviter à l'avenir des problèmes analogues, construisirent autour de leur propriété un mur d'enceinte et s'assurèrent, en les achetant à leurs propriétaires respectifs, quelques terrains adjacents qui permettaient de rectifier leurs limites. Ni les Allemands, ni les autorités d'Haïfa ne s'y opposèrent. Comme ultime précaution et pour anticiper les temps qui s'annonçaient, le Père Cyrille de Sainte Marie, de nationalité allemande, fut envoyé au monastère du Mont Carmel en qualité de supérieur.

La floraison

En 1911, le Général de l'Ordre, Ezéchiel du Sacré-Coeur, visita le Carmel et érigea la demi-province de Palestine, composée de trois couvents: le sanctuaire, la paroisse latine d'Haïfa et le petit couvent

129. Le couvent et la baie d'Haïfa vers 1840, dans un dessin de W.H. Bartlett.

du Sacrifice. Toutefois, trois ans plus tard, l'entité juridique fut supprimée et ses couvents furent placés sous la juridiction immédiate des Supérieurs généraux.

Dans le couvent attenant au sanctuaire, fut fondé un cours de philosophie et de théologie, tandis qu'au Sacrifice était confirmée l'institution de l'Ecole apostolique, ouverte le 2 Octobre 1907, pour la formation des aspirants Carmes indigènes.

Dans les années 1912-1914, commencèrent les fouilles archéologiques, que le Général avait ordonnées lors de sa visite. On étudia particulièrement les alentours du sanctuaire.

Durant la période qui précéda la première guerre mondiale, le sanctuaire du Carmel atteignit l'apogée de son épanouissement. Il était visité par des catholiques et des protestants, des Arabes et des Turcs, des chrétiens de rite oriental, ou catholique ou orthodoxe, par des Druses et des Juifs qu'attirait leur dévotion à Notre-Dame du Mont Carmel ou aux prophètes Elie et Elisée. L'hospice était ouvert à tous, quelle que fût la religion professée. L'ensemble comprenait aussi un musée où étaient exposées les pièces archéologiques découvertes dans la propriété, ainsi qu'une collection de minéraux.

La déclaration de guerre en 1914 amena de nouvelles difficultés au couvent. Le gouvernement turc expulsa de Palestine tous les religieux ressortissants de la Triple Entente. Les Carmes étaient désavantagés, du fait qu'ils jouissaient toujours de la protection de la France. Le 17 Décembre 1914, les derniers qui étaient restés reçurent l'ordre de quitter les lieux immédiatement et ne purent sauver que très peu de choses.

Au début de 1915 commença la destruction du mur d'enceinte de la propriété. Peu après, le couvent même fut saccagé, sous prétexte que des armes pouvaient y être cachées; la sacristie fut pillée, les ornements volés, ainsi que de nombreux livres précieux conservés dans la bibliothèque et une partie des objets exposés au musée. Enfin, les Turcs voulurent ouvrir le vieux tombeau des soldats de Napoléon. A Haïfa, on racontait que l'instigateur de toutes ces exactions était le Dr Loytved, consul allemand à Haïfa. C'est pourquoi le siège du consulat fut bombardé et détruit par une frégate française envoyée exprès à Haïfa.

En Juillet 1916, afin que le couvent ne restât point longuement abandonné, les Carmes obtinrent du gouvernement d'Istanbul, sur intervention du Saint-Siège, l'autorisation de le rouvrir. Les Turcs posèrent comme condition que les religieux seraient sujets d'une nation alliée à la Turquie. On envoya donc un Père allemand, un autrichien et un frère convers espagnol. Pour des raisons militaires, un détachement de soldats allemands s'installa au couvent peu de temps après. Il y resta jusqu'à l'arrivée des troupes alliées.

Quand, le 23 Septembre 1918, les soldats australiens arrivèrent sur le promontoire du Carmel, ils ne trouvèrent à les attendre que le convers espagnol, Dominique de Sainte-Thérèse, qui garda le couvent pendant les premiers temps de l'occupation anglaise, jusqu'au 19 Avril 1919, date à laquelle les militaires s'éloignèrent et la communauté put reprendre la vie religieuse.

P. Elias
Friedman

La Madone du Sanctuaire

En 1816, le frère lai Jean-Baptiste Casini fut envoyé au Mont-Carmel pour s'occuper de la restauration du couvent qui avait été endommagé lors de la campagne napoléonienne au Moyen-Orient. Etant revenu à Rome pour présenter son travail à ses supérieurs, il reçut la charge de recueillir les fonds nécessaires. Pendant son voyage, qui dura plusieurs années et le conduisit dans les principales villes d'Europe, Casini rassembla toutes sortes d'objets nécessaires à la dotation de l'église et du couvent.

Alors qu'il séjournait à Gênes, où il était arrivé au printemps de 1820, Casini commanda au sculpteur Jean-Baptiste Garaventa, une statue de Notre-Dame du Mont Carmel, destinée à être mise sur le maître-autel et offerte à la vénération du public. La statue fut exécutée assez rapidement. Il s'agissait d'une représentation en bois, avec la tête et les mains sculptées en ronde-bosse tandis que le corps, ébauché grosso modo, devait être habillé de vêtements en étoffe. Lorsque le travail fut terminé, la statue resta exposée quelques jours dans l'église des Carmes Déchaux de Sainte-Anne puis, le 20 Décembre 1820, Frère Jean-Baptiste s'embarqua pour Malte où il arriva le 4 Janvier 1821.

Là, la statue fut reçue solennellement et conduite à Cospicua. Ensuite Frère Jean-Baptiste partit pour Istanbul. Dans la capitale ottomane, l'effigie fut exposée à la vénération des fidèles dans l'église des Capucins.

Frère Jean-Baptiste était allé à Istanbul pour demander l'autorisation de procéder à la restauration du couvent du Mont Carmel. N'ayant pas pu l'obtenir avec la rapidité désirée en raison de la guerre en cours entre Grecs et Turcs, il partit pour Chypre en emportant dans ses bagages la statue, qui resta exposée dans l'église des Franciscains. De Chypre, Frère Jean-Baptiste se rendit à Haïfa, juste à temps pour assister, de la mer, à la destruction du couvent. Il reprit donc la route de l'Europe pour débarquer à Toulon, emportant toujours la statue de Notre-Dame, qui recevait partout un accueil solennel. Le voyage se poursuivit par Marseille, Naples, Gaète, Civitavecchia et enfin Rome. La statue fut portée au Vatican où, le 4 Mars 1823, elle fut en grande pompe couronnée en présence du pape Pie VII.

En attendant que fussent terminés les travaux de reconstruction de l'église du Mont Carmel, la statue de la Madone resta à Rome, dans la Maison généralice des Carmes Déchaux, jusqu'en 1835. En cette année-là, elle fut portée au Mont Carmel et placée sur un autel latéral, où elle demeura jusqu'à ce que fût prêt le trône qu'on lui destinait. La solennelle intronisation de la statue eut lieu le 10 Juin 1836, le jour-même où fut béni le sanctuaire et

130. La statue de la Madone vénérée au couvent du Mont Carmel, oeuvre du sculpteur génois Jean-Baptiste Garaventa, telle qu'elle se présentait jusqu'en 1932.

130

où commença la vie régulière de la communauté.

Pendant la première guerre mondiale, pour éviter qu'elle ne fût abîmée, la statue fut cachée dans la paroisse latine d'Haïfa, desservie par les Carmes Déchaux, et elle fut reportée à sa place en grande cérémonie en 1919, à la fin des hostilités.

En 1932, elle revint en Italie. En effet, l'année d'avant, pour commémorer le troisième centenaire du retour des Carmes Déchaux au Mont Carmel, le couvent avait abrité le Chapitre général. Il avait paru que la statue revêtue n'était pas à la hauteur du sanctuaire, et il fut décidé d'en faire sculpter une en bois massif. Le frère lai, Louis Poggi, du couvent du Mont Carmel, prépara une reproduction que l'on intronisa provisoirement, tandis que la tête et les mains étaient envoyées à Rome.

Le corps fut sculpté en ronde-bosse, en cèdre du Liban, en respectant les mêmes proportions et la même position que l'original. L'oeuvre confiée au sculpteur Emmanuel Rieda fut terminée en moins d'un an.

Des célébrations particulières accompagnèrent le retour de la statue au Mont Carmel. Pendant les mois de Juillet et d'Août, elle resta exposée dans les églises de Rome desservies par les Carmes Déchaux et le 25 Juillet 1933 elle fut bénie par le pape Pie XI.

Transportée à Naples à la fin d'Août, elle fut l'objet de grandes festivités pendant trois jours. Enfin, le 1er Septembre, on l'embarqua sur le paquebot Helouan qui devait l'emporter à destination. Au cours de son voyage, elle fut escortée par des étudiants Carmes Déchaux du Collège international, qui allaient au Mont Carmel pour y poursuivre leurs études de philosophie.

Le paquebot fit escale à Alexandrie d'Egypte et à Port-Saïd. Il arriva à Haïfa le 8 Septembre. La statue, entourée d'une imposante procession qui vit la participation des autorités religieuses et civiles, de toutes les associations catholiques d'Haïfa et d'un groupe de pèlerins venus exprès d'Europe fut, le soir-même, solennellement placée sur le trône qui domine le maître-autel de la basilique.

131

131. La statue de la Vierge Marie, sculptée dans du bois de cèdre par Emmanuel Rieda en 1932-33. La tête et les mains sont de Garaventa.

P. Elias
Friedman

Legendes chretiennes au sujet du Mont Carmel

La lecture des textes bibliques et le désir de donner aux divers épisodes qu'ils décrivent, une position géographique qui permette de dépasser une topo-onomastique volontairement imprécise ou qui ne correspondait plus à la situation du moment, est un phénomène amplement présent dans le christianisme du IVe siècle. Désormais libre de s'exprimer en plein jour, le christianisme se montre désireux de redécouvrir ses racines, même dans le domaine géographique.

A ce critère répond la topo-onomastique sacrée de la Terre Sainte, telle que nous la connaissons encore; elle situe souvent les épisodes d'une manière pour le moins discutable. Un cas particulier de ce phénomène est la localisation d'épisodes liés à la vie du prophète Elie advenus au Mont Carmel. Une stratification séculaire d'informations, due à la piété et à la curiosité de pèlerins et de voyageurs, s'est accumulée autour de deux lieux de culte qui se trouvent sur le mont: la grotte au pied du promontoire et l'esplanade du promontoire même. Les Carmes Déchaux qui, renouant avec une longue tradition de vie religieuse, allèrent s'installer au Mont Carmel dans les premières décennies du XVIIe siècle, étaient convaincus de l'exactitude de ces légendes.

La grotte d'Elie

La grotte à la base du promontoire, appelée par les Déchaux «Ecole des prophètes», a derrière elle une longue histoire comme lieu de culte. Dédiée depuis des temps immémoriaux au culte de la fertilité, elle vit, à l'époque chrétienne, édifier autour d'elle un monastère dit de Saint-Elie, qui fut détruit lors de l'occupation persane en 614. Vers 1150, un moine venu de Calabre y fonda à nouveau un monastère, probablement détruit en 1291. Depuis cette époque, la grotte est connue comme lieu de pèlerinage des Juifs, des Musulmans et des Chrétiens.

La première légende en rapport avec la grotte ne concerne pas le prophète Elie, mais Jésus. Elle est relatée dans un document connu sous le titre de *Toledot Yeshu.* Selon l'une des versions connues, Jésus poursuivi par le rabbin Yéhudah le Jardinier, se réfugie dans cette grotte et en ferme la porte en prononçant une formule magique. Le rabbin Yéhudah l'ouvre par une prière et Jésus en sort en volant, transformé en coq, pour aller se poser sur le terre-plein surplombant l'endroit. Ce texte constitue la première source documentaire où est mentionnée la grotte.

Les voyageurs chrétiens du Moyen Age qui visitèrent la Palestine soutinrent unanimement, on ignore sur quel fondement, que la grotte avait été le lieu habituel de résidence du prophète Elie.

Voici ce qu'écrivit Jean Phocas, vers 1170: «A l'extrémité de la chaîne montagneuse qui se trouve près de la mer, s'ouvre la grotte du prophète Elie, dans laquelle cet homme extraordinaire, après avoir vécu comme les anges, fut emporté dans le ciel».

En 1212, Willibrand de Oldenburg rappelait: «En montant d'Haïfa en ligne droite, on rencontre le Mont Carmel où l'on peut voir et vénérer actuellement la demeure d'Elie. Ici Elie vécut et fut nourri par un corbeau; ici, aussi, plus tard, la femme Sunamite alla trouver Elisée».

Ces affirmations, reprises par d'autres auteurs, en vinrent à faire partie de l'imaginaire collectif. C'est pourquoi il est tout à fait naturel qu'en 1631, quand Prosper du Saint-Esprit obtint de l'émir Ahmed Turabay l'autorisation de s'établir sur le mont, il bâtit un ermitage près de la grotte d'Elie.

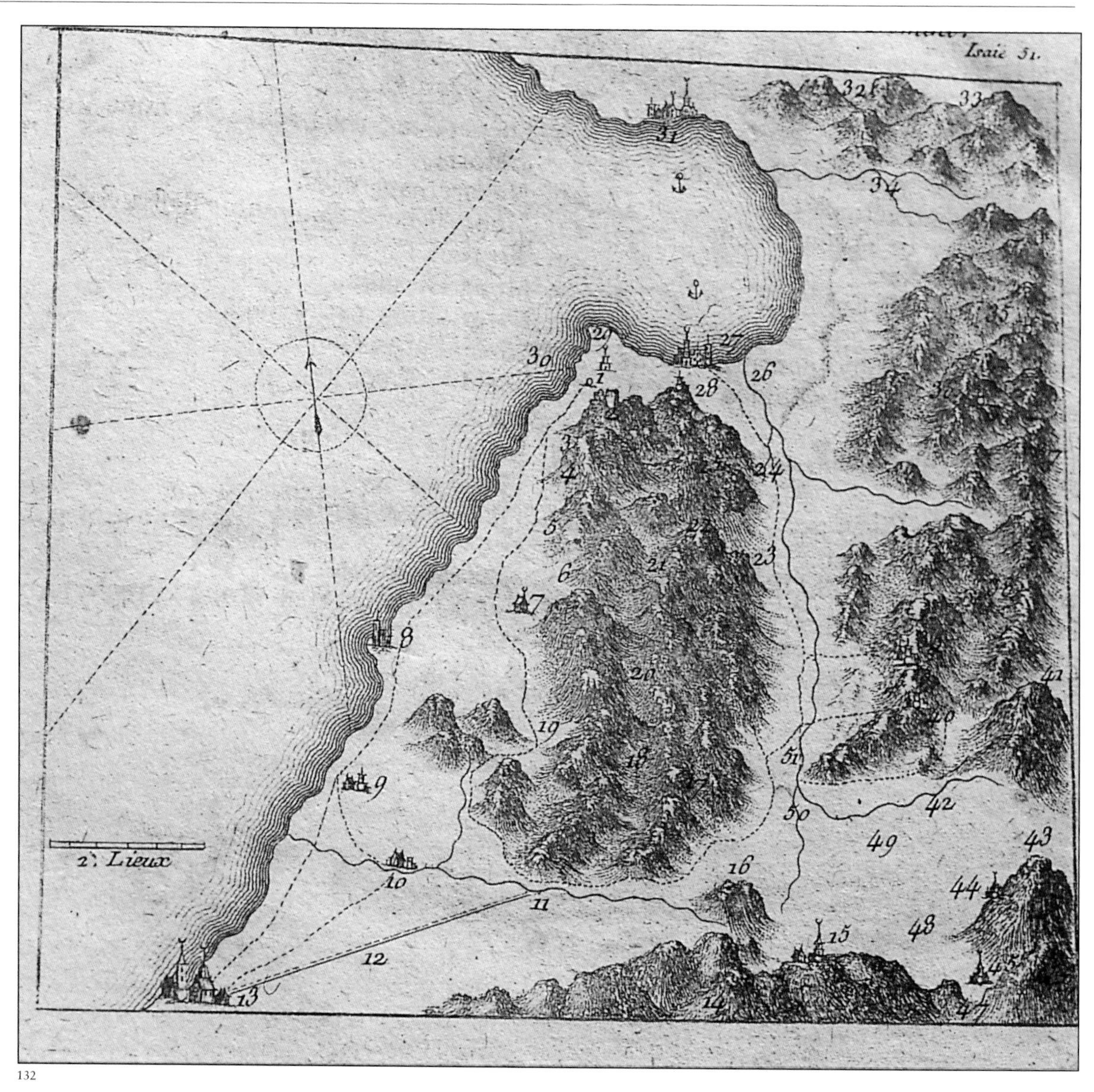

132

132. Jean-Baptiste de Saint Alexis: Compendium historicum de statu antiquo et moderno sancti Montis Carmeli, *Augustae Vindelicorum 1772, p. 1: La chaîne du Mont Carmel et les lieux adjacents. Les numéros indiquent les lieux principaux: 2) Eglise de la Vierge Marie, grotte d'Elie et couvent des Carmes Déchaux; 4) Vallée des Martyrs, Source d'Elie et couvent détruit de Saint-Brocard; 17) Lieu du sacrifice d'Elie; 27) Ville d'Haïfa; 29) Porfiria, lieu où s'élevait Haïfa; 31) Saint-Jean d'Acre; 37) Mont des Béatitudes; 38) Cana de Galilée; 40) Nazareth; 41) Mont Thabor; 52) Tell el Qassis ou Mont des prêtres.*

Les idées que s'étaient forgées les Carmes Déchaux concernant cette grotte, sont clairement exposées par un historien de l'époque, le Carme Déchaux français Louis de Sainte Thérèse († 1666): «Le cap ou promontoire du Carmel, qui est très haut et domine toute la mer, est la partie la plus sainte de la montagne. Là, notre saint père Elie avait sa maison, et là il vit Notre-Dame sous la forme d'un petit nuage. Là, il supplia que descende du ciel le feu qui consuma les deux capitaines et leurs soldats et là, il réalisa beaucoup d'autres choses miraculeuses. On y peut voir une grotte creusée dans la roche de la montagne, que les habitants du lieu appellent en langue arabe *El-Khader,* c'est-à-dire *Le Vert,* parce qu'elle servit d'habitation à notre saint père Elie, que les Orientaux appellent *Le Vert,* parce qu'il est vivant et toujours jeune. A l'intérieur de la grotte, il y en a une autre, dédiée à la Madone. On dit que c'est la cellule du saint prophète et que, dans la grande grotte, il avait l'habitude de réunir ses disciples comme dans un oratoire».

Cette dernière affirmation, selon laquelle Elie réunissait ses disciples dans la grotte pour les instruire et pour prier, est à l'origine du nom «Ecole des prophètes» par lequel la désignèrent les Carmes.

Si l'on s'en tient toujours au récit de Louis de Sainte Thérèse, «926 ans avant Jésus-Christ, notre père saint Elie reçut de Dieu l'ordre explicite de fonder une congrégation d'hommes qui professeraient les voeux de pauvreté, chasteté et obéissance». Elie choisit le Carmel comme lieu d'implantation du premier monastère, précisément dans la grotte en question. C'est là qu'il communiqua à ses disciples «les secrets que Dieu lui avait révélés après le massacre des prêtres de Baal».

En commentant l'épisode du petit nuage montant de la mer qui apporta une pluie abondante à la terre assoiffée, le même auteur affirme: «Par cette vision (du petit nuage), Dieu révéla au prophète la conception immaculée de Marie, sa virginité, sa maternité et les grâces qu'au moyen de sa médiation Il accorderait aux hommes». Pour ce motif, Elie décida de consacrer à Marie l'Ordre qui prit le nom de Notre-Dame du Mont Carmel.

Jean-Baptiste de Saint Alexis, le constructeur du premier couvent sur le terre-plein du promontoire, connaissait les récits précédents et en rapporte d'autres. Il raconte en effet que les ermites carmes qu'il appelle «esséniens» et qui vivaient dans la grotte d'Elie, eurent le bonheur de parler avec Marie quand, encore enfant, elle fut accompagnée au Carmel par ses parents Joachim et Anne pour rendre visite aux ermites. Elle-même, à son tour, s'y rendit souvent avec Joseph et l'Enfant-Jésus. Plus tard, Jésus aurait prêché sur le Carmel. Pendant le voyage de retour d'Egypte, la Sainte Famille aurait passé la nuit dans la petite grotte qui, en son temps, avait servi de cellule à Elie. C'est pourquoi les Chrétiens la connurent sous le nom de «Grotte de Notre-Dame». Après la Pentecôte, la Vierge retourna à Nazareth, d'où elle venait souvent visiter les ermites de la grotte, accompagnée d'une troupe de vierges pour lesquelles elle fonda un monastère dans le voisinage.

La terrasse du Mont Carmel

L'extrémité nord-occidentale du Mont Carmel pénètre dans la mer, en formant un promontoire qui délimite la baie d'Haïfa. Sur le haut du promontoire se trouve un vaste espace plat, appelé l'esplanade, sur lequel actuellement se dressent le phare et le couvent de Stella Maris.

Cet endroit aussi fut un lieu de culte, comme le démontre la découverte d'un pied votif remontant au Bas-Empire, dédié à Jupiter Carmelus Héliopolitanus. La première construction faite là vers le Ve ou VIe siècle fut un monastère byzantin probablement détruit par les Perses en 614. Les moines grecs attribuèrent sa construction à sainte Hélène, mère de l'empereur Constantin.

Vers 1170 les Templiers édifièrent sur ses ruines un donjon de garde, démoli en 1821 par Abdallah Pacha pour construire à sa place son «palais». Les Grecs orthodoxes, convaincus que la tour avait fait partie du monastère, la nommèrent «Tour de Sainte-Hélène» et les Latins conservèrent ce nom.

Le monastère grec fut rebâti pendant les Croisades à quelque distance de l'emplacement d'origine. Il fut dédié à Sainte Marine et les Latins le connurent comme «Monastère de Sainte-Marguerite».

En 1766, avant de commencer la construction du couvent carmélitain sur le lieu où se dresse l'actuel Stella Maris, Jean-Baptiste de Saint Alexis traça une carte du lieu. On y voit: un tombeau semblable à une citerne; un oratoire carré, probablement funéraire, adossé au mur du tombeau; un couvent; un mur que Jean-Baptiste interprète comme celui d'une église qui aurait contenu le tombeau, mais qui était probablement la muraille d'enceinte.

La sépulture-citerne contenait une sorte de plateau de pierre sur lequel gisait un cadavre. Les Carmes, suivant une tradition locale, le baptisèrent «le lit d'Elie», sur lequel le prophète aurait dormi. L'entrée primitive du sépulcre était un trou pratiqué dans le plafond et fermé par une pierre.

Une telle configuration favorisa probablement la naissance de la légende selon laquelle Elie s'était caché dans cette grotte lorsqu'il fuyait la colère de la reine Jézabel.

Toutes les sources contemporaines de la période des Croisades placent Elie en relation avec la grotte située au pied du promontoire. Le lien d'Elie avec l'esplanade n'apparaît qu'à l'époque postérieure aux Croisades. Ce phénomène s'explique si l'on garde à l'esprit l'expulsion des Chrétiens de la grotte d'Elie, et la perte du souvenir du monastère de Sainte-Marguerite, consécutive à l'occupation de la Palestine par les Mameluks lesquels, dès 1291, cherchèrent à effacer les vestiges chrétiens.

Le premier écrivain qui associe expressément le prophète Elie à l'oratoire de l'esplanade semble être François Suriano qui écrit en 1485: «Sur la partie haute de la montagne (le Mont Carmel) se trouve une église, élevée en l'honneur du prophète Elie au lieu où lui-même fit pénitence. L'église est richement peinte et ornée. L'Ordre des Carmes tire de là son origine».

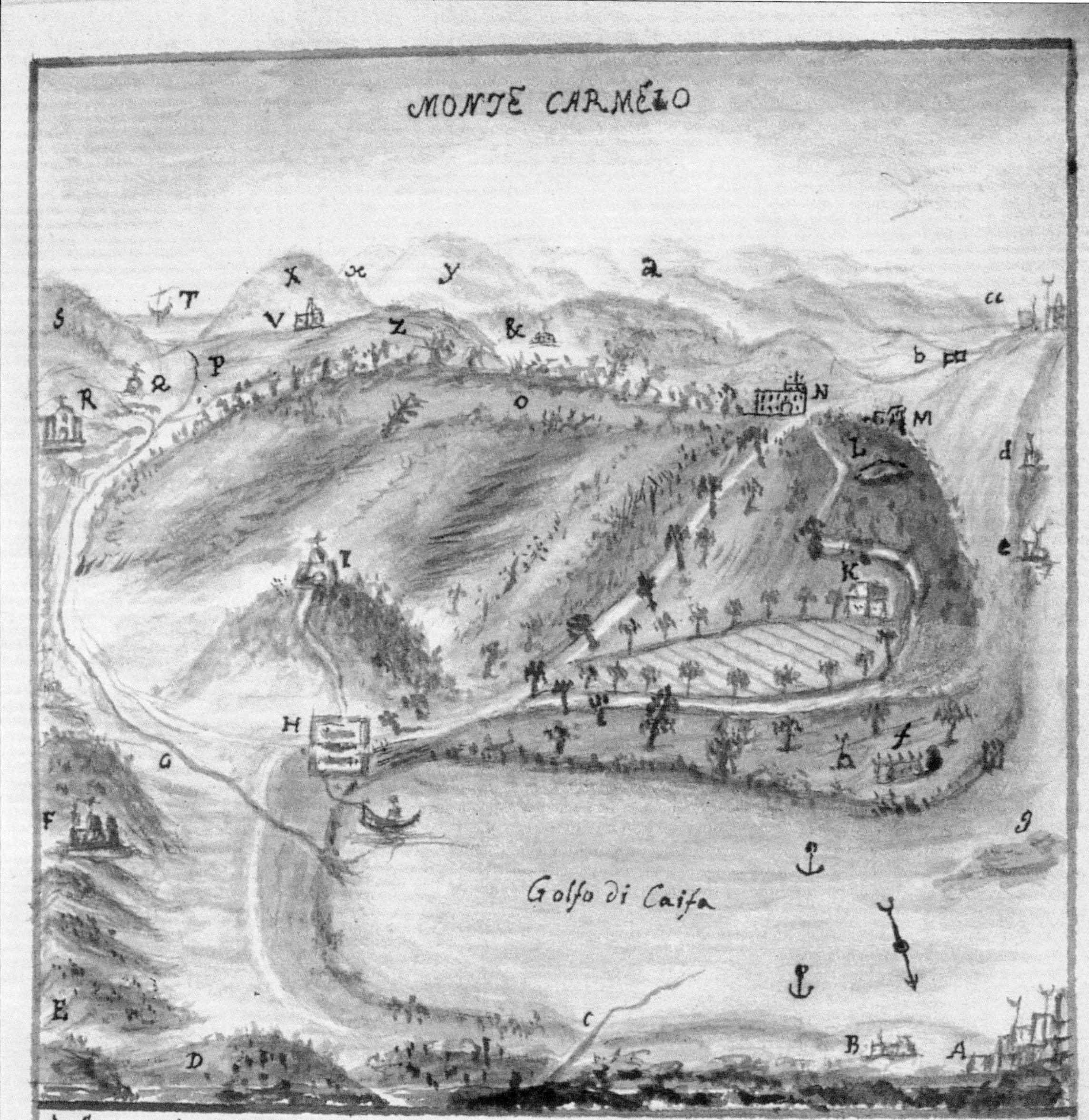
MONTE CARMELO
Golfo di Caifa
A· Acri, o Tolemmaide città
B· Chiesa dei Cavalieri Malt: rov.
C· Fiume Bello, o Naame.
D· Monti dell' Antilibano.
E· Principio della Galilea.
F· Cefamar Villaggio Cristiano
G· Torrente Cison.
H· Carmel città, ora Castel di Caifa
I· Castello.
K· Sinagoga dei figl: de' Profeti.
L· Grotte dei figliuoli de' Profeti.
M· Rovine del Convento di S. Bertoldo, e della torre di S. Elena.
N· Grotta di S. Elia, Capella della SS. Vergine, e primo Convento dei Carmelitani.
O· Terreno colto dei Religiosi.
P· Campagna d'Esdralon, e principio del Torrente Cison.
Q· Debora villggio.
R· Nazarette.
S· Monte Tabor.
T· Mare della Galilea
V· Naim città in cui Gesù Cristo risuscitò il figlio di una Vedova, ora picciolo Borgo.
X· Monte Ermon.
x· Valle del Torrente Cavit.
y· Monte Gelboe. Z· Colle del Sacrificio di S. Elia Profeta.
&· Villag: dei Leprosi mondati da Gesù Cristo.
a· Monti della Samaria.
b· Molini di Cesarea
cc· Cesarea della Palest: distr:
d· Nefetdor, adesso Tantova Vil
e· Dor, Castelpellegrino cit: dist ora Atlit villag: dei Turchi.
f. Porfiria, o sia Caifa cit: dist:
g· Scoglio in cui urtò la nave di S. Luigi Re di Francia, e fu liberato dal naufragio.
Desertum ejus quasi delicias, & solitudinem ejus quasi hortum Domini. Isaiae cap. 51.

133

133. Rome. Archives générales O.C.D.: Le promontoire du Carmel et le golfe d'Haïfa, dans un dessin de Jean-Baptiste de Saint Alexis.

Guillaume de Harlem qui visita l'église en 1489 ajoute qu'en elle existait un autel dédié à Marie, Mère de Dieu, consacré par l'apôtre saint Jacques après l'Assomption de la Vierge.

On rencontre donc au même moment et dans le même lieu la présence de Marie et d'Elie, chacun dans un emplacement spécifique. Selon Jean Zuallardo (1584), «A la cime du Cap Carmel, on voit un vieux château et une église dédiée à Notre-Dame, sous laquelle s'en trouve une autre, du prophète Elie, à l'endroit où il se cacha quand il fuyait Jézabel».

Le témoignage du Franciscain Antonio del Castillo est particulièrement précieux. Il se rendit au Mont Carmel en 1628, trois ans avant le Père Prosper du Saint-Esprit. Après avoir visité la grotte d'Elie, alors gardée par un religieux musulman, il monta sur l'esplanade où il put voir «quelques édifices somptueux, preuve certaine de l'existence d'une église de vastes proportions. En ce lieu se trouvait Elie, quand il fit descendre du ciel le feu qui consuma les soldats du roi Achab. Dans ce périmètre se dresse un grand couvent qui appartenait aux Pères carmes. Il fut construit là où furent égorgés les quatre cent cinquante prophètes de Baal».

Ces traditions furent recueillies par les Carmes Déchaux à leur arrivée au Mont Carmel. Ambroise de Saint Arsène qui y vint en 1634, écrivait au Supérieur général de l'Ordre: «Au pied de la Sainte Montagne, se présenta à nos yeux le lieu où les fils de prophètes vénérèrent la Madone avant même qu'elle ne fût née. Le dimanche après la fête de l'Assomption, nous visitâmes la première église au monde construite en l'honneur de la Mère de Dieu. Nous vîmes les restes d'un édifice très élégant, élevé sur quatre arcades. Derrière l'autel, se trouve la caverne où se cachait notre père saint Elie: elle est creusée dans la roche vive. Dans cette caverne nous avons installé un autel sur lequel de temps en temps nous célébrons la messe. Cela se situe en haut du promontoire. Le jour de l'Octave de l'Assomption, nous allâmes visiter le couvent de Saint-Brocard et nous prîmes notre frugal repas près de la Source de Saint-Elie».

Louis de Sainte Thérèse complète l'histoire des constructions faites sur la terrasse du promontoire: Elie fonda son Ordre et construisit la chapelle du Mont Carmel qu'il dédia à la future mère du Messie qui devait venir. Elle tomba en ruine et fut rebâtie par les successeurs d'Elie en 38 après Jésus-Christ. Mais comme elle était trop petite, elle fut remplacée par une plus grande, qui existait encore en 1209 quand Albert de Jérusalem donna leur règle aux ermites latins du Wadi 'ain es-Siah. Albert acheva, sur la terrasse, le monastère qui avait été commencé par Ayméric, patriarche d'Antioche, et continué par son frère Bertold.

Quand Jean-Baptiste de Saint Alexis arriva au Mont Carmel, la topographie était donc exactement délimitée. Et il proposa un récit qui harmonisait tous les éléments de la tradition!... Elie après avoir contemplé le petit nuage, de la porte de sa grotte située sur le plateau du promontoire, réunit ses disciples et éleva une chapelle en ce lieu. Au temps du Christ, quand les ermites carmes, qui avaient été baptisés à Jérusalem, revinrent au Mont Carmel, ils sculptèrent dans la roche, à l'intérieur de la chapelle, un autel pour pouvoir célébrer la messe. En l'année 83, après l'Assomption de Notre-Dame, ils retouchèrent la chapelle, sans toutefois modifier les fondations établies par Elie. Au IVe siècle, sainte Hélène l'agrandit et, plus tard, en 885, l'empereur Basile la fit décorer. Au temps des Croisades, le Carme Bertold l'enrichit et alla vivre souvent près d'elle, en se déplaçant du wadi à la terrasse.

En 1290 (1291) les Musulmans détruisirent la chapelle, que Jean-Baptiste de Saint Alexis voulut lui-même reconstruire en 1766, sur une inspiration venue de Dieu.

P. Elias
Friedman

TOPOGRAPHIE CARMELITAINE

Le Mont Carmel est une chaîne montagneuse qui s'étend selon la direction sud-est nord-ouest, sur une longueur d'environ 35 kilomètres, depuis la plaine de Yizréel jusqu'à la Méditerranée. La Bible l'entoure d'un halo de beauté et, surtout, elle en fait le théâtre de la geste des prophètes Elie et Elisée. En partant du récit biblique, les traditions hébraïque et chrétienne ont situé en des points déterminés du mont, principalement autour du promontoire qui s'avance dans la mer et sur la cime la plus haute de la chaîne, les lieux où vécurent les deux prophètes et leurs disciples.

L'«Ecole des prophètes»

Cet endroit est appelé en arabe «el-Khader» c'est-à-dire «Le Verdoyant», et en hébreu «Nacarata Eliyahu», «Grotte de Saint-Elie». Il s'agit d'une vaste salle rectangulaire, entièrement creusée dans la roche de la montagne et qui s'ouvre sur la mer, au pied du promontoire du Mont Carmel. A gauche de la personne qui entre, il existe une petite grotte creusée dans la paroi Est: elle fut appelée «Grotte de la Madone» par les auteurs carmes. Au fond de la salle a été ouverte dans la paroi sud une niche rectangulaire destinée peut-être à recueillir la statue d'une idole.

Les parois est et ouest sont couvertes d'inscriptions, presque toutes en grec. Leur étude approfondie a permis d'établir que la grotte est d'origine païenne et qu'elle était jadis utilisée comme sanctuaire. Son état actuel remonterait à l'époque hellénistique, ou romaine, quand elle était probablement le théâtre d'un culte de la fertilité.

A l'époque byzantine, autour de cette caverne fut édifié un monastère, dédié à saint Elie, dont le culte se superposa au culte païen précédent. Ce monastère fut détruit par les Perses en 614. Plus tard, à une époque qu'on ne peut préciser, les Musulmans remirent en honneur dans la grotte la vénération d'Elie, sous le vocable d'el-Khader.

Vers 1150, un moine grec, originaire de Calabre, établit une communauté composée d'une dizaine de membres parmi les ruines de l'ancien monastère, en lui restituant sa dénomination d'origine.

Autour de 1628, un groupe d'ascètes musulmans y restaura la vénération d'Elie, el-Khader.

134. *La baie d'Haïfa et le promontoire du Mont Carmel dans une estampe du XVIIe siècle.*

La terrasse du promontoire

Le plateau sur lequel s'élève aujourd'hui le couvent de «Stella Maris», est connu aussi comme *terrasse du promontoire.* Selon un auteur anonyme du IVe siècle après Jésus-Christ, le mont était consacré à Jupiter. L'écrivain latin Tacite évoque un dieu qui avait le même nom que la montagne, ce qui fut confirmé par un pied votif retrouvé sur le lieu en 1932. Au culte païen succéda la vénération du prophète Elie.

Les moines byzantins édifièrent un monastère sur la pointe extrême de la terrasse. Probablement prit-il le nom de Sainte-Marguerite ou de Sainte-Marine, car c'est ainsi que cette sainte était connue des Chrétiens orientaux. Le lieu où s'élève maintenant le couvent de «Stella Maris» est sans doute le site de l'ancien cimetière monastique. La grotte qui actuellement se trouve sous le maître-autel de la basilique, fut autrefois utilisée comme tombeau et peut avoir servi de sépulture à un personnage important.

Sous la domination croisée, les Templiers érigèrent un fortin à l'endroit où avait été édifié le monastère byzantin de Sainte-Marguerite. Cette construction est mentionnée à partir de 1172 environ. Elle reçut le nom de *Castellum Sanctae Margaretae*. Il semble que, vers 1200, un groupe de moines byzantins ait voulu y être présent de nouveau, et qu'ils aient bâti là un nouveau monastère. Retrouvant le lieu d'origine occupé par le fortin, ils durent se contenter de l'aire du cimetière, sur laquelle ils élevèrent une modeste bâtisse connue des Croisés comme Monastère de Sainte-Marguerite.

Après la conquête de la Palestine par les Mameluks en 1291 et la destruction consécutive des édifices, on perdit en partie les informations concernant les habitants d'origine. A l'époque suivante ne manquèrent pas, parmi les visiteurs occidentaux, ceux qui considérèrent les ruines encore visibles sur le promontoire comme des restes du couvent primitif des Carmes.

El-Muhraqa

Le sommet du Mont Carmel, qui prend le nom d'El-Muhraqa, connut une présence monastique dès la période byzantine. En ce temps-là aucun édifice ne fut construit, puisque les moines habitaient quelques grottes environnantes.

Après avoir conquis le pays en 638 après Jésus-Christ, les Arabes y érigèrent un petit sanctuaire, fait de grosses pierres équarries, dont les ruines furent visibles jusqu'à la fin du siècle dernier.

Les Croisés ne laissèrent aucun souvenir d'El-Muhraqa. Certainement parce que le lieu était devenu un but de pèlerinage pour les Hébreux, comme le rappellent Benjamin de Tudela et d'autres voyageurs, ses coréligionnaires. Les Juifs s'y rendaient pour vénérer le prophète Elie, près d'un monument en forme de cercle constitué de douze grandes pierres, au centre duquel fut creusée dans la roche une citerne. Il s'agit probablement d'un monument mégalithique.

Sur cette cime, la tradition a placé le lieu où Elie offrit à Dieu son sacrifice, en même temps que les prophètes de Baal,

135

*135. Rome. Archives générales O.C.D. La chaîne du Mont Carmel, vue du Sud-Ouest, dans un dessin de Jean-Baptiste de Saint Alexis: A) Cefamar, village de la Galilée des Chrétiens catholiques; B) Tour de Sainte-Hélène et couvent détruits; C) Vigne nouvelle; D) Couvent des Carmes Déchaux, grotte de Saint-Elie et église de la Très Sainte Vierge; E) Couvent de Saint-Ange détruit; F) Fontaine d'Elie; G) Couvent de Saint-Brocard détruit; H) Collines où se trouvent des pierres représentant des melons et d'autres fruits. I) Monts de Galilée; * Vallée des Martyrs.*

136

136. *Petite grotte creusée dans la paroi gauche de la grotte d'el-Khader, connue dans le passé par les Carmes Déchaux sous le nom de «Grotte de la Madone».*

mais en opposition avec eux. L'endroit exact du sacrifice se trouve probablement à 150 mètres en dessous, dans un cratère d'origine volcanique, couvert de pierres basaltiques de modestes dimensions. Leur couleur rougeâtre peut avoir évoqué les effets de la foudre tombée du ciel qui consuma à la fois le sacrifice et l'autel.

Au sommet du mont s'élève aujourd'hui une chapelle dédiée à saint Elie, devant laquelle se dresse une statue représentant le prophète.

Le couvent de Saint-Brocard

Dans une petite vallée latérale du Mont Carmel, à environ quatre kilomètres de l'actuelle Haïfa, se trouvent les ruines du grand couvent construit par les Carmes en 1263. Il est situé non loin de la *Source d'Elie,* point autour duquel se réunit le premier groupe d'ermites. La dénomination même de Source d'Elie remonterait à l'époque byzantine. Les traditions du Wadi auraient été transmises aux Croisés par la population locale, composée de Chrétiens de rite oriental: Elie avait vécu près de la source, et Elisée avait habité dans la grotte qui portait son nom, tandis que les grottes des alentours avaient été habitées par les fils des prophètes, disciples d'Elie et d'Elisée.

L'ensemble latin se forma par stratifications successives: d'abord apparut la communauté spontanée qui logeait dans des grottes et à laquelle Albert de Jérusalem donna la Règle. En un second temps, fut édifié l'oratoire dédié à Notre-Dame selon la prescription de la règle elle-même, et enfin fut construit un vrai couvent.

A partir de 1291 ce couvent, qui prit le nom d'un supposé Brocard qui aurait été prieur des ermites quand ils reçurent la règle, ce couvent, donc, fut abandonné. Malgré la confusion faite dans les siècles précédents par quelques voyageurs, entre les constructions du promontoire et les ruines du Wadi 'ain es-Siah, l'identification du Wadi comme lieu d'origine des Carmes ne se perdit point. Cela permit au Père Prosper du Saint-Esprit, quand il s'établit sur le mont, de retrouver avec exactitude le berceau de l'Ordre.

Le couvent du Père Prosper

En 1631, quand le Père Prosper et ses compagnons obtinrent de l'émir Ahmed Turabay l'autorisation de s'établir au Mont Carmel, ils allèrent vivre dans quelques grottes autour de la caverne d'el-Khader, qu'ils baptisèrent *Ecole des prophètes.* A la suite des protestations des religieux musulmans qui avaient, depuis quelques années, remis en honneur la vénération d'el-Khader, les Carmes durent s'éloigner.

Ils s'installèrent dans une grande grotte, située un peu plus haut, sur la pente de la montagne, qu'ils appelèrent *Grotte des fils de prophètes,* en supposant qu'elle avait abrité les disciples d'Elie. Prosper du Saint-Esprit y construisit un petit couvent et une chapelle à l'usage de la communauté, obtenue en agrandissant une petite excavation nommée *Grotte de Saint Simon Stock,* dans laquelle on estimait que le religieux avait demeuré au XIIIe siècle. La chapelle mesurait cinq mètres de long et presque deux de large et elle fut dédiée, ainsi que le couvent, à sainte Thérèse de Jésus. Il semble qu'elle était déjà en usage avant 1635.

Dans l'étroit couvent, les Carmes Déchaux vécurent presque 130 ans. En 1761, quand le gouverneur Zahir el-Umars fit détruire l'ancienne Haïfa, le couvent aussi fut saccagé et les Carmes s'enfuirent. A leur retour, vu les conditions précaires des murs restants d'où se détachaient des pierres qui menaçaient la sécurité des visiteurs d'el-Khader et sur la protestation des Musulmans, Zahir ordonna aux Carmes de démanteler complètement ces ruines et il leur permit d'édifier un nouveau couvent sur la terrasse du promontoire.

CHAPITRE QUATRIÈME

La cime du Carmel a fleuri

En Israël au XXe siècle

En notre siècle la présence des Carmes en Terre Sainte s'est consolidée. Sept autres centres, aux activités diversifiées dans le contexte de l'Eglise locale, se sont ajoutés au couvent établi sur le promontoire.

En harmonie avec ce qui est advenu dans l'Eglise, l'Ordre du Carmel a vu naître d'autres familles autour de sa souche initiale. C'est pourquoi, à côté des religieux, nés sur le Mont, oeuvrent, chacune selon sa spécificité, quelques congrégations féminines qui traduisent, dans leur service quotidien, l'esprit original du Carmel.

Les événements politiques de notre siècle, souvent accompagnés d'épisodes sanglants, ont mis plus d'une fois en difficulté la présence carmélitaine en Terre Sainte. Toutefois leur cheminement, bien que souvent fatigant, s'est toujours déroulé de façon ascendante.

Religieux et religieuses, participant du même esprit, font tous en sorte que la population locale et les pèlerins vivent chaque jour la Terre Sainte comme Terre de Jésus et de Marie.

137

137. Vue aérienne sur le golfe d'Haïfa, photo prise du Sud-Est. Au premier plan, le couvent de Stella Maris.

P. Elias
Friedman

Le Couvent «Stella Maris»

La fin de la première guerre mondiale signifia, pour la Palestine, un changement de régime: aux Turcs vaincus, se substitue le protectorat anglais.

Les Carmes se trouvèrent dans la nécessité de relever rapidement leur couvent des ruines de la guerre. En effet, après la mise à sac, oeuvre des soldats turcs, les Carmes durent, par force, laisser leur couvent dans un état partiel d'abandon, pendant plusieurs années où les bâtiments furent occupés par des soldats turcs et allemands.

La reconstruction

Pour diriger l'oeuvre de reconstruction fut envoyé, comme Vicaire du Mont Carmel, le Père Francis Stuart Lamb, de nationalité anglaise. Il était né en 1867 d'une famille liée à l'aristocratie, en particulier avec la famille de Lord Melburne, premier ministre d'Angleterre au temps de la reine Victoria. Il prononça ses voeux en 1886 et fut ordonné prêtre en 1892. Après avoir rempli diverses charges de gouvernement dans l'Ordre, il fut nommé Vicaire provincial.

A la fin d'Octobre ou dans les premiers jours de Novembre 1918, le Père Francis reçut de Rome un télégramme envoyé par le Général de l'Ordre, le Père Clément des Saints Faustin et Jovite. Il l'avertissait qu'il devait passer quelques mois au Mont Carmel. Dès qu'il eut les papiers nécessaires, le Père Francis se présenta au Général qui l'accueillit chaleureusement, mais ne cacha pas sa déception de constater qu'il ne connaissait pas un seul mot d'italien, langue qui devait devenir le langage courant du couvent du Mont Carmel. Toutefois le Général maintint son choix.

Après Noël, le Père Francis reçut sa nomination officielle de Vicaire du Mont Carmel avec les pouvoirs de Provincial. En 1911 en effet, avait été érigée la semi-

138

138. *Le maître-autel du sanctuaire dans une photographie d'avant 1932.*

Province de Palestine, mais la guerre avait causé tant de dommages à ses couvents, qu'on ne voyait pas clairement quel pouvait être son avenir.

Au début de 1919, le Père Francis partit pour la Palestine en compagnie du Père Florent de l'Enfant-Jésus qui avait déjà résidé quelques années sur le Mont Carmel, mais avait été contraint de revenir en Europe au début des hostilités. Voyageant par mer, les deux religieux firent escale à Malte et, de là, sur un bateau militaire anglais, ils rejoignirent Alexandrie d'Egypte. Au Caire, le Père Francis commença à prendre contact avec les autorités anglai-

139

140

139. *Sanctuaire de Stella Maris. Le maître-autel ainsi que le choeur. En évidence, la niche où trône la statue de Notre-Dame du Mont Carmel et la grotte d'Elie qui se trouve en dessous. Sur les côtés, deux sculptures qui représentent* Le Château intérieur *et* La Montée du Carmel, *oeuvres de Frère Serafino Melchiorre.*

140. *La «Villa de Abdallah» et le phare. Autrefois hospice pour les pèlerins, géré par les Carmes Déchaux, il abrite aujoud'hui des installations militaires.*

ses: il fut tout de suite l'hôte de Lord Allenby, le conquérant de la Palestine; depuis longtemps en effet il était en rapport avec la famille de Lady Allenby.

Le 30 Janvier 1919, le Père Francis accompagné du Père Florent et du Frère maltais Daniel, arriva par le train à Haïfa, où il fut accueilli par l'aide de camp du gouverneur militaire de la Palestine septentrionale qui lui souhaita la bienvenue au nom du gouvernement. Arrivé au couvent, le Père Francis y trouva le Père Elie qui pendant la guerre avait fait fonction de curé, et les Frères lais Efrem, Domenico et Redento. Puis lui furent présentés les personnages de marque d'Haïfa, parmi lesquels le consul espagnol, Monsieur Scopinich qui, pendant la guerre, avait gardé les clefs du couvent, les vases sacrés et le mobilier de la sacristie.

Le jour suivant, le Père Francis rendit visite au gouverneur militaire, le colonel Stanton. Ils parlèrent d'un terrain situé dans la zone Est du mont et que le gouverneur appelait «parc public». Le Père Lamb put lui montrer des documents prouvant les droits de propriété des Carmes sur cette parcelle, et ils convinrent d'y faire replanter des arbres pour réparer les dégâts causés par les Turcs. Les autorités anglaises s'engagèrent à contribuer financièrement à ces travaux.

Vint enfin le moment d'inspecter le couvent, dans lequel logeaient 200 soldats anglais. Le Père Francis put constater les dommages subis par les tableaux et les autels de l'église et il remarqua que la précieuse collection de livres sur la Palestine avait été emportée. Même les fichiers avaient disparu. De tout le matériel ne fut restitué qu'un livre, un petit dictionnaire portugais qui fut retrouvé à Winchester en Angleterre et réexpédié à ses anciens propriétaires.

Vers la normalité

Le Samedi-Saint, 19 Avril 1919, les troupes anglaises évacuèrent le couvent. Le même jour les Carmes Déchaux en reprirent possession. Le 25 Avril, le Saint Sacrement fut déposé dans le tabernacle et la vie conventuelle reprit. Le 27 Avril, Dimanche in albis, la statue de Notre-Dame qui, par précaution, avait été gardée pendant la guerre dans l'église paroissiale de la ville, fut rapportée sur le mont. De très nombreux fidèles participèrent à la procession solennelle.

Une telle manifestation de dévotion populaire, qui remerciait Dieu pour la paix recouvrée, permit aux Anglais de se rendre compte de l'influence dont l'Eglise catholique jouissait en Palestine.

Enfin, vint le moment de réparer les dégâts subis par le couvent. Frère Daniel, maltais, avec l'aide de deux ouvriers du lieu, se chargea de nettoyer, blanchir et repeindre tout l'ensemble.

Ensuite, on affronta globalement le problème juridique de la propriété. Sous la domination turque, les possessions des ordres religieux devaient être enregistrées

141

141. *Intérieur de la coupole, peinte par Frère Luigi Poggi à partir de 1926. Dans les tranches sont représentées des scènes à sujet carmélitain. Aux angles, entre les arcs et au-dessus des colonnes qui soutiennent la coupole, se trouvent des médaillons figurant les quatre Evangélistes. L'ensemble a été récemment restauré par Frère Serafino Melchiorre.*

au nom d'un sujet ottoman, généralement musulman, lequel apparaissait donc comme le propriétaire légal. Il aurait pu profiter de la qualification qui lui était reconnue par la loi. Au contraire, l'administration britannique admettait l'enregistrement sous le nom des ordres religieux eux-mêmes.

Les Carmes purent présenter leurs titres de propriété que le Père Francis avait apportés de Rome. Néanmoins, restait la nécessité de reconnaître exactement les limites. Les Turcs ayant abattu le mur d'enceinte construit à la fin du siècle précédent et ayant déclaré le sol propriété du gouvernement, il ne fut pas facile de venir à bout de la situation. Le Père Michel, Libanais d'origine, parcourut la montagne pendant plusieurs semaines, en compagnie d'un inspecteur du gouvernement, pour interroger les propriétaires des champs limitrophes.

Le Père Francis essaya de récupérer les précédents droits des Carmes sur «l'Ecole des prophètes». Par l'intermédiaire de quelques amis d'Haïfa, il put rencontrer le mufti musulman et lui demanda l'autorisation de célébrer de temps en temps des offices religieux dans la grotte.

La réponse fut positive: les Carmes seraient les bienvenus, aussi bien que toute autre personne religieuse; il suffisait de se mettre d'accord avec le gardien de la grotte, quand on voulait y accéder pour une célébration.

Finalement, une fois que fut arrangé, même sommairement, l'ensemble conventuel, on put procéder à la consécration de l'église sur le Mont Carmel. Ce fut fait en 1920 par Mgr Luigi Barlassina, patriarche latin de Jérusalem. A la fin de la même année, on ouvrit auprès du couvent le collège international, où les candidats aux missions du Moyen-Orient pourraient étudier la philosophie, la théologie et les langues locales, en particulier l'arabe.

Quelques années plus tard, le cycle des études dans l'Ordre fut restructuré par les soins du Général, Guillaume de Saint Albert. On créa un nouveau collège théologique à Rome, et le Mont Carmel fut réservé aux étudiants de philosophie. Le 4 Novembre 1928, le Général lui-même présida la cérémonie d'inauguration, pendant laquelle il remit aux professeurs leur nomination officielle et reçut leur profession de foi prescrite par le règlement. Le collège, qui prit le nom de Sainte Thérèse de l'Enfant-Jésus, fut consacré au Sacré-Coeur de Jésus. Le 7 Novembre 1933, les étudiants de philosophie purent se transférer dans une nouvelle aile du couvent, qui avait été construite spécialement pour eux.

Avant de quitter le Mont Carmel, les Turcs avaient détruit la pyramide placée devant l'entrée principale de l'église et sous laquelle, dans les premières années du XIXe siècle, avaient été ensevelis les restes des soldats de Napoléon. D'accord avec les autorités consulaires françaises, le monument funéraire fut reconstruit identique au précédent. Pour son inauguration solennelle, le vicaire invita Mgr Luigi Barlassina, patriarche latin de Jérusalem, Mgr Haggar, archevêque melchite de la Galilée et les autorités militaires françaises et britanniques.

Le phare

En face du couvent, à l'extrémité du promontoire, s'élevait la villa d'Abdallah que celui-ci, en sa qualité de gouverneur d'Acre, avait fait construire en 1820-1822. En 1846 l'édifice avait été acquis

142

142. *Haïfa. Monastère Stella Maris. Une des salles de l'hospice des pèlerins.*

par les Carmes pour éviter que les Grecs-orthodoxes ne s'en emparent. Quelques années plus tard, en 1864, un fanal fut posé sur la terrasse de la villa. Puis on le remplaça par un véritable phare. Evidemment, tout cela subit de graves dommages pendant la période de belligérance. La guerre terminée, l'ensemble fut restauré et en premier lieu fut installé un phare provisoire.

Jusqu'en 1928, quelques pièces de la villa furent utilisées comme salles de classes par les étudiants carmes du collège philosophique.

Sur l'initiative du Général de l'Ordre, Guillaume de Saint Albert, on ajouta un deuxième étage à la villa, de manière à l'adapter à l'usage d'hospice pour les pèlerins. Cet établissement commença à fonctionner en 1927. Il était doté de quarante lits et dans chaque chambre arrivait l'eau courante: c'était le premier édifice en Palestine à posséder cette commodité. La pension complète coûtait trois sterlings palestiniens par jour. Prêtres, religieux et soeurs étaient reçus gratuitement.

En même temps on procéda à la construction d'un nouveau phare. Les travaux furent dirigés par Victor Germain, consul honoraire d'Espagne à Haïfa, qui travaillait pour l'administration ottomane des phares. L'ouvrage fut inauguré le 26 Janvier 1928. Pour son fonctionnement on avait construit une ligne électrique qu'utilisèrent aussi le couvent et l'hospice.

Victor Germain donna au phare le nom de Stella Maris, sans aucun lien avec la dévotion à la Sainte Vierge. Le temps passant, l'hospice des Carmes prit le même nom. Finalement, entre 1955 et 1960, sur l'initiative du Père Antonio Stantic, Yougoslave, alors Vicaire, le couvent lui-même commença à être appelé *Stella Maris Monastery.*

Le Chapitre général

En 1931, pour solenniser le troisième centenaire du rachat du Mont Carmel, on décida de célébrer sur le Mont le Chapitre général ordinaire. L'événement fut préparé par la remise à neuf de l'église. Le Frère convers Luigi Poggi, peintre maltais, décora le plafond et la voûte de la coupole, tandis que les murs de l'église étaient recouverts de marbres précieux.

Le clocher s'enrichit de trois nouvelles cloches, dons respectifs du Définitoire général, des moniales de Lisieux et de celles d'Haïfa. Le long de l'avenue qui s'ouvre sur le golfe d'Haïfa furent construites quatorze chapelles pour les quatorze stations de la *Via Crucis.* Ce fut l'oeuvre du Père Raphaël de l'Enfant-Jésus, de la Province de Catalogne, qui obtint l'aide financière de bienfaiteurs espagnols.

A l'ouverture solennelle du Chapitre assistèrent des représentants de tous les pays où l'on rencontre des monastères de l'Ordre: Amérique, Inde, Mésopotamie, Perse, Pologne, Irlande, Angleterre, Autriche, Bavière, Hongrie, Italie, France, Espagne et Malte.

Guillaume de Saint Albert fut élu pour la seconde fois Préposé général. Le Chapitre décida de placer dans le sanctuaire une lampe votive pour chaque Province, lampe qui brûlerait devant la statue de Notre-Dame.

Dans l'intervalle entre le Chapitre général de 1931 et l'année 1939, le Mont Carmel jouit d'une période de totale tranquillité. Suivant les moyens de l'époque, les pèlerinages d'Europe en Terre Sainte devinrent très nombreux. Ils incluaient dans leur programme une visite de la Galilée et du Mont Carmel où ils trouvaient l'hospitalité.

Afin de faire mieux connaître en Europe la réalité du sanctuaire, à partir de 1932 la communauté imprima une revue illustrée, en langue française, intitulée *La voix de Notre-Dame du Mont-Carmel.* L'éditorial du premier numéro affirme: «Nous mettrons à la première place ce qui concerne le culte de Notre-Dame du Mont-Carmel et son saint scapulaire, l'histoire, la chronique, la description de la sainte montagne, le mouvement des pèlerinages. Il y aura place aussi pour tout ce qui regarde la vie de l'Eglise et de l'Ordre, la spiritualité, l'hagiographie, les grandes dévotions du Carmel».

En s'attachant à ce programme, la revue, de grand public, publia de brefs articles de culture religieuse et de spiritualité carmélitaine et elle constitue, aujourd'hui encore, une intéressante source d'information sur la vie du couvent et du sanctuaire, en raison précisément des nouvelles qu'elle donne sur les événements importants de la communauté et sur le mouvement des principaux groupes de pèlerins.

La seconde guerre mondiale

En Mai 1938, l'armée britannique fit connaître aux Carmes Déchaux son intention de louer l'hospice.

Elle en prit possession le 10 Mars 1939. Le contrat fut signé par le maréchal Montgomery, qui commandait alors les troupes britanniques à Haïfa. Les Anglais minèrent les accès à la villa et éteignirent le phare, qui ne fut réemployé que dans des cas particuliers, pour faciliter à certains navires l'entrée dans le golfe d'Haïfa.

Lorsque éclata la seconde guerre mondiale, la vie du couvent changea brusquement. Le collège philosophique cessa de fonctionner et les étudiants rentrèrent dans leurs pays d'origine.

Quelques membres de la communauté, en tant que citoyens de pays ennemis, se virent emprisonnés par les Anglais. Ces derniers occupèrent aussi la nouvelle aile du bâtiment, qu'on avait fait construire récemment pour les étudiants. Les Anglais occupèrent aussi le terrain des Carmes situé au sud du monastère, où ils élevèrent des baraques pour leurs soldats. Aussi la revue du sanctuaire cessa-t-elle ses publications.

La guerre finie, les hostilités se prolongèrent ultérieurement en Palestine. En effet, à partir des années 20, le mouvement sioniste s'était accru; il avait pour objectif la création d'un Etat hébreu en Palestine.

La Haganah fut l'expression armée du mouvement; Moshé Dayan la définit: «la force clandestine d'autodéfense des Juifs en Palestine». Pendant les dernières années de l'occupation anglaise, les actions de la Haganah s'intensifièrent dans le but de mettre en lumière, sur la scène internationale, le problème de l'Etat hébreu.

Le 29 Novembre 1947, l'Assemblée générale des Nations Unies adopta une résolution qui recommandait de diviser la Palestine en un Etat arabe et un Etat hébreu, et de donner un statut spécial à la ville de Jérusalem. L'effet immédiat de cette disposition fut d'aggraver la tension militaire entre Arabes et Juifs, car les deux parties se hâtèrent de gagner des positions stratégiques en vue de la fin du mandat britannique.

Entre la fin de 1947 et le début de 1948 eurent lieu à Haïfa une série d'actes de guérilla. En particulier, une auto piégée explosa en ville le 10 Janvier 1948; à la suite de quoi, quatre Frères des Ecoles chrétiennes, se sentant en danger, se réfugièrent près du couvent du Mont Carmel. Leur exemple fut suivi par un groupe de familles arabes.

Voyant ces dramatiques circonstances, le Père Thomas d'Aquin Soetaert, Vicaire du couvent, de nationalité belge, réunit le chapitre qui décida d'accueillir les éventuels réfugiés. On leur réserva le rez-de-chaussée, tandis que les religieux se retiraient à l'étage supérieur. Les premiers réfugiés s'installèrent dans les chambres et dans les corridors puis, leur afflux ne faisant que croître, on utilisa aussi le terrain alentour. Le Père John Enriquez, procureur de la communauté, fut chargé de s'occuper d'eux.

143

La situation militaire devenait toujours plus brûlante, jusqu'à exploser les 21 et 22 Avril, quand eut lieu la bataille d'Haïfa. Le 21 exactement, les troupes anglaises se retirèrent et vinrent occuper le Mont Carmel et le port d'Haïfa, laissant le reste de la ville en proie aux antagonistes.

A dix heures du soir du même jour, l'explosion d'une bombe près de l'église paroissiale des Carmes donna le signal de la bataille entre Arabes et Israéliens, qui se termina par une défaite aussi rapide qu'inattendue des premiers. En conséquence, une grande partie de la population arabe s'enfuit de la ville, cherchant refuge dans les pays arabes voisins. Une partie des Arabes chrétiens préféra s'adresser au couvent du Mont Carmel.

Les réfugiés au couvent

A la mi-Avril arriva au couvent le Père Clément Casinelli pour remplacer le Père John Enriquez au poste de procureur. Il trouva le premier étage envahi d'hommes, de femmes et d'enfants. Presque tous étaient catholiques, trois ou quatre familles seulement étaient grecques-orthodoxes, une était musulmane.

Le manque d'espace était le plus grave problème. Quelques-uns furent installés dans le jardin, d'autres dans le cimetière même, là où ils trouvèrent des caveaux vides. Les vivres étaient fournis en partie par les réfugiés eux-mêmes, en partie avec l'aide de riches Arabes restés dans leurs maisons. La Croix-Rouge et les Carmes y contribuèrent aussi. A partir du 31 Mai, les Soeurs de la Charité ouvrirent dans le camp une école pour les enfants.

Le 18 Mai, le curé carme d'Haïfa, le Père John Tomb, constatant que tous ses paroissiens restés à Haïfa s'étaient réfugiés au couvent sur le promontoire, les rejoignit pour poursuivre son activité paroissiale. Il s'agissait de 521 personnes, enfants compris, si l'on s'en tient à la liste que les Carmes durent fournir aux autorités anglaises.

Le 22 Juin 1948, le dernier contingent de la garnison anglaise amena son drapeau et prit le chemin du port pour embarquer. Ainsi finissait le mandat britannique sur la Palestine. La même nuit, les réfugiés nettoyèrent le camp militaire de tout ce que les Anglais avaient laissé. Enfin, le 24 Juin, le drapeau blanc et jaune du Vatican fut hissé sur le monastère.

144

143. La sacristie du sanctuaire.

144. La «Grotte d'Elie», ancienne citerne, jadis utilisée aussi comme sépulture. Sur l'autel, la statue du Prophète.

145

L'espérance de pouvoir récupérer sans problème la propriété du couvent dura peu. En effet, entre le 30 Juin et le 1er Juillet, l'armée israélienne occupa le campement abandonné par les Britanniques. Tout de suite on coupa l'eau au couvent. Devant les protestations du Père Clément, qui démontra au commandant du camp qu'il n'était pas possible de laisser les réfugiés dans ces conditions, les tuyaux furent rapidement remis en état de fonctionner.

Toutefois les autorités israéliennes exigèrent que le couvent fût débarrassé en très peu de temps. Le 3 Juillet elle mit à la disposition des réfugiés une vingtaine de camions qui transportèrent en ville personnes, ustensiles et objets personnels. Aux Chrétiens fut désigné le quartier de Wadi Nisnas, qui avait été le centre de la bataille d'Haïfa et dont la population arabe avait fui. Aux nouveaux venus il fut ordonné de s'installer là où ils le jugeraient le plus convenable. Le fait de concentrer les Chrétiens en un seul quartier facilita la reconstitution de la communauté, du point de vue religieux aussi.

A la mi-Juillet l'armée israélienne réquisitionna l'hospice Stella Maris, puis l'aile du couvent qui avait été construite pour les étudiants du collège international. Elle avait été occupée par les militaires anglais et les Israéliens voulurent y installer le Quartier Général de la Marine. Le 1er Juin 1959 seulement, les militaires israéliens rendirent les locaux au couvent. Il avait fallu qu'intervienne Euripides Cardoso Menezes, membre du Parlement brésilien. Celui-ci, après une visite au Mont Carmel en 1958, avait promis son intervention et il avait soulevé plusieurs fois la question au Parlement. On a même raconté à ce moment-là que John Foster Dulles, secrétaire d'Etat des Etats-Unis, qui avait un fils prêtre, était intervenu lui aussi.

Actualité carmélitaine

Enfin en possession de tout le bâtiment conventuel, la communauté reprit lentement son rythme normal, autant que le lui permettait la situation précaire du pays, toujours chargée de tension.

La phase la plus récente de la vie du couvent consiste dans la continuation de son activité traditionnelle d'accueil des pèlerins. Il s'y ajoute le désir, toujours plus largement partagé, de retourner aux sources de l'Ordre, selon l'invitation adressée aux religieux par le Concile Vatican II, et donc de faire une expérience carmélitaine sur le Mont.

En 1972, en reprenant la tradition d'hospitalité interrompue par la seconde guerre mondiale, le Père Cyrille Borg, alors Procureur, adapta l'aile jadis destinée au collège international à l'usage de maison d'accueil pour les pèlerins. Récemment, sur l'initiative du Vicaire, le Père Alphonse Santelli, l'expérience a été perfectionnée en confiant la gestion de la maison, aujourd'hui appelée *Carmelite Pilgrim Center,* aux Soeurs carmélites de Campi Bisenzio, depuis longtemps présentes en Terre Sainte. Ce centre offre aussi aux Chrétiens d'Haïfa et de la Galilée la possibilité de retraites et de rencontres pour des adultes et pour des jeunes.

Dans l'optique du retour aux sources, en 1968, fut instituée au Mont Carmel une année de préparation à la théologie pour ceux qui continueraient ensuite leurs études au collège international de Rome. Ceci dans le but de renouveler la vie de la maison et de permettre aux jeunes d'acquérir une initiation biblique et spirituelle dans le berceau de l'Ordre. L'expérience fut interrompue en 1972 et 1973 à cause du conflit israélo-arabe.

En 1974, le Définitoire extraordinaire — assemblée formée par les Supérieurs généraux et par les représentants des Provinces de l'Ordre, réunis pour traiter des questions particulières dans l'intervalle entre deux chapitres généraux — le Définitoire extraordinaire, disions-nous, siégea à Rome du 24 au 27 Juin 1974 et, considérant l'inopportunité de reprendre l'expérience de l'année propédeutique à la théologie, proposa d'instituer, au contraire, un cours de recyclage pour les religieux de l'Ordre qui auraient passé quelques années dans une activité pastorale.

Le 6 Juillet 1974, le Général, Père Finian Monahan, demandait aux Provinciaux espagnols d'organiser le premier cours, puisqu'ils avaient été les promoteurs de l'initiative. La lettre indiquait aussi les grandes lignes qui devaient être la charpente du cours. Il était demandé une période sévère et exigeante, tant sous l'aspect spirituel en ce qui concernait la prière et la vie en communauté, que sous l'aspect scientifique avec des leçons et des études personnelles, d'une durée d'environ sept mois, de novembre à mai.

145. Statue en bois du prophète Elie, sculptée vers 1820 par le Génois Jean-Baptiste Garaventa.

146. Le couvent de Stella Maris, tel qu'il se présentait dans les années 50.

147. Le portail de bronze du sanctuaire, oeuvre de Frère Serafino Melchiorre. Il représente les saints patrons du lieu, Elie et Marie.

146

147

On devait traiter des sujets tels que la théologie de la vie religieuse, la spiritualité et l'histoire de l'Ordre, des thèmes bibliques aussi. Pour des raisons pratiques d'organisation, le cours devait s'adresser à des groupes linguistiques homogènes. Le premier cours eut lieu en 1974-75 et inaugura une formule destinée à durer dans les années suivantes. Elle comprenait une étude guidée et personnelle, unie à une connaissance directe des lieux bibliques et carmélitains du pays, sous la conduite experte des Pères de la communauté stable.

A partir de 1979, par suite de la restructuration du collège théologique international de Rome, les jeunes en formation ont eux aussi la possibilité de passer un été en contact avec la Terre Sainte.

La communauté stable a comme principal devoir le soin du sanctuaire. Le contexte multiracial et multireligieux dans lequel il est inséré en fait un lieu particulièrement riche d'expériences.

Aux Chrétiens des diverses confessions religieuses qui, au cours de leur visite en Terre Sainte, font halte près du sanctuaire, s'ajoutent les Musulmans, en particulier chaque 20 Juillet, fête de saint Elie. Des groupes d'enfants et de militaires juifs visitent «la Grotte du Prophète».

A ce travail pour le sanctuaire, quelques membres de la communauté joignent leur collaboration au service de paroisse et leur assistance aux groupes de pèlerins qu'ils accompagnent dans leur visite des Lieux Saints.

Comme toujours, l'épanouissement de la vie monastique est accompagné par celui de l'expression artistique. C'est pourquoi la communauté a voulu confier à un artiste, Carme Déchaux, Frère Serafino Melchiorre, la restauration et l'embellissement du sanctuaire. A partir de 1987, Frère Serafino a réparé la statue de Notre-Dame et les fresques de la coupole, tandis que dans le sanctuaire lui-même il a placé quatre bas-reliefs en marbre illustrant des sujets carmélitains, et un portail de bronze dédié au prophète Elie et à Marie, Etoile du Carmel.

P. Nilo
Geagea

LA RESIDENCE D'HAÏFA (1767-1950)

Une maison d'urgence

En 1767, quand le pacha d'Acre, Zahir el-Umars, ordonna aux Carmes Déchaux vivant dans le «Couvent du Père Prosper» de détruire ce couvent et d'en construire un autre, à l'endroit où s'élève aujourd'hui l'église de *Stella Maris,* le Général de l'Ordre, Michel de Saint Laurent, envoya comme architecte au Mont Carmel Frère Jean-Baptiste de Saint Alexis.

Puisque le couvent devait être démoli, le problème immédiat de Frère Jean-Baptiste et du Vicaire Père Philippe, était de trouver un autre lieu dans lequel la communauté pût vivre jusqu'à ce que la nouvelle construction fût terminée. Les Chrétiens leur offrirent généreusement un morceau de terrain, dans la nouvelle Haïfa fondée peu d'années auparavant (1762).

Frère Jean-Baptiste le note dans son *Compendium d'Histoire,* composé après son retour en Italie advenu en 1774: «Les Chrétiens de la ville d'Haïfa, toute proche, nous ayant gracieusement donné près de leur église un site suffisant, nous avons décidé de nous édifier un petit asile composé d'une chambre, d'une autre petite pièce, d'une petite chapelle, d'une petite cuisine, d'une cave, d'une petite étable, d'une cour de mêmes proportions enclose de murs, et d'un puits; avec un seul maître-maçon, quelques journaliers et en travaillant nous-mêmes, nous avons achevé l'oeuvre entreprise».

La résidence d'Haïfa construite par Jean-Baptiste, avec sa chapelle et les bâtiments annexes, devait devenir par la suite la paroisse carmélitaine d'Haïfa.

En 1774, quand Frère Jean-Baptiste de Saint Alexis fut rappelé en Italie, il laissait derrière lui un bilan satisfaisant: «Nous avons terminé l'église (sur le promontoire), bien avancé le couvent, construit un nouvel entrepôt, petit au début mais qui s'est ensuite étendu dans le village voisin, pour y abriter nos provisions, nos boeufs, nos chèvres et trois mulets grâce auxquels, avec l'aide d'ouvriers, nous faisions travailler un moulin dans cet entrepôt, moulin que nous avions habilement acheté comme d'ailleurs les bêtes sus-indiquées».

148

148. Haïfa, la paroisse latine desservie par les Carmes Déchaux. La façade de l'église telle qu'elle se présentait avant 1961.

En 1799, après que Napoléon eut déployé ses troupes autour d'Haïfa et qu'une épidémie de peste l'eut contraint à lever le siège, le couvent des Carmes, qui avait donné asile aux blessés, fut assailli et endommagé par les Turcs. Les Carmes et leur Vicaire allèrent d'abord se réfugier dans leur résidence d'Haïfa.

La majeure partie d'entre eux rentra ensuite en Europe, car ils craignaient les persécutions des Musulmans. Le Vicaire, Vincent de Saint Laurent, s'enfuit à Nazareth où il mourut.

149. Père Jules du Sauveur, originaire de Malte, premier curé de la paroisse latine d'Haïfa, mort en 1841. Le médaillon se trouve à l'entrée du sanctuaire de Stella Maris.

150. Haïfa. Paroisse des Carmes Déchaux. Façade de l'église. A côté, l'édifice où se trouvent la communauté et les bureaux paroissiaux.

149

Père Jules du Sauveur

Entre 1799 et 1803, aucun Carme ne resta en Terre Sainte. Vers le milieu de 1803 arriva à Haïfa le nouveau Vicaire, un Maltais, le Père Jules du Sauveur. Il avait été envoyé par le Commissaire général de l'Ordre, Pierre-Alexandre de Sainte Marguerite, lequel redoutait que Turcs ou Grecs puissent s'emparer de la propriété des Carmes en leur absence. L'édifice étant encore inhabitable Père Jules s'installa dans la résidence d'Haïfa. Il visitait de temps en temps le couvent sur la terrasse pour garantir les droits des Carmes sur ce lieu. Le visiteur Ulrich Seetzen affirmait en 1806 que le Carme «se rend au monastère une fois par mois pour y célébrer la messe».

Le Père Jules commença à envoyer à ses supérieurs des informations sur la situation en ville et sur le Mont. Deux années s'écoulèrent sans qu'il reçoive de réponse. Les lettres furent peut-être interceptées par les Turcs, les Grecs ou par d'autres personnes hostiles à sa présence.

150

Sa première lettre conservée dans les archives générales de l'Ordre à Rome porte la date du 27 Juin 1805 et elle a été expédiée d'Acre. Elle illustre de façon très vivante les conditions dans lesquelles il était contraint de vivre: «Je suis fatigué d'écrire inutilement et sans avoir la consolation d'une réponse. Je ne sais que faire. Je me sens abandonné de tous, et sans personne à qui m'adresser. J'ai quitté Rome il y a deux ans et j'ai dépensé pour mon voyage et ma nourriture la petite somme que Votre Révérence m'avait donnée. Maintenant je me trouve sans un sou en poche. Que le Seigneur m'accorde la sainte patience, car j'ai eu beaucoup à souffrir dans le passé et il faut que je puisse continuer à souffrir autant au temps présent.

J'informe Votre Révérence que j'ai dû soutenir une dure lutte pour obtenir la reconnaissance de notre propriété sur le Mont Carmel: le gouverneur turc refusait de m'autoriser à reprendre ce que nous possédions depuis longtemps, sous prétexte que nous l'avions abandonné récemment. Si je n'étais pas arrivé à ce moment précis, nous aurions bien risqué de perdre nos droits sur le Carmel. C'aurait été un péché que de perdre le beau titre dont nous jouissons présentement».

Le Père Jules du Sauveur continuait en décrivant son besoin d'argent et d'hommes pour commencer la réparation du couvent en ruines le plus vite possible. Il priait le Général de lui envoyer un compagnon pour alléger sa solitude et il lui suggérait un certain Frère Isidore. Celui-ci, étant charpentier, pourrait travailler à la restauration du couvent.

Mais cette demande resta sans réponse. Il n'était pas possible d'envoyer des moyens financiers pour remonter l'édifice, quand l'Europe était en proie à des guerres continuelles.

Parmi les visiteurs de la Terre Sainte qui rencontrèrent le Père Jules, le comte de Marcellus a laissé une description très colorée des conditions de vie du Carme: «Je revins à Haïfa (d'une visite au Mont Carmel) où le Frère italien (en réalité maltais), chez qui je trouvai le consul qui m'attendait, nous offrit des concombres, du riz et une bouteille de vin vieux de Bethléem qui me parut excellent. Ce pauvre ermite du Carmel a reçu de ses supérieurs romains la charge de veiller sur le couvent de saint Elie. Il doit être le prêtre le plus malheureux de tout l'Orient; il est l'unique Car-

151

152

151. Intérieur de l'église à nef unique. L'édifice, oeuvre de l'architecte Antonio Barluzzi, fut inauguré en 1961.

152. La Sainte Famille, oeuvre de Francesco Redaelli, curé du Sacré-Coeur de Bétharram. Au premier plan, saint Joseph, à qui est dédiée l'église.

me Déchaux (de la région); tous les autres sont Franciscains. Il survit grâce aux aumônes des pèlerins de passage et habite dans une ruine, loin des centres habités et des gens. Toutefois, comme un soldat à son poste, courageux et résigné, il ne veut pas être plaint, bien qu'à tous moments il puisse être molesté par le pacha, poignardé par les Arabes, ou rappelé par ses supérieurs, rien que pour être remplacé par un autre qui serait aussi malheureux que lui».

Le Père Jules n'était pas du genre à rester longtemps inactif. Il se livra à l'apostolat à Haïfa et à Acre, parmi les indigènes et parmi les européens: marins, marchands, pèlerins et employés consulaires. Irby et Mangles, par exemple, écrivent: «Ici (à Haïfa), nous avons rencontré l'unique moine qui s'y trouve; il appartient au couvent du Mont Carmel; c'est un homme intelligent qui, après nous avoir restaurés d'une bonne collation, nous a accompagnés à la cime du Carmel où est situé le couvent».

Jacques Mislin nous laisse le meilleur témoignage, même s'il est posthume, du comportement charitable du Père Jules: «Ce bon religieux n'est plus en vie. Pendant quarante ans, il a vécu dans une maison minuscule en cultivant un petit jardin et une petite paroisse, en priant, offrant son hospitalité aux pèlerins, assistant les malades, portant des remèdes et du réconfort aussi bien aux Juifs qu'aux Arabes, aimé des Chrétiens et respecté des Musulmans».

La visite de Casini

Finalement, les lettres du Père Jules produisirent leur effet. Après la chute de Napoléon, en 1816 le Général envoya Frère Jean-Baptiste Casini, bon architecte et membre de l'Ordre. Celui-ci accepta la proposition d'aller au Mont Carmel dans le but de s'assurer des dommages infligés au couvent par les Turcs, et il partit de Rome le 20 Mai 1816, pour parvenir à Haïfa le 25 Juin. Le Père Jules ignorait son arrivée prochaine.

Débarqué à Haïfa, Casini demanda où habitait le Père Jules et il fut conduit «à une petite maison en ruine, en face de laquelle se trouvaient deux autres locaux et une petite cuisine avec une dépense, le tout au rez-de-chaussée. Quand j'entrai dans ce taudis,... un homme vêtu de l'habit court des Turcs, effiloché et plein de pièces elles-mêmes déchirées, s'approcha de moi et me dit qu'il était Père Jules, Vicaire du Mont Carmel. Je lui présentai mes respects et je restai avec lui quarante-cinq jours... Le matin suivant mon arrivée je fis l'ascension du Mont Carmel avec le Père Vicaire».

Jean-Baptiste Casini revint à Rome pour rapporter à ses supérieurs ses observations et il fut autorisé par le Définitoire général à lancer une campagne pour recueillir 15.000 écus qui, selon ses calculs, étaient nécessaires pour reconstruire le couvent détruit sur le Mont Carmel. En Mars 1820, il se trouvait à Barcelone où il reçut du Général l'ordre de partir immédiatement pour le Mont Carmel avec tout ce qu'il avait ramassé. Le Père Jules avait écrit plusieurs fois en demandant de commencer le travail de reconstruction le plus tôt possible. En même temps, il rassemblait des matériaux pour le futur chantier. Jean-Baptiste Casini partit de Gênes le 14 Décembre 1820.

Pendant son voyage, il apprit que le pacha d'Acre, Abdallah, avait commencé la démolition de l'édifice. En entrant dans la baie d'Haïfa il put voir, de son bateau, l'explosion qui détruisit de fond en comble le couvent. On ne sait pas si en cette circonstance il put prendre l'avis du Père Jules. Casini reprit le chemin de l'Europe en ayant bien conscience de devoir faire un projet, non point pour la restauration du couvent, mais pour la construction d'un couvent entièrement neuf sur le Mont Carmel.

En 1825, le Père Jules eut pour compagnon dans la résidence d'Haïfa, le Père Camille de Jésus. Durant les nombreuses années qu'il avait passées comme missionnaire en Syrie, Père Camille avait acquis une bonne connaissance de la langue arabe.

Dans une lettre du 10 Novembre 1825, le Père Jules put annoncer au Général de l'Ordre que l'ambassadeur français à Constantinople avait réussi à obtenir du sultan la permission de construire un nouveau couvent sur le Mont Carmel. Le Général renvoya à Haïfa Frère Casini accompagné de Frère Juste. A Messine se joignit à eux Frère Matthieu, un Bulgare. Les trois hommes arrivèrent à Acre à la fin de 1826.

Le Père Jules, en tant que Vicaire du Mont Carmel, devint responsable de l'édification du nouveau couvent qu'il suivait de sa résidence d'Haïfa. Le 14 Juin 1827, Fête-Dieu, il présida la cérémonie solennelle de la pose de la première pierre. Le 12 Juin 1836, l'église fut bénie par le gardien de la Terre Sainte, lui aussi Maltais.

La paroisse

Comme le nombre des Chrétiens d'Haïfa ne cessait de croître, le Père Jules dut en 1832 ouvrir un registre officiel des baptêmes, intitulé *Liber baptizatorum et confirmatorum ecclesiae parrochialis latinae Porphyriae sive Caiphae* (Livre des baptisés et des confirmés de l'église paroissiale latine de Porphyre, dite aussi Haïfa). Le 15 Juillet, le Père Jules y inscrivit le premier baptême. Ce jour peut à juste titre être considéré comme la date de naissance de la paroisse latine d'Haïfa.

En 1835, le Père Emmanuel-Louis de Notre-Dame des Neiges, Maltais, succéda au Père Jules dans la charge de Vicaire du Mont Carmel. Il fut aussi chargé de rétablir la vie régulière au couvent du Mont Carmel, désormais reconstruit. Le Père Jules put donc se consacrer exclusivement à l'apostolat paroissial.

Le 18 Juin 1841, le Vicaire du Mont Carmel, le Père Eustache-Marie de Saint Joseph écrivit au Général de l'Ordre pour l'informer du décès du Père Jules: «Le 6 Janvier, à neuf heures du soir, le Père Jules du Sauveur, Maltais, est passé à une vie meilleure, en ce couvent, à l'âge de 71 ans, après cinquante ans de profession religieuse et quarante ans de vie missionnaire. Il fit profession au noviciat de Santa Maria della Scala, dans la Province de Rome. Il mourut après une brève maladie qui le laissa épuisé. Il est mort comme une lampe qui s'éteint par manque d'huile, assisté de toute la communauté qu'il aimait beaucoup. C'était un religieux totalement observant jusqu'à sa dernière maladie. Il a dirigé la paroisse d'Haïfa jusqu'à ce jour et c'était l'un des rares Pères qui connaissaient la langue arabe».

Les nouveaux édifices

La chapelle et les constructions annexes de la résidence d'Haïfa, situées Place Khamra, aujourd'hui Kikar Pariz, subirent de temps en temps des modifications de structure, selon les nécessités grandissantes de la paroisse. Toutefois, à un certain moment, il fallut penser à la construction d'une nouvelle maison paroissiale et d'une église plus commode, pour remplacer la vieille chapelle qui datait du temps de Jean-Baptiste de Saint Alexis.

Dans les actes du chapitre du couvent du Mont Carmel, le 29 Août 1864, on lit:

153. Rosace de la façade, *correspondant au centre de la croix vue de l'intérieur, oeuvre de Francesco Redaelli.*

154-155. Francesco Redaelli, panneaux du Chemin de Croix, *placés le long des murs de l'église.*

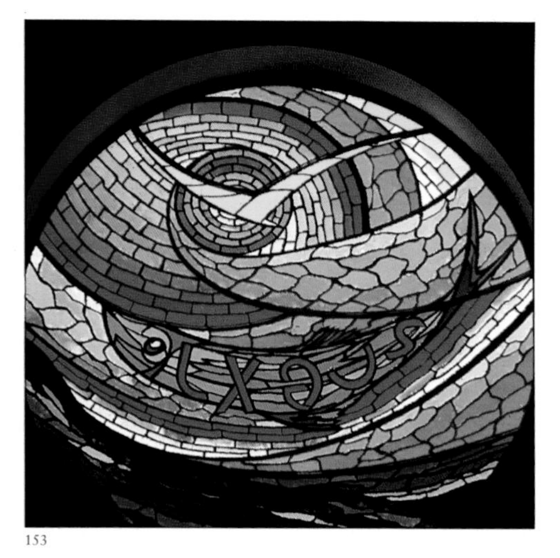

153

«Aujourd'hui, le chapitre conventuel a voté presque à l'unanimité — en effet, il ne manquait qu'une seule voix — l'acquisition d'un terrain situé entre la maison des Soeurs et les murailles d'Haïfa, et en outre la maison à l'intérieur des murs et adjacente à eux, dans le but de construire une église paroissiale à laquelle les fidèles puissent accéder de l'intérieur et de l'extérieur de la ville».

En 1855, le Père Albert de Saint Joseph, curé à la résidence d'Haïfa, avait institué la première école paroissiale en langue arabe pour garçons. Plus tard, le patriarche latin de Jérusalem demanda aux Soeurs de Nazareth d'ouvrir une école parallèle pour les filles, ce qu'elles firent en 1858. L'acquisition des Carmes comprenait une partie du terrain des Soeurs de Nazareth, une partie des murailles de la ville et une maison qui, située à l'intérieur des murs, leur était adjacente. Il devenait donc possible de démolir les murailles de la ville entre l'école des Soeurs et la paroisse, de façon à faciliter l'accès de l'église en cours de construction, aux Chrétiens qui habitaient hors les murs et parmi lesquels on comptait les Soeurs en question et leurs élèves.

Le 19 Septembre 1865, sous la présidence du Vicaire, Père Jacinthe de l'Immaculée-Conception, le chapitre conventuel des Carmes se réunit et enregistra le lancement du nouveau projet: «Les Pères à l'unanimité approuvaient que l'on commençât à construire un nouvel édifice, qui servît d'hospice pour le couvent et de résidence pour le curé latin, dans le jardin situé entre la maison des Soeurs et les murailles de la ville, en vue de la construction d'une église paroissiale».

En récompense des services rendus par les Carmes à la population d'Haïfa pendant l'épidémie de choléra de 1865, le gouvernement français alloua une somme de 1.500 francs aux Pères, somme qu'ils employèrent à couvrir les frais de la construction. Cette dernière fut complétée en 1867, avant que ne débute l'édification de la nouvelle église.

L'étroitesse des locaux et le fait qu'ils n'étaient plus adaptés aux besoins se faisaient durement sentir. Le Père Albert se plaignit très fort de l'exiguïté des logements, et de la chapelle qui se révélait excessivement petite par rapport aux besoins d'une paroisse en croissance, qui comptait parmi ses fidèles les Maronites d'Haïfa, alors privés de leur pasteur. Une vigoureuse protestation signée du Père Albert et de divers membres de la communauté, qui soutenaient son action, fut présentée au Vicaire. Elle lui reprochait de retarder le commencement des travaux par son manque de résolution. Elle l'invitait de façon pressante à obtenir du patriarche latin, Mgr Valerga, l'assurance

154

156. Portail en bronze sculpté par Frère Serafino Melchiorre, représentant la Sainte Famille réunie à l'ombre du Saint-Esprit.

que la nouvelle église serait utilisée comme église paroissiale, tout en restant sous la direction des Carmes, et leur propriété.

Le patriarche latin accepta ces conditions et donna son autorisation le 25 Avril 1867. Le 17 Juillet suivant, le Vicaire informa les Pères capitulants que le Définitoire général des Carmes à Rome avait accordé le permis de construire la nouvelle église dès que la résidence d'Haïfa serait terminée. Le Père Albert reçut du couvent la somme de 30.000 piastres pour commencer les travaux. Le 2 Janvier 1869 l'église était à moitié édifiée et il fallait encore 20.000 francs pour l'achever.

Le plan de la nouvelle église fut l'oeuvre d'un frère lai, Carme de la Province religieuse de Gênes, Antoine de Jésus. Le bâtiment fut achevé à la fin de 1870 et l'église fut consacrée au début de 1871. L'édifice, construit en pierre, pouvait contenir de 300 à 400 fidèles. Pendant les travaux, les Carmes achetèrent une parcelle de terrain située entre la résidence d'Haïfa et la mer, car ils prévoyaient que son utilisation par des tiers pouvait troubler l'activité paroissiale.

Dans les dernières années du siècle, pour pourvoir aux nécessités économiques de la paroisse, les Carmes installèrent sur le terrain où se dressaient auparavant l'ex-chapelle et l'ex-petit couvent, une série de boutiques.

Des actes des chapitres conventuels, il ressort que la petite église de Jean-Baptiste de Saint Alexis, construite en 1767, fut démolie entre Août 1890 et Juillet 1891.

Vicissitudes

Pendant les vingt dernières années du XIXe siècle, la paroisse grandit progressivement, en particulier grâce à l'installation d'autres congrégations religieuses: les Frères des Ecoles chrétiennes en 1882, les Soeurs de Saint Charles Borromée en 1888, les Filles de la Charité en 1889, les Carmélites Déchaussées en 1891-92, les Carmélites de Campi-Bisenzio en 1907 et

156

155

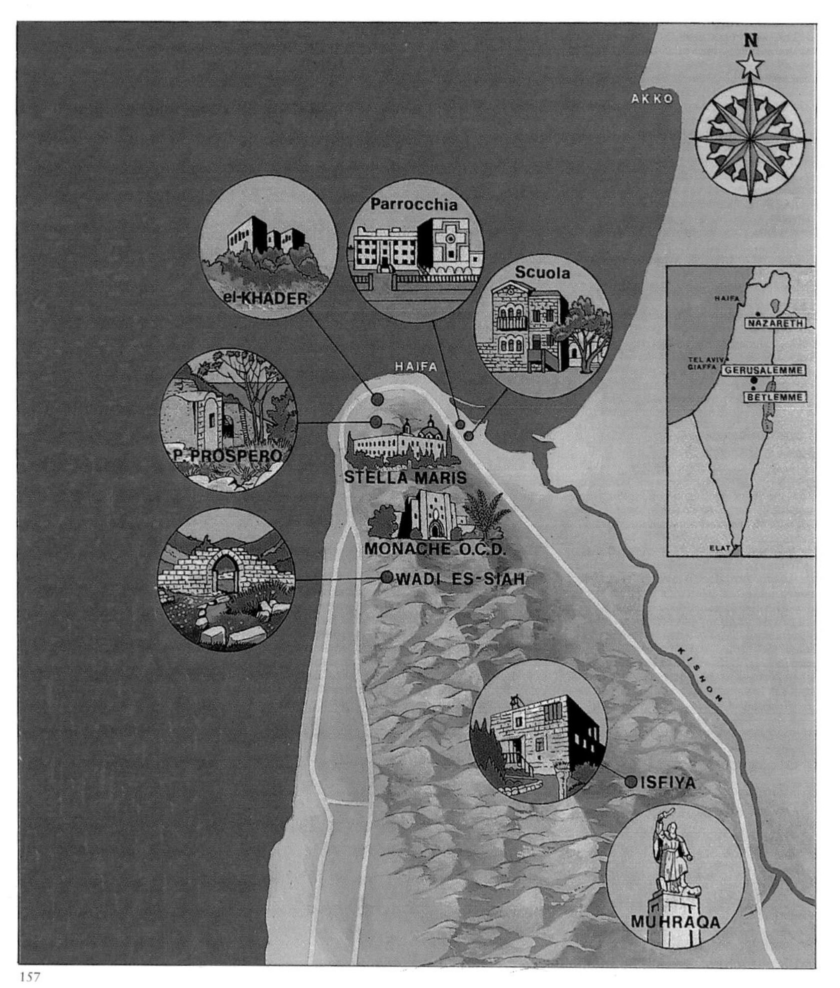

157

157. La présence carmélitaine en Terre Sainte.

les Carmélites apostoliques de Saint-Joseph en 1908.

La déclaration de la première guerre mondiale ouvrit une période difficile pour la vie paroissiale, avec des conséquences désastreuses pour les religieux et pour les fidèles. La guerre finie, la paroisse reprit ses activités normales, soutenues par de nouvelles congrégations qui arrivèrent à Haïfa: l'hôpital italien, confié aux Soeurs franciscaines, fut ouvert en 1920; en 1922, les Salésiens ouvrirent une école située dans Salesian Street; en 1925, les Soeurs de Sainte-Anne créèrent une école de couture pour les jeunes filles.

La seconde guerre mondiale fut encore plus catastrophique que la première pour Haïfa. La paroisse latine perdit environ 3.000 fidèles qui s'enfuirent dans d'autres pays, laissant la communauté réduite à 500 membres à peu près. La résidence des Pères fut sérieusement endommagée, et l'église fut partiellement détruite dans les combats entre Juifs et Arabes pour la possession d'Haïfa. La paroisse dut louer des locaux provisoires à Wadi Nisnas où l'on ouvrit une chapelle dédiée à sainte Thérèse de l'Enfant-Jésus.

Un des protagonistes de la reconstruction, le Maltais Père Cyril Borg, rappelle ces événements en ces termes: «Après l'occupation d'Haïfa par la Haganah et la proclamation de l'Etat d'Israël en Mai 1948, la municipalité d'Haïfa commença à démolir des édifices du côté de la vieille ville et à élargir Market Street (la rue du Bazar) qui finissait à Khamra Square. C'est pourquoi une partie du couvent des Carmes près de l'église latine fut démolie. Elle comprenait une rangée de boutiques au rez-de-chaussée, une série de chambres à coucher au premier étage et le campanile. Après cette démolition, de nombreuses pierres menaçaient de tomber du bord de la terrasse et de la partie restante du mur latéral du couvent. Elles représentaient un danger pour les autos qui étaient garées dans l'espace libéré par la démolition. C'est pourquoi, afin d'éviter tout incident, je fis faire une réparation complète, à l'intérieur et à l'extérieur de ce qui restait du couvent, de façon à le préserver de détériorations ultérieures et d'éviter que, par la suite, un ordre du conseil municipal ne le fasse démolir sans aucune indemnisation».

Le transfert de la paroisse

En 1948, les Salésiens fermèrent leur école d'Haïfa et allèrent s'établir à Nazareth, suivant ainsi les Chrétiens qui s'étaient enfuis avec leurs familles. Les Carmes décidèrent de relever leurs locaux situés dans Hameginim Avenue. En 1950, ils signèrent un contrat qui fixait le changement de propriétaires de l'école sise à Salesian Street, ainsi que de la chapelle et des installations sportives. Le curé transféra ses bureaux dans l'école. On commença ensuite à construire un couvent sur ce terrain.

Le projet de la nouvelle église fut confié à l'architecte Antonio Barluzzi, célèbre pour les monuments qu'il avait construits en Terre Sainte: la basilique de Gethsémani, l'église du Mont Thabor, l'église des Béatitudes. Le 15 Novembre 1959, Thomas des Sacrés Coeurs, 4ème Définiteur général, bénit et posa la première pierre.

En Juin 1961, les travaux étaient terminés. Le 29 Juin 1961 la nouvelle église était inaugurée par le Franciscain Piergiorgio Chiappero, vicaire du patriarche latin de Jérusalem, en présence du Général de l'Ordre, Anastasio du Saint Rosaire et des autorités religieuses et civiles.

P. Francisco
Negral

La paroisse latine d'Haïfa (1948-1993)

L'année 1948, où l'Etat d'Israël fut fondé, représente une date fondamentale pour le développement et l'évolution de la paroisse latine d'Haïfa, dirigée par les Carmes Déchaux. On observe en effet de nombreuses transformations dans les domaines démographiques, sociaux, politiques et religieux.

La réalité actuelle de cette paroisse doit être replacée dans le cadre historico-géographique du Moyen-Orient, dans la zone d'influence de la religion catholique dans cette région, et en particulier dans le contexte du diocèse latin de Jérusalem auquel elle est rattachée.

Il existe deux communautés dans la paroisse latine d'Haïfa: l'une de langue arabe, l'autre de langue hébraïque. Même si nous traiterons surtout de la première, il ne faudra pas oublier que toutes deux appartiennent à la même paroisse, aux soins du même curé.

L'évolution démographique

En 1948, la population arabe d'Haïfa, chrétienne et musulmane, comptait 45.000 personnes. Peu après la proclamation de l'Etat d'Israël, la majeure partie d'entre elles quitta la ville et se réfugia dans les pays arabes voisins. Il ne resta dans la ville et ses alentours qu'environ 3.000 Arabes. C'est pourquoi, dans la première moitié de 1948, la paroisse latine perdit une bonne partie de ses paroissiens.

A partir de ce moment-là, l'expansion d'Haïfa fut très rapide, surtout à cause de l'immigration juive. En 1960, la population s'élevait à 175.000 habitants. Les Chrétiens se répartissaient ainsi: 2.345 de rite melchite, 945 de rite latin, 550 de rite maronite et 3.160 entre Grecs-orthodoxes, Arméniens orthodoxes, Baptistes et Protestants. En 1982, les paroissiens latins de langue arabe étaient montés à 1.258.

En 1991 la population d'Haïfa était de 245.000 habitants. L'ensemble des Chrétiens en représentait 3,6%, c'est-à-dire environ 8.850 personnes. A la fin de 1992, les paroissiens latins de langue arabe étaient 1.764.

L'émigration des Chrétiens du Moyen-Orient en général et de la Terre Sainte en particulier vers d'autres nations est, pour la région, un phénomène négatif qui préoccupe la hiérarchie ecclésiastique. Dans le message de Carême de 1990, adressé par le patriarche latin Michel Sabbah à son diocèse, le problème est amplement traité. Le patriarche affirme, entre autres choses: «En dernier lieu, le désir et le fait de quitter le pays deviennent alarmants. Les difficultés politiques ont accéléré l'émigration».

L'archevêque Jean-Louis Touran, de la Secrétairerie d'Etat du Vatican, soulignait que l'émigration des Catholiques de Terre Sainte était une conséquence de leur situation minoritaire en face de la population israélienne et musulmane. En effet, les Catholiques de Terre Sainte subissent souvent une discrimination. Selon le journal «Jerusalem Post», les facteurs principaux qui provoqueraient l'émigration des Chrétiens du Moyen-Orient seraient la guerre, la pauvreté et le fanatisme musulman.

Parmi les Chrétiens d'Haïfa, le problème de l'émigration était moins préoccupant que dans les autres régions du pays. Concrètement, notre paroisse a bénéficié, au cours de la dernière décennie, de l'immigration des villages de Galilée. Ce phénomène a été aussi observé dans d'autres paroisses de la ville.

A Haïfa, la question de l'émigration concerne particulièrement les jeunes. Les causes de leur départ ne semblent pas être d'abord de nature économique. Il s'agirait plutôt de motifs politiques et sociaux, liés au fait de se sentir citoyens de seconde catégorie, bloqués dans leurs aspirations so-

158

ciales et professionnelles. Une étude réalisée en 1990 a mis en évidence le pourcentage élevé de jeunes qui ont émigré entre 20 et 29 ans. La tendance à l'émigration était trois fois plus importante parmi les Chrétiens que parmi les Musulmans. La communauté maronite était la plus exposée au phénomène de l'émigration.

Changements sociaux

Vers la fin de 1948, le bouleversement de la société arabe en Palestine était total. Les principales familles arabes d'Haïfa abandonnaient le pays. Le peuple resta sans classe dirigeante. Ceux qui demeurèrent constituaient une minorité culturelle, ethnique et religieuse, sans guide.

La paroisse même ressentit fortement cette situation d'instabilité. De 1949 à 1959 se succédèrent au moins 9 curés et vicaires. En outre, en 1948, les Salésiens fermèrent leur école. Les Frères des Ecoles chrétiennes firent de même en 1958, imités par les Soeurs de la Charité en 1962.

En 1959, le Père Cyrille-Francis Borg fut nommé curé latin d'Haïfa. Ainsi commençait une période de continuité qui permit, avec l'aide du Saint-Esprit, d'obtenir des résultats pastoraux et d'offrir quelque tranquillité aux paroissiens. Vers la fin de 1976, c'est le Père Augustin Chidiac, premier coadjuteur qui devient curé. De 1981 à 1985, le Père Cyrille Borg fut de nouveau nommé à ce poste. En Septembre 1985, la paroisse fut confiée au Père Francisco Negral, l'actuel responsable. Il est aidé par les Pères Cyrille Borg et Charles Daabul. Un autre de ses collaborateurs, le Père Daniel Rufeisen s'occupe de la communauté paroissiale de langue hébraïque.

La fermeture des écoles des Salésiens, des Frères des Ecoles chrétiennes et des Soeurs de la Charité laissait un vide dans l'éducation des jeunes d'Haïfa. Les familles chrétiennes au Moyen-Orient cherchent à faire éduquer leurs enfants dans des écoles chrétiennes et elles sont disposées à faire des sacrifices pour cela.

Les Pères Carmes Déchaux remirent en activité l'école des Salésiens, après l'avoir achetée en Septembre 1974. Actuellement, elle est considérée comme l'une des premières du pays pour son niveau d'enseignement, et elle est aussi l'une des plus chères au coeur de la population chrétienne d'Haïfa, car elle contribue à la conservation et à la transmission de la foi catholique aux nouvelles générations.

L'école fonctionne sous la responsabilité des Carmes Déchaux. Le curé de la paroisse en est le directeur et il assure la coordination entre le travail éducatif de l'école et celui de la paroisse. En effet, l'enseignement du catéchisme est placé dans le contexte de la célébration des sacrements, laquelle est réalisée dans la paroisse. Le mouvement *Jeunesse Etudiante Catholique Internationale* est en train de s'affirmer parmi les élèves de l'école et les aide à coordonner leurs engagements d'écoliers et leurs responsabilités religieuses.

Le nombre global d'élèves des classes primaires et secondaires, pendant l'année scolaire 1992-93 s'élevait à 724: 242 Grecs-catholiques, 95 Catholiques romains, 95 Maronites, 73 Grecs-orthodoxes, 3 Protestants et 216 Musulmans. La langue officielle de l'enseignement est l'arabe. Les élèves étudient aussi l'hébreu, langue officielle d'Israël, et l'anglais. Le français est facultatif.

Le programme des études est élaboré selon les directives du Ministère de l'Education israélien. *Carmel School* est classée par le Ministère de l'Education dans la catégorie des écoles catholiques. Elle est représentée officiellement auprès du Ministère par l'organisme juridique appelé *The Catholic ordinaries Assembly of the Holy Land.*

Parmi toutes les activités paroissiales et scolaires qui se succédèrent pendant l'année, le *Carmel Festival* mérite une mention particulière: il est animé par les jeunes de la paroisse. Son but est de découvrir et d'encourager le développement des qualités et capacités artistiques des enfants et des adolescents arabes jusqu'à l'âge de 18 ans. La manifestation se déroule dans le grand auditorium paroissial; plus de 700 personnes y assistent. C'est là un événement connu et apprécié des journaux les plus populaires du pays aussi bien en arabe qu'en hébreu.

L'activité paroissiale destinée aux enfants et aux jeunes ne se limite pas étroitement au domaine religieux, même si celui-ci reste le plus important. Le groupe catéchétique paroissial offre à tous ces jeunes une éducation religieuse incarnée dans la vie quotidienne: activité culturelle, sportive, artistique et récréative.

La pastorale paroissiale pour les adultes est fondamentalement centrée sur la croissance de la foi, à travers des soirées

158. Portail de bronze sculpté par Frère Serafino Melchiorre. Détail. Les carreaux représentent: le mariage de Marie et de Joseph, l'Annonciation de la Vierge, la Nativité.

159. L'auditorium paroissial, centre d'activités culturelles et récréatives.

160. Cour pour des activités sportives, adjacente à l'église paroissiale.

évangéliques réalisées tantôt dans la paroisse, tantôt dans les familles. On insiste beaucoup sur le fait que ces réunions doivent déboucher sur une approche de l'église paroissiale afin que les assistants participent à la vie liturgique. Le même principe est appliqué dans les rencontres entre les diverses communautés religieuses et entre les mouvements religieux, de manière à rendre la paroisse centre et maison commune où le peuple chrétien, dans sa variété, célèbre les mystères de sa foi. La paroisse essaie de se rendre sensible et de venir à la rencontre de tous ses membres, afin que le travail pastoral devienne plus efficace et mieux coordonné. On met en relief la responsabilité très particulière qu'a la famille envers ses enfants et on cherche à l'impliquer dans les programmes éducatifs de l'école et de la paroisse.

Un problème très sensible dans ce pays est celui de trouver une maison adaptée aux exigences et aux possibilités économiques de chaque famille. Les jeunes couples sont particulièrement concernés par cette difficulté. Peut-être est-elle moins aiguë à Haïfa, mais néanmoins elle existe! Notre paroisse n'a pas les moyens d'aider ses paroissiens à acheter leur logement. Le patriarcat latin de Jérusalem et la Custodie franciscaine de Terre Sainte ont financé la construction d'un certain nombre de maisons, spécialement dans les régions de Bethléem et de Jérusalem, où la crise est plus forte.

Tournants politiques

Nous l'avons déjà dit, la meilleure partie de la population de la paroisse, du point de vue humain et religieux, quitta Haïfa en 1948 et n'y revint plus. Ceux qui restèrent étaient très agités et exaspérés sous le joug de l'Etat d'Israël.

Le vicaire général du patriarcat latin en Israël, Mgr Antonio Vergani, constatant que le parti communiste s'infiltrait partout et que beaucoup de jeunes Arabes, en particulier dans la région de Nazareth, adhéraient à ce parti pour le plus grand mal de leur vie religieuse, écrivait en Janvier 1949 au curé latin d'Haïfa: «Je n'éprouve aucune difficulté à reconnaître que, sur Haïfa, pèsent encore des conditions particulières et que le nombre des

159

160

Catholiques romains s'amenuise; et pourtant j'ose le dire, précisément parce que les conditions sont si douloureuses et que les ennemis de Dieu sont si aguerris, il faut se mettre dès que possible au travail pour sauver ce qu'il est encore possible de sauver, et pour affronter résolument les difficultés afin de trouver une solution».

Au début des années 70, le parti communiste d'Israël ne réussissait plus à satisfaire les aspirations nationalistes palestiniennes d'une partie des Arabes. Lentement le facteur religieux se fit plus évident dans le monde politique israélien, spécialement dans la communauté de langue arabe. La religion devint un facteur important de l'identité des Arabes — israéliens, chrétiens ou musulmans. En outre, on cherchait, spécialement parmi les Arabes chrétiens, à changer la praxis administrative des diverses communautés, de façon à la sensibiliser davantage aux questions socio-politiques. Cette tendance commença à se manifester de manière plus organisée vers la fin des années 80. Il n'y a que trois mouvements politiques actifs à Haïfa. Ils sont exclusivement composés de Chrétiens, pour lesquels la religion joue un rôle fondamental. Leurs noms sont: «Renaissance de l'entité chrétienne», «Fils du diocèse» et «Association des Etudiants chrétiens d'Israël».

L'utilisation de la religion, tendancieusement, dans le domaine socio-politique, est un phénomène très connu dans l'histoire de la région et, de temps en temps, cela jette l'Eglise et la société dans de douloureuses crises. Actuellement la communauté grecque-catholique et la communauté orthodoxe sont très divisées par la question de savoir qui doit administrer les biens de chaque communauté, et comment les administrer. La question économique a une incidence directe dans le domaine politique, spécialement chez les Orthodoxes grecs, où l'élément arabe cherche à diminuer l'influence de l'élément grec en ce qui concerne l'administration de la communauté. Actuellement, leur curé est grec, comme presque tout le Synode de l'Eglise orthodoxe de Jérusalem.

L'Eglise locale

Dans les années qui précédèrent la seconde guerre mondiale, le besoin urgent se fit sentir d'ouvrir dans la paroisse un centre récréatif où les jeunes pourraient se retrouver dans une ambiance saine et propre à les former.

Un observateur d'alors, le Carme Déchaux Père Jean de Jésus Hostie, écrivait: «Actuellement la religion chrétienne n'est pas attaquée ouvertement. Mais depuis que la Palestine est sous la domination anglo-juive, l'immoralité a provoqué des désastres: cinéma, nudisme effronté, maisons de péché ont démoralisé la jeunesse chrétienne. Même les Enfants de Marie semblent ne plus comprendre la nécessité de la modestie et luttent de toutes leurs forces contre les sages directives de Rome et du patriarcat. La franc-maçonnerie détruit la foi déjà affaiblie et Satan conduit le bal. Le veau d'or est toujours debout et ses adorateurs se multiplient, même parmi les religieux. Que celui qui a des oreilles pour entendre, entende».

L'onde d'immoralité dont parle le Carme devait se poursuivre les années suivantes. En conséquence, selon les sociologues, ce phénomène aboutit à la destruction de la cellule familiale, ce qui conduisit à l'affaiblissement de tout le cadre social.

Pendant les années 50 et 60, l'Eglise du diocèse de Jérusalem se trouva désorientée parce qu'elle ressentait encore fortement le contrecoup de la création de l'Etat d'Israël. En ce temps-là, la hiérarchie ecclésiastique du pays était composée en majorité d'étrangers et peut-être ne sentait-elle pas en profondeur l'angoisse qui pesait sur le coeur de ses fidèles, surtout après la défaite arabe de 1967.

Vers la fin des années 60, la communauté chrétienne d'Israël devint plus consciente d'elle-même et la voix de l'Eglise se fit entendre dans la société. Aujourd'hui l'Eglise se rend compte, toujours plus, de la nécessité urgente d'insérer la transmission de la foi dans le contexte actuel, et de la rendre plus frappante en découvrant les signes des temps et l'action de Dieu dans notre monde. Il ne s'agit pas d'inventer une théologie pour l'Eglise de Jérusalem, mais plutôt de porter aux fidèles la foi comme lumière, force, consolation et espérance dans le Christ ressuscité.

Notre Eglise locale d'Haïfa se sent profondément unie à celle de Jérusalem en la personne du patriarche Michel Sabbah. Nous collaborons étroitement avec lui à l'élaboration du plan pastoral diocésain et nous marchons ensemble dans le cadre du Synode diocésain de Jérusalem. Nous voulons une Eglise qui écoute et transmette la Parole du Maître, qui vive de son Salut et qui se rende disponible et accessible aux plus pauvres et aux laissés pour compte.

Eglise oecuménique

A Haïfa existent trois paroisses catholiques. Le décret du Concile Vatican II *Orientalium Ecclesiarum* (n° 3), en parlant des Eglises catholiques orientales fait allusion à ces «Eglises ou Rites particuliers» unis à l'Eglise catholique. En Occident, le mot *rite* a une connotation presque uniquement liturgique. Au Moyen-Orient, au contraire, il indique, au-delà de l'aspect liturgique, une «notion» porteuse d'une culture spécifique précise, propre à chaque groupe de Chrétiens orientaux, qui se concrétise dans les usages, les coutumes et les traditions produits au cours de l'histoire par le génie particulier de chacune de ces Eglises.

A l'occasion de Pâques 1992, tous les patriarches catholiques du Moyen-Orient adressèrent une lettre pastorale commune, la première du genre, à leurs fidèles. Dans cette lettre ils les exhortaient, entre autres, à vivre leur foi, à en témoigner dans une dimension vraiment catholique, en évitant tout particularisme négatif.

Fidèles aux directives de leurs pasteurs, les Eglises locales avancent dans le respect et dans la connaissance réciproques sur la longue route qui conduit à l'unité. Les Chrétiens d'Haïfa, y compris les Orthodoxes et les Protestants, ressentent fortement le besoin de travailler pour l'unité. Les différences qui les séparent apparaissent minimes si on les compare à celles qui opposent Juifs et Musulmans. Cette comparaison pousse certainement les Chrétiens d'Israël à renforcer leur unité.

Notre paroisse d'Haïfa est bien connue dans le pays tout entier, pour les services sociaux et religieux qu'elle rend à une infinité de familles mixtes judéo-chrétiennes. Le dévouement du Père Daniel, en particulier, et de la paroisse en général, est reconnu et apprécié.

Hélas! nous ne pouvons pas répondre à toutes les demandes, parce que souvent elles excèdent nos forces. Le courant migratoire qui s'est développé ces dernières années, spécialement celui qui est venu de l'ancien bloc communiste, a amené un grand nombre de Chrétiens. La paroisse prête une assistance précieuse à ces familles.

Dans l'été 1993, notre paroisse d'Haïfa a été choisie par le patriarche de Jérusalem pour représenter le diocèse au symposium que le mouvement *International Council of Christians and Jews* (Conseil International des Chrétiens et des Juifs) avait organisé en Israël.

Le conflit arabo-israélien, si prolongé et tendu, représente un gros obstacle sur la route de l'approche vers ces deux parties. Un progrès politique faciliterait énormément l'entente.

Dans le cadre des activités paroissiales, aucune relation organisée n'existe avec les Musulmans. Parfois nous avons donné asile à des rassemblements de type culturel ou de bienfaisance préparés par des Chrétiens et des Musulmans. L'un d'eux, qui eut lieu en 1991, a vu la participation des principales personnalités politiques musulmanes d'Israël. La Conférence des patriarches catholiques de l'Est a présenté un questionnaire sur les rapports entre Chrétiens et Musulmans, que les uns et les autres doivent étudier ensemble ou séparément. Les résultats de cette enquête ont servi comme instrument de travail pendant le rassemblement des patriarches de Mai 1993.

Notre patriarche Michel Sabbah est connu et estimé pour son action médiatrice, qui tend à créer une entente avec le monde musulman. Il se rend compte de l'importance capitale que cela représente pour la survivance du christianisme dans la région.

161

161. Laboratoire de sciences naturelles dans l'école dirigée par les Carmes Déchaux.

P. Elias
Friedman

El-Muhraqa

162

Un lieu de culte

Le sommet du Mont Carmel, qui atteint 482 m d'altitude est appelé en arabe «el-Muhraqa». C'est comme un balcon qui s'ouvre sur la plaine de Yizréel. Les jours où le ciel est bleu on peut apercevoir Meghiddo, le Gelboe, Nazareth et la cime arrondie du Mont Thabor. En bas, une ligne verte indique le cours du torrent Qishon qui lèche le Tell Qassis avant de se diriger vers la Méditerranée.

A el-Muhraqa, la tradition situe l'épisode dramatique dans lequel Elie, en présence du roi Achab et du peuple d'Israël s'oppose aux prêtres de Baal, pour démontrer qui est le vrai Dieu, et obtient que le feu du ciel consume le sacrifice.

Depuis un temps immémorial, la cime d'el-Muhraqa est considérée comme lieu de culte. Dans des époques plus récentes, les sources historiques parlent de deux édifices de culte qui furent édifiés là: un monument mégalithique et un oratoire musulman.

Le monument mégalithique était formé de douze pierres disposées en cercle. Leur nombre rappelle l'autel construit par Elie avec douze pierres. Ce monument fut connu et décrit par plusieurs visiteurs entre le XIIe et le XIXe siècles. Nous possédons le témoignage de Rabbi Beniamino de Tudela qui visita Haïfa vers 1165 et en entendit parler: «Au sommet du mont, on peut voir l'autel détruit qu'Elie répara au temps d'Achab. L'emplacement de l'autel est circulaire et mesure environ quatre coudées. Le fleuve Qishon court au pied de la montagne». Telle est l'information la plus ancienne que l'on connaisse au sujet de l'existence de ce monument. Elle nous apprend en même temps que les Hébreux rendaient un culte à Elie à el-Muhraqa.

163

164

Ce culte était donc antérieur à l'apparition des Carmes en ce lieu.

Au cours des siècles suivants d'autres visiteurs parlèrent de ce monument. Le Carme Déchaux Jean-Baptiste de Saint Alexis, vers 1767, atteste l'existence d'un culte chrétien: «Nous avons retrouvé sur la plus haute colline un petit portique qui sert d'oratoire pour les Chrétiens, en avant duquel douze pierres sont disposées en forme d'autel. Les Hébreux aussi vont faire oraison autour de ces pierres car, selon leur propre Tradition, le saint prophète Elie, en ce même endroit ou tout près, fit par sa prière descendre du ciel le feu qui consuma son sacrifice». Après celui-ci, nous n'avons plus d'autres informations concernant ce monument.

La première mention d'un oratoire musulman au sommet du Mont Carmel nous vient de Rabbi Jacques de Paris qui visita el-Muhraqa vers 1235. Il rappelle l'autel d'Elie, près duquel s'élevait «un édifice où les Ismaélites (les Musulmans) allument des cierges en signe de respect pour la sainteté du lieu». Vers le XVIIe siècle, l'édifice en question se trouvait en état d'abandon. C.W.M. van de Velde qui publia les observations rassemblées au cours d'un voyage en Syrie et en Palestine, dans les années 1851-1852, vit les ruines et en traça une esquisse: il s'agissait d'une construction quadrangulaire, en partie démolie, entourée d'arbres, devant laquelle s'ouvrait un terre-plein qui pouvait recevoir des groupes assez nombreux. D'après la conformation des pierres, il le jugeait antérieur à la période des Croisades.

La construction de l'ermitage

Le 30 Août 1840, le Carme Déchaux Jean-Baptiste Casini, architecte du couvent sur le promontoire, exprimait dans une lettre son désir de construire une chapelle sur le lieu du «Sacrifice» d'Elie sur le Mont Carmel.

Faute de documents, nous n'avons pu savoir si à cette date les Carmes Déchaux étaient entrés en possession de la cime du Mont. Florent de l'Enfant-Jésus, qui passa plusieurs années au Mont Carmel, relie le choix d'el-Muhraqa par les Carmes à l'acquisition de la villa d'Abdallah pacha sur le promontoire du Cap Carmel en 1846. Il s'agirait d'un épisode ultérieur de la rivalité entre les Carmes et les Grecs-orthodoxes, dans le but d'empêcher les concurrents de s'établir sur le Mont.

Si l'on s'en tient aux actes capitulaires du couvent, la décision d'ériger un ermitage à el-Muhraqa fut prise le 10 Mars 1858. L'année précédente, le 22 Août, au cours d'une visite canonique, le Préposé général, Père Noël de Sainte Anne, avait ordonné la construction d'une chapelle et d'un hospice en annexe. Il fallait 10.000 francs pour commencer le travail; cette somme fut donnée par un Carme Déchaux espagnol, Grégoire du Christ. Celui-ci, peu de temps après avoir fait profession, fut expulsé de son couvent par les lois d'exclaustration espagnoles de 1835. S'étant d'abord réfugié au Mexique, il demanda ensuite l'hospitalité aux religieux du Mont Carmel. Il vécut comme ermite au «Sacrifice» et comme membre de la communauté du promontoire. Il mourut au Carmel le 20 Juin 1868 à l'âge de 75 ans.

Les actes d'un nouveau chapitre conventuel, réuni le 15 Septembre 1858, nous apprennent que les travaux étaient déjà commencés à cette date, et l'on demandait une nouvelle somme de 8.333 francs. Il semble que les travaux n'aient pas pu avancer avec la rapidité souhaitée, parce qu'en même temps il fallut exécuter d'autres projets, parmi lesquels l'édification des bâtiments paroissiaux d'Haïfa. Quoi qu'il en soit, en 1867 on édifia, sur la colline, une chapelle et quelques salles adjacentes. On peut supposer que le Père Grégoire alla y vivre dès que fut prête une cellule habitable.

Le Carme Thomas Gabato put visiter, en 1867, la chapelle et le petit couvent dans lequel ne résidait pas encore une communauté. Il y avait célébré plusieurs fois la messe, en portant ses vêtements sacerdotaux et les vases sacrés. Il affirme que les Carmes désiraient construire une église et un hospice pour les pèlerins, mais que les Turcs s'y opposaient et que le projet avait été mis de côté en attendant des jours meilleurs.

Une difficulté s'éleva quand il fut demandé aux Carmes de produire leurs titres de propriété. Selon les actes du chapitre conventuel réuni le 2 Janvier 1868, un fonctionnaire du gouvernement turc était en train d'examiner les titres de propriété de divers lieux et il avait informé le couvent que, sur paiement de 500 piastres, il s'engageait à leur fournir un document dé-

162. *Emblème carmélitain sculpté dans la pierre au-dessus de la porte latérale de l'église.*

163. *Façade de l'église d'el-Muhraqa, enchâssée entre le couvent et la terrasse panoramique.*

164. Statue de marbre du prophète Elie, *sur la place devant l'église. C'est l'oeuvre du sculpteur Najib Nufi, originaire de Nazareth. Elle a été placée là en 1955.*

165

166

clarant que la montagne du Sacrifice était propriété du Mont Carmel. Le Père vicaire réunit les moines pour savoir s'ils étaient disposés à lâcher les 500 piastres et il obtint un avis affirmatif. La chose se répéta trois ans plus tard.

La question fut réglée définitivement à la fin de la première guerre mondiale, devant une commission d'enquête britannique. Le Père Francis Lamb qui, en 1919, avait été nommé Vicaire du couvent, passant par Rome en allant vers le Mont Carmel, avait pris tous les documents se référant à l'affaire. Il écrit à ce sujet: «Tous les titres de propriété de l'Ordre du Carmel concernant le Sacrifice el-Muhraqa ont été présentés, et plusieurs inspecteurs ont été mandatés pour examiner notre assertion. Comme tout a été trouvé en règle, nous avons marqué nos limites avec des piquets de fer».

Nouvelles constructions

Le 25 Juillet 1879, la communauté du Mont Carmel fut appelée encore une fois à discuter au sujet du Sacrifice: «Le Vicaire expliqua aux Pères que les locaux, non seulement étaient indignes du lieu où ils se trouvaient, mais encore qu'ils menaçaient ruine. Et puisque nous ne pouvons ni ne devons abandonner le sanctuaire, il demanda aux capitulants s'ils étaient d'accord pour que les constructions existantes fussent détruites et remplacées par quelque chose de plus convenable. Le vote secret donna 8 voix pour et 1 contre».

Le Père Vicaire présenta alors un projet prévoyant la construction d'une chapelle et de quatre locaux contigus, pour une dépense d'environ 12.000 francs. Dans la discussion qui suivit, quelques-uns émirent l'opinion que le projet était trop modeste; pour d'autres, au contraire, il était nécessaire d'établir d'abord une communauté résidente qui puisse trancher d'après son expérience.

De toute manière, on décida de réaliser le projet. Lawrence Oliphant, un critique caustique des Carmes, qui visita le Sacrifice en Août 1882, rapporte que «les Carmes sont en train de construire une église et ils utilisent les pierres d'une ruine voisine, sans se préoccuper de leur possible antiquité». Sa femme, Alice, qui vivait avec lui à Daliyat Karmel, près d'el-Muhraqa, nous a laissé un dessin de la chapelle terminée.

La direction des travaux fut confiée au frère lai Antoine de Jésus, qui s'était déjà occupé de la paroisse d'Haïfa, avec l'aide du Frère Corrado de Baghdad.

La chapelle et le petit couvent furent terminés en 1883. Le Père Marie-Joseph, procureur du couvent, fut immédiatement chargé de construire une route montant de la plaine d'Esdrelon à la cime rocheuse. Cette construction fut assurée par François Keller, maçon de profession, qui travaillait pour le couvent. Un Carme qui la parcourut à ce moment-là la définit comme «un sentier escarpé».

La communauté du Mont Carmel avait l'habitude de faire une promenade deux fois par an. Au siècle dernier, le but obligé était le Sacrifice, que les Pères rejoignaient en voiture à travers la plaine d'Esdrelon. Le voyage jusqu'au Tell Qassis, situé audessous d'el-Muhraqa, durait quatre heures, auxquelles on devait ajouter une heure pour monter jusqu'à la chapelle. De la cime, on pouvait jouir d'un merveilleux panorama. Les Pères restaient deux nuits au Sacrifice et célébraient la messe dans la chapelle. Au-dessus et aux côtés de l'autel étaient placés des bas-reliefs de marbre qui représentaient la scène biblique du sacrifice d'Elie.

167

Le Collège apostolique

Le 2 Octobre 1907, un petit séminaire, alors appelé Collège apostolique, fut ouvert au Sacrifice. La cérémonie d'inauguration fut présidée par le Carme Déchaux Mgr Drure, archevêque de Babylone et délégué apostolique pour le Kurdistan, la Mésopotamie et l'Arménie inférieure, qui était venu en pèlerinage en Terre Sainte. Mgr Drure célébra la messe votive de saint Elie en présence du Vicaire du Mont Carmel, des professeurs, des élèves et des notables venus des villages voisins.

En 1906, quand déjà on pensait à l'ouverture du collège, le Vicaire avait proposé d'ajouter un étage au couvent. Les dépenses furent couvertes par une offrande de 5.000 francs faite par le Père Fulgence, Prieur des Carmes de Milan, au nom de la Province de Lombardie.

Les premiers élèves arrivèrent du Liban, où ils avaient eu comme professeur le Père Joseph de Notre-Dame du Carmel (d'Arpino). Celui-ci vint au Mont Carmel le 27 Avril 1907. Après un bref séjour au Sacrifice il repartit pour le Liban, où il fut nommé supérieur de la mission de Syrie, qui dépendait alors de la Province romaine de l'Ordre. Ayant constaté la nécessité d'encourager les vocations naissantes, il réunit quelques garçons et commença à leur enseigner l'italien et le latin. Son successeur, Joseph-Marie de Saint Simon Stock (Fraschetti), choisit trois garçons parmi les plus prometteurs et les envoya au Mont Carmel. C'étaient Ibrahim Safatli, Sarkis Kastun et Antun Kechmech, tous trois maronites et sujets ottomans.

Les trois jeunes hommes furent accueillis par le Père Cyrille de Sainte Marie, alors Vicaire du Mont-Carmel. Ils allaient constituer le noyau historique de la semi-Province du Liban, érigée le 27 Août 1970. Le 1er Août 1909, ils reçurent l'habit de l'Ordre dans la basilique du Mont Carmel et ils firent leurs premiers voeux le 4 Août 1910. On leur donna les noms des trois archanges, Michel, Gabriel et Raphaël. Ils firent leur noviciat au couvent du Mont Carmel sous la direction du Père Marie-Bernard mais, à la fin de Juillet 1913, les persistants bruits de guerre les contraignirent à interrompre leurs études et à regagner le Liban. Ils purent suivre les cours de philosophie et de théologie à Bischerri, sous la direction du Père Joseph Fraschetti.

La Province de Palestine

En 1911, le Père Ezéchiel du Sacré-Coeur, Espagnol, Supérieur général des Carmes Déchaux, fit une visite canonique au Mont Carmel et érigea la petite Province de Palestine, en rétablissant ainsi l'ancienne Province de Terre Sainte. La nouvelle Province était composée de trois communautés: le couvent du Mont Carmel qui abritait les études de philosophie, la paroisse latine d'Haïfa et le couvent de Saint-Elie à el-Muhraqa avec le petit séminaire. Le Père Cyrille de Sainte Marie, Vicaire du Mont Carmel, devint premier Vicaire provincial.

Après la guerre, en 1919, le Père Francis Lamb, un Anglais, fut nommé Vicaire du Mont Carmel. Voici ce qu'il écrit dans un rapport au sujet du Sacrifice: «Le couvent du Sacrifice, situé à l'extrémité opposée du Mont Carmel, est appelé en arabe el-Muhraqa, c'est-à-dire le lieu de l'incendie. Il a été gravement endommagé par les Turcs. Une grande partie du toit est perdue. Toutes les portes et les fenêtres ont été utilisées comme bois à brûler et abso-

165. Intérieur de la chapelle d'el-Muhraqa restaurée en 1965. La base de l'autel est formée de douze pierres brutes.

166. Le tabernacle en bronze sculpté par Frère Serafino Melchiorre. Le prophète Elie, assis sous un palmier, reçoit le pain apporté par un ange.

167. Vision d'Elie sur l'Horeb, oeuvre d'un peintre juif de Jérusalem.

168

168. *Aurore à el-Muhraqa. A l'horizon, les montagnes de Jordanie, à gauche le Thabor, au centre la plaine d'Esdrelon.*

lument rien n'a été laissé dans le couvent. Une partie même du pavement de l'église a été emportée et seule l'arrivée opportune des Carmes a sauvé le monastère de dégâts ultérieurs.

La maison de l'agriculteur est en ruines, la grande statue d'Elie, en marbre blanc, arrivée juste avant la guerre gisait, décapitée, devant la porte de l'église. Une main avait été cassée et on ne l'a pas retrouvée. La tête fut découverte au fond d'un puits proche du couvent.

La restauration de l'édifice fut confiée à un bon charpentier. Il lui fallut beaucoup de temps pour trouver le bois nécessaire à la réfection des portes, des fenêtres et du toit. Avec l'aide d'hommes robustes de Daliyat Karmel, la statue a été replacée sur un piédestal construit par Frère Daniel. Elle se voit de loin et sert de point de repère aux inspecteurs du gouvernement. Une petite communauté s'est reformée avec un supérieur, et la vie monastique a été reprise en ce sanctuaire».

En 1955 une nouvelle statue d'Elie, oeuvre de Najib Nufi de Nazareth, fut inaugurée en présence du Supérieur général, le Père Anastasio Ballestrero. L'intérieur de la chapelle a été rénové dans l'été 1965, et en particulier l'autel, fait de douze pierres brutes, qui rappellent l'épisode biblique du sacrifice d'Elie.

Développements récents

Ces dernières années, el-Muhraqa a connu un développement considérable. Tout d'abord, la route carrossable fut goudronnée. Le gouvernement israélien fit exécuter le travail jusqu'au pied de la colline où s'élève la chapelle. La portion restante, jusqu'au couvent, fut terminée aux frais des Carmes. Cette nouvelle route a notablement augmenté le nombre des visiteurs: pèlerins qui se rendent aux Lieux Saints, ou bien résidents qui cherchent une journée de détente en plein air, au contact de la nature. Le couvent permet aux visiteurs d'accéder à la terrasse d'où, lorsque le temps est beau, on jouit d'une vue splendide sur la vallée d'Esdrelon et sur les principaux lieux de Galilée.

L'Ordre des Carmes Déchaux est constamment engagé dans le développement d'el-Muhraqa, parce qu'il conserve le souvenir d'un épisode important de la vie d'Elie, que la tradition carmélitaine a toujours particulièrement souligné, mais aussi parce que la large affluence des visiteurs ouvre de nouvelles perspectives. Malgré les difficultés logistiques et le manque de personnel, le désir de tous est d'assurer une présence vivante et un constant service aux visiteurs.

Les soeurs Carmélites de Sainte Thérèse

169

169. *Haïfa. L'édifice dans lequel les Carmélites de Sainte Thérèse ouvrirent leur première école.*

La Congrégation des Soeurs Carmélites de Sainte Thérèse de Florence, fondée par la bienheureuse Thérèse-Marie de la Croix en 1874, est un Institut de droit pontifical approuvé par un décret de 1900. Par son origine et sa spiritualité et par son agrégation à l'Ordre des Carmes Déchaux elle veut être témoignage vivant, dans le monde, des multiples aspects du charisme carmélitain thérésien.

En effet, dès l'origine, la bienheureuse Mère orienta sa famille vers sainte Thérèse d'Avila et son Carmel, en offrant à ses filles une expérience de vie contemplative-apostolique, également ouverte à la dimension missionnaire.

La mission au Proche-Orient

Comme sainte Thérèse, la Mère Thérèse-Marie brûlait d'ardeur missionnaire. Aussi accueillit-elle comme un don du Seigneur et avec une immense joie l'invitation qu'elle reçut de l'Ordre de collaborer dans l'apostolat avec les Pères de Syrie et de Palestine. La marche missionnaire de la nouvelle Congrégation débute en Mai 1904 en direction du Liban. Le premier et minuscule groupe de Soeurs est envoyé à Kobayat pour se dévouer au bien des populations de l'Achar. L'année suivante, 1905, le deuxième groupe se rendait à Bicherry pour une entière collaboration avec les Pères du pays des cèdres.

En Mai 1907 avait lieu le troisième envoi de missionnaires, lesquelles, encouragées par les paroles paternelles du pape Pie X et fortes de la bénédiction reçue de lui, se dirigeaient vers Haïfa. A la demande de l'Ordre avait fait écho l'invitation du Supérieur du Carmel, Père Cyrille de Sainte Marie, souhaitant une participation fraternelle à l'apostolat de la paroisse catholique romaine.

Ainsi se réalisait le grand désir de la Fondatrice: aller au Mont Carmel, et ainsi naissait l'oeuvre qui existe maintenant depuis 85 ans, au cours desquels elle a connu des vicissitudes, des changements, des développements et des buts atteints.

Le 29 Mai, les trois Soeurs choisies débarquaient dans le port d'Haïfa, chaleureusement accueillies par le Supérieur du Carmel et par les Pères présents au débarcadère pour les recevoir; de là, elles montaient au sanctuaire pour assister à la sainte messe.

Le journal de voyage envoyé à la Mère nous révèle l'émotion des missionnaires, faisant halte au Carmel au pied de la Vierge. Elles restèrent quelques temps là-haut, en qualité d'hôtes, tandis que, dans la modeste habitation près de l'église paroissiale latine, rue Khamra, on s'activait aux travaux d'adaptation pour accueillir la nouvelle communauté.

Enfin installées dans leur petit centre, les trois religieuses commencèrent leur oeuvre en la dédiant à la Vierge du Car-

170

170. *L'école actuelle, au pied du Mont Carmel, en cours d'agrandissement.*

mel. On ouvrit tout de suite une école de travaux manuels: coupe, couture, broderie, et tout particulièrement on soigna l'enseignement du catéchisme. Fin Juin arriva une quatrième missionnaire dans le but de préparer l'ouverture d'une école primaire, qui eut d'abord une classe unique à plusieurs divisions, puis graduellement se fractionna en classes distinctes. Dans le programme fut inséré également l'enseignement de la musique, accueilli et suivi avec beaucoup d'intérêt.

Dans ce milieu modeste, la vie spirituelle était fervente, car elle était stimulée et soutenue par les Pères du Carmel et aussi par la prière et l'immolation de la Mère fondatrice, héroïquement tendue vers sa rencontre définitive avec le Seigneur. Suivant avec fidélité et attention leur charisme, les missionnaires se prodiguaient à la formation intégrale des jeunes filles et à l'éducation de la jeunesse, spécialement des petits et des plus pauvres.

Les Pères désiraient aussi apaiser de toutes manières les souffrances des plus pauvres de la paroisse; c'est pourquoi en 1909 s'ajoutait au groupe dynamique et enthousiaste une Soeur infirmière, et ainsi un modeste dispensaire fut organisé.

Autour des Soeurs, la population se serrait toujours plus et demandait avec insistance un internat, surtout pour les filles des villages environnants, car la situation politique était très troublée et incertaine. Aussi ouvrit-on un modeste pensionnat qui, en raison de l'exiguïté des locaux, était limité aux cas les plus urgents. En 1912, l'arrivée d'autres missionnaires permit la création d'une école maternelle dans une salle déjà existante.

Finalement la mission s'était affirmée, même si c'était très modestement, en diverses expressions qui portaient, avec l'aide de Dieu, de bons fruits dans la population, parmi les jeunes et même chez les plus petits. En 1913, deux jeunes filles arabes, les premières, prenaient l'habit religieux de la Congrégation.

En 1914, à la déclaration de guerre, tout semblait devoir s'écrouler. Les Soeurs devaient regagner leur patrie; mais deux jeunes aspirantes arabes, courageuses et fidèles, très attachées à l'oeuvre, restaient pour suivre le développement de la situation sous le regard vigilant des Pères, jusqu'au retour des Soeurs en 1919.

La population vit ce retour comme une bénédiction du ciel: nombreuses furent les demandes d'admission à l'école et les locaux devinrent toujours plus insuffisants.

L'école

Cependant, le sénateur, professeur Ernesto Schiaparelli, fondateur de l'A.N.S.M.I. (Association au service des Missions italiennes), avait conçu l'idée d'ouvrir une école à Haïfa pour affronter les problèmes les plus urgents de la jeunesse du lieu, et il priait les Soeurs carmélites d'appuyer son initiative.

A partir de ce moment, l'école passa sous la tutelle de l'Association, elle en était subventionnée, mais elle était toujours dirigée par les Soeurs. L'école maternelle demeurait annexée à la paroisse, sous l'autorité de quelques religieuses qui étaient restées là dans ce but.

L'école primaire fut transférée provisoirement dans les locaux d'un ex-dispensaire situé dans l'enclos des Filles de la Charité. Peu après — car la situation de la ville dans le contexte d'après-guerre présentait de multiples exigences — le sénateur Schiaparelli constatait qu'il fallait, d'urgence, hâter les tractations pour l'achat de la propriété Datodi. Cette acquisition advint en 1923. L'année scolaire 1923-24 commença dans le nouveau local avec environ 350 élèves et quelques internes. La petite communauté religieuse s'adapta, de manière à laisser le plus d'espace possible aux jeunes écolières.

171. La chapelle de la communauté des Carmélites de Sainte Thérèse.

Les deux communautés étaient fidèles à leurs engagements particuliers, avec courage et confiance dans le Seigneur, en communion de vie et de but pour constituer une force d'apostolat efficace.

L'école maternelle paroissiale était toujours plus florissante, et les Pères rêvaient de construire un ensemble vaste, moderne, bien équipé, adapté aux temps nouveaux.

La vie de l'école reprenait dans tous les domaines: internat, travaux manuels, musique, application des programmes officiels, enseignement des langues arabe, anglaise, française. Les élèves se préparaient à un examen technico-commercial. L'insuffisance des locaux devenait évidente. C'est pourquoi en 1930 fut effectué un premier agrandissement d'importance, par l'édification d'une aile frontale à deux étages et d'une chapelle.

C'étaient des années difficiles. Mais l'oeuvre se développait sérieusement et les résultats étaient satisfaisants et flatteurs. En cette période si dense d'efforts pour la bonne organisation, si riche de petits mais fort intéressants développements, on vit s'élever le nouveau bâtiment de l'école maternelle paroissiale, qui ouvrit ses portes en Septembre 1938. L'une et l'autre école se remplissaient, tout était prometteur et bien lancé.

En 1939, la situation politique devint difficile, menaçante et, brusquement, à la déclaration de guerre, tout fut bouleversé. L'école maternelle toute neuve et très belle, l'école dans ses nouveaux bâtiments de l'A.N.S.M.I. récemment agrandis, furent fermées. Parmi les religieuses, plusieurs purent s'embarquer pour un voyage de rapatriement terrible et aventureux; les autres, qui étaient restées parce qu'elles étaient désireuses de garder au moins les propriétés, furent faites «prisonnières de guerre» et transférées à Rafat.

En Octobre de la même année, le Père Vicaire du Carmel, le Père Edmond O'Callaghan, d'accord avec le Père John Tomb, curé de la paroisse catholique romaine, définit l'école «Oeuvre paroissiale» et obtint l'autorisation de la rouvrir. Quatre Soeurs arabes furent alors libérées et purent quitter Rafat pour assurer l'école et la faire fonctionner. Quatre ans d'emprisonnement, durs et difficiles, pour les unes; quatre ans d'efforts et de sacrifices de toutes sortes pour les autres.

Même cette tempête eut une fin! Les Soeurs purent revenir. Tout semblait à demi éteint. La population d'Haïfa était dispersée, la reprise fut très pénible. Mais l'oeuvre ne s'arrêtait pas: école de travaux manuels, classes peu nombreuses mais régulières, quelques activités malaisées, car on manquait un peu de tout.

171

L'après-guerre

En 1948, le gouvernement changea: le mandat britannique était fini et l'Etat d'Israël fut proclamé. L'oeuvre branlante passa une année presque inactive; mais en 1949 commença une lente remise en train: 160 élèves s'inscrivirent tandis que la population se réinstallait tant bien que mal dans les habitations abandonnées.

Alors, plus que jamais, le charisme de Mère Thérèse-Marie de la Croix devint un projet idéal, traduit dans la vie de chaque jour. A la population désorientée qui n'avait pas suivi l'exode général, il fallait donner beaucoup d'aide, de courage et de témoignages de foi.

Les institutions catholiques masculines manquaient maintenant en ville. C'est pourquoi il était nécessaire d'accueillir aussi les garçons, et donc de s'orienter vers une école mixte. Ce changement se produisit pacifiquement, sans problème et la population scolaire en augmenta d'autant.

L'année suivante, l'atelier de couture et de broderie rouvrit ses portes, fréquenté aussitôt par des jeunes filles très intéres-

172

172. *Enfants de l'école primaire. Ecole italienne Schiaparelli.*

sées. En 1951, le cycle élémentaire était complet; s'y ajoutaient deux sections d'école maternelle; au total, environ 250 élèves.

L'horaire d'enseignement, de 8 h à 16 h30 comportait aussi le repas et quelques activités para-scolaires. Cela entraîna le besoin urgent d'une salle vaste et mieux adaptée, qui garantisse un changement de centre d'intérêt ordonné et convenable.

Après de pressantes tractations préalables, l'A.N.S.M.I. — qui considérait toujours avec zèle et rapidité les problèmes de mission — concrétisait l'idée et le projet: le 30 Janvier 1958 on remettait aux Soeurs la salle toute prête, équipée pour toutes les nécessités.

En 1963, les cycles élémentaire et moyen «faisaient le plein» avec 340 élèves. Un troisième agrandissement s'imposait. On envisageait la construction de trois salles en préfabriqué au-dessus du théâtre. Ce fut le don de 1967: trois belles salles, vastes et aérées, qui permettaient de recevoir, avec soulagement, 482 élèves!

Situation actuelle

Pendant l'année scolaire 1969-70 fut ouverte la première classe du cycle supérieur, ce qui rendit tangible la nécessité d'un quatrième agrandissement que l'on mit à l'étude. L'année scolaire 1972-73 fut celle du premier «Bagrut», que précéda l'inauguration de l'aile neuve, le 25 Avril, en une belle cérémonie, toute familiale et joyeuse. Ecoliers et écolières dépassaient alors le nombre de 700 et, de nouveau, se posait le problème de savoir comment affronter les demandes croissantes d'admission.

Les Soeurs remirent une section de première classe aux soins des Pères de la paroisse latine, dans le but de faciliter la naissance d'une nouvelle école catholique pour accueillir la plus grande quantité possible de jeunes, désireux de recevoir une éducation religieuse et humaine.

Parmi les diverses possibilités, la plus audacieuse fut prise en considération: s'orienter vers l'achat d'un terrain adjacent à la propriété de l'A.N.S.M.I., que l'on puisse utiliser dans un premier temps en l'état où il se trouvait et que l'on insérerait plus tard dans le plan de restructuration générale de tout le vieil édifice.

La présidence et les experts se livrèrent à une longue et minutieuse étude du projet. Ne manquèrent ni les difficultés, ni les oppositions, ni les incertitudes, ni même les désillusions en ce qui concernait les autorités civiles. Finalement, l'expropriation de tous les bâtiments existant sur ce terrain, commencée en Janvier 1982, se terminait en Janvier1985. Quelques petites modifications intérieures suivirent, tel que le goudronnage de la cour.

Dès Février, la population scolaire disposait pour sa récréation d'une surface doublée.

Bientôt apparut l'exigence de créer une double section, en commençant par les premières classes. Depuis longtemps, l'urgence d'un travail de fond se faisait sentir. Les élèves se montraient disponibles et ouverts à l'écoute. L'école nous offrait le meilleur moyen pour rencontrer la jeunesse et les familles et les diriger vers une vie de foi plus sûre et mieux vécue. Dans cette optique, on ne pouvait repousser une seule demande et c'est pourquoi il fut décidé de confier l'école maternelle à une autre Congrégation, afin de garantir une activité plus qualifiée.

Nous nous sentions enfin dans une situation définitive. Il nous restait un double devoir: bien soigner les détails de la marche générale de l'école et activer la réalisation du projet de restructuration qui se trouvait dans sa première phase.

La marche de l'école, désormais entièrement à double section, avance avec sûreté, et les diverses activités se développent; mais surtout, les groupes engagés dans la foi nous donnent de grandes satisfactions et se font promesse pour l'Eglise.

Le projet aussi est prêt, et il trouve Rome disposée à jouer son rôle: aider les missionnaires à l'étranger. Le 21 Juin 1988 marque la fin des cours. Le lendemain à l'aube une quarantaine d'ouvriers est en place. Le chantier s'organise rapidement: tous ont compris qu'on ne peut pas bloquer l'école, et chacun s'engage dans un travail fébrile.

A la fin des vacances, le chantier est encore sens dessus dessous. Après une période de gestion provisoire, le 15 Octobre, toutes les classes rentrent dans leurs locaux avec des horaires réguliers, et toutes les activités reprennent leur rythme habituel.

Les garçons rayonnent de joie dans leur cadre nouveau et le fait que l'A.N.S.M.I, association étrangère, ait pensé à eux, les a touchés au plus profond du coeur, aidant ainsi chacun d'eux à réfléchir sur la pratique du précepte divin de l'amour pour tous.

Dans un climat familial, les garçons soignent et surveillent leur école avec passion et tendresse. Chaque jour, plusieurs groupes se succèdent pour remettre en ordre, embellir, réparer les petits dégâts. Ils font des projets, organisent des fêtes scolaires, des célébrations liturgiques; ils se sont engagés à 80 heures de volontariat dans les hôpitaux ou dans des maisons d'accueil, ils participent à des conférences de formation qui ont lieu à l'école pour eux et pour leurs familles.

Le secteur arabe de la population d'Haïfa est pauvre en général. Nos jeunes, de caractère intelligent et volontaire, ne jouissent pas de la certitude d'un avenir prospère et tranquille, ils n'ont pas de maisons confortables, ils n'ont pas la possibilité de distractions saines et formatrices; il leur manque le bienfait d'initiatives riches d'apports éducatifs, qui puissent développer les capacités de chacun. Le jeune homme, ou la jeune fille, révèlent ainsi des carences profondes et, pour cela même, un immense besoin d'affection, de compréhension, d'aide concrète pour se réaliser en développant de façon saine et complète la nature qui les caractérise.

L'école a donc un rôle efficace et bienfaisant. Pour nos jeunes, elle est tout. Elle est société, famille, espace de savoir et de distractions, elle est un lieu très chaleureux d'amitié et de fraternité. En même temps que les diverses disciplines, nous leur inculquons le vrai amour, l'art de savoir vivre ensemble. A l'école émergent aussi les grandes valeurs qui révèlent la sublime dignité de l'homme et cela donne aux jeunes du courage, de la confiance, de l'enthousiasme. A l'école, on s'ouvre aux plus belles aspirations, on prie, on s'engage dans la construction de la paix avec l'aide qui est nécessaire pour progresser dans le savoir et dans le fait de vivre pour un monde meilleur.

Isfiya, le Carmel de Saint-Joseph

Isfiya signifie «la région où soufflent les grands vents». C'est un grand village situé sur le Mont Carmel, où se dressent deux monastères de nos Pères Carmes: Stella Maris et Le Sacrifice d'Elie. Il y a là 9.000 habitants, en majorité druses, une descendance de l'Islam chiite. Il y a aussi quelques familles musulmanes. On compte 1.500 Chrétiens, dont 150 Maronites et 1.350 Melchites. Chacune des deux communautés se réunit dans une seule église desservie par un prêtre marié.

Un actif centre protestant est situé à l'entrée du village. Non loin de nous s'élève la maison de vieillards tenue par les Soeurs de la Charité de Gand. Dans notre secteur, existent deux écoles primaires et une école préparatoire professionnelle.

L'école secondaire est construite à la sortie d'Isfiya, vers le village de Daliyat Karmel. Pour aider les familles, la municipalité a ouvert un village d'enfants dans chaque quartier. Des bienfaiteurs allemands ont aidé la paroisse melchite à ouvrir un club de jeunes, moins actif que celui des Druses, faute de personnel et de fonds. Nous avons aussi des Scouts, peu nombreux mais particulièrement actifs, surtout pendant les vacances d'été et à l'occasion des grandes fêtes.

Notre insertion dans le village remonte à 1921. Les premières Soeurs missionnaires ont rendu témoignage à la Parole à travers le soin des malades, l'éducation des enfants, le service des plus pauvres et la formation professionnelle des jeunes filles et des mères.

Aujourd'hui nous sommes six et nous avons la grâce de compter encore parmi nous deux Soeurs âgées qui ont passé toute leur vie en mission. Soeur Henriette et Soeur Gabrielle, tout en travaillant constamment, passent la majeure partie de leur temps en prière, dans le jardin ou

173

173. Isfiya. La maison des Carmélites de Saint-Joseph.

174-175. L'école maternelle tenue par les Carmélites de Saint-Joseph.

dans la chapelle. Soeur Yves, avec ses mains de fée, continue à accueillir tous les jours dans son atelier un bon nombre de personnes, qui viennent apprendre le tricot, la couture et la broderie. Soeur Salam et Soeur Nouha se dédient à plein temps à notre petite école maternelle, fréquentée par 120 petits de 2 à 5 ans, répartis en quatre classes. Elles sont aidées par quatre maîtresses d'école et quatre collaboratrices.

Comme Isfiya se trouve à 7 kilomètres de l'Université d'Haïfa, notre maison d'étudiantes a été conçue pour accueillir les jeunes filles qui ne trouvent pas de chambres à louer. Nous en recevons 25, originaires des villages de Galilée et de Nazareth.

En plus des visites aux familles, aux malades et aux vieillards, dans l'après-midi nous assurons la catéchèse des enfants de 6 à 12 ans. Un groupe de mères consacrées à la Sainte Vierge se réunit chaque lundi pour prier et réciter le Rosaire. Nous avons des rencontres régulières sur des thèmes bibliques, avec des adultes et des jeunes, dans notre maison ou dans des familles.

Tout en maintenant le rite romain dans un village à majorité melchite, nous cherchons à constituer un lien entre l'Eglise maronite et l'Eglise melchite. Nos Eucharisties, auxquelles participent les habitants du village, sont célébrées dans les

175

trois rites: une fois selon le rite latin par nos Pères Carmes, deux fois selon le rite melchite et deux autres fois selon le rite maronite. Le samedi et le dimanche nous allons dans les paroisses. Normalement, nous célébrons la liturgie des Heures en français; le vendredi soir nous récitons les Heures en arabe avec tous ceux qui désirent s'unir à notre prière.

Le Carmel apostolique de Saint-Joseph est un Institut de vie contemplative, fondé en 1872 en France, à Saint-Martin Belle-Roche dans le Mâconnais, par Léontine Jarre, qui prit le nom de Soeur Marguerite-Marie du Sacré-Coeur. L'Institut se rattacha dès le début à l'Ordre du Carmel. Aujourd'hui il est présent en Europe, au Moyen-Orient, en Israël, en Afrique et à Madagascar!

Les Carmélites de Saint-Joseph, enracinées dans la terre du Carmel, sont appelées à «méditer jour et nuit la loi du Seigneur» et à «veiller dans la prière», selon la règle du Carmel, au sein de communautés fraternelles, présentes au monde par leur prière et leur travail.

Leur recherche du Dieu vivant se fonde sur la Parole de Dieu méditée et contemplée dans la prière. Le silence et la solitude aident à rester en présence de Celui qui nous aime. La communauté est lieu d'écoute, de partage et d'envoi missionnaire: elle est le premier témoignage apostolique. Le service du prochain revêt des formes diverses: accueil et initiation à la prière, travail professionnel, attention à ceux qui se trouvent en situation de pauvreté et de faiblesse.

174

P. Alfonso
Gil Blasco

JÉRUSALEM

«L'an prochain, à Jérusalem». Ce slogan qui a soutenu pendant deux mille ans l'espérance des fils d'Israël de revenir sur leur Terre, s'est réalisé aussi pour les Carmes Déchaux.

L'Ordre ayant été fondé sur le Mont Carmel, on crut pendant longtemps que sa présence sur la terre de Jésus devait se limiter à Haïfa et à ses alentours. Cependant, le Chapitre général qui s'était réuni sur le Mont Carmel en Avril 1931 pour commémorer le troisième centenaire de la récupération du Mont par le Père Prosper du Saint-Esprit, le Chapitre général, donc, exprima le désir d'ouvrir une maison à Jérusalem.

176

La première résidence

Après avoir obtenu l'autorisation du Saint-Siège et l'approbation du patriarche latin de Jérusalem, en Mars 1934, deux Pères et un Frère commencèrent la fondation dans une modeste maison qui appartenait aux Pères dominicains, près de l'*Ecole Biblique.* Les Carmes restèrent quatre ans dans cette maison aimablement prêtée, jusqu'à ce que, le 2 Octobre 1938, la petite communauté se transférât dans le quartier juif de Baca où avait été construit le collège biblique des Carmes.

La maison si attendue n'eut qu'une existence éphémère: en raison de la seconde guerre mondiale, elle fut occupée, dans un but militaire, par les autorités du Mandat britannique. En 1948, à la proclamation de l'Etat d'Israël, y fut installé le premier *Ulpan* du pays, c'est-à-dire une école enseignant l'hébreu moderne aux immigrants. Les Carmes en conservent la propriété, mais non l'usufruit.

Le projet fut ensuite repris plusieurs fois et connut encore une éphémère réalisation.

Présence aujourd'hui

L'action décisive est due à l'actuel Préposé général de l'Ordre, le Père Camillo Maccise qui, le 20 Janvier 1992, à l'occasion de sa visite pastorale au Mont Carmel, chargea le Père Alfonso Gil Blasco, Vicaire du Mont Carmel et Délégué général des Carmes Déchaux en Israël, de chercher une maison à Jérusalem.

En trois mois, diverses possibilités d'implantation se présentèrent. Le 4 Juin 1992, le Général put écrire à tous les Provinciaux de l'Ordre pour demander du personnel pour la nouvelle fondation. La nouvelle fut diversement accueillie. Toutefois dans l'été mûrirent des réponses positives et le 16 Septembre, le Définitoire général put approuver la réouverture de la maison des Carmes Déchaux à Jérusalem, auprès de l'Institut Pontifical *Notre-Dame Centre.* Le Père Alfonso Gil Blasco en fut nommé supérieur, tout en gardant sa charge de Délégué général.

Le 1er Octobre, fête de sainte Thérèse de Lisieux, fut signé le contrat entre le Saint-Siège et l'Ordre des Carmes Déchaux. Le jour suivant, le Père Alfonso se rendit d'Haïfa à Jérusalem pour prendre officiellement possession de la nouvelle fondation. Le 8 Octobre, arriva le Père Tom Shanahan, Irlandais, qui avait passé 25 ans aux Philippines. Le 25 Octobre, ce fut le tour du Père Marco Chiolerio, de la Province de Gênes et enfin, le 29, celui du Père José Garcia de Mendoza, de la Province de Navarre, en provenance du Chili, où il avait travaillé au sanctuaire de Thérèse des Andes.

Au Centre Notre-Dame, les Carmes Déchaux sont chargés de l'animation spirituelle: liturgie des Heures et Eucharistie, dialogue avec les pèlerins et direction spirituelle, proposés aussi aux populations résidant dans le pays. Les Pères peuvent aussi s'adonner à d'autres activités compatibles avec les exigences de la maison: suivre des cours d'Ecriture Sainte, guider des groupes de pèlerins, prêcher des retraites spirituelles, et surtout assurer la direction spirituelle des moniales Carmélites Déchaussées du *Pater Noster,* à Jérusalem, et du monastère de Bethléem.

177

178

176. Entrée de l'Institut pontifical Notre-Dame Centre *où travaillent les Pères Carmes Déchaux.*

177. La résidence des Carmes à Jérusalem.

178. La chapelle du Centre. Les Carmes Déchaux sont chargés de son animation spirituelle.

Frère Séraphin

Frère Séraphin Melchiorre naquit à Gioia del Colle dans le province de Bari en 1932. Après avoir fréquenté l'Académie des Beaux-Arts de Venise, il entra dans l'Ordre du Carmel Déchaux et prit l'habit en 1951. Une fois sa formation religieuse achevée, en 1956 il fut transféré à Rome, à l'église Sainte-Thérèse, sur le Cours d'Italie.

179

L'artiste

Son premier moyen d'expression artistique fut la peinture. Son art ne se limita pas à des sujets de caractère sacré, mais sa recherche de sérénité le conduisit à affronter tous les thèmes, même les plus simples, que la vie quotidienne peut offrir. Son séjour à Rome favorisa sa participation à des expositions, personnelles et collectives, qui lui valurent de nombreuses récompenses.

A partir de 1978, sa préférence pour des sujets d'art sacré s'accentua et coïncida avec un changement dans sa technique expressive: à la peinture, qu'il considérait comme un genre essentiellement linéaire, succéda la sculpture du bronze, vue comme moyen privilégié d'expression et estimée plus intéressante, en raison même de sa technique de travail plus complexe et plus affective. En un premier temps il s'adonna à de petites réalisations, puis il passa à des oeuvres de plus d'importance, telles que les grands portails d'églises. Il en est à son 19ème! Le premier du genre est le portail de l'église Saint-Roch à Gioia del Colle, son pays natal, qui a été mis en place en 1978. Il travailla ensuite pour la cathédrale Saint-Michel de Bari (1982), pour la paroisse Saint-Matthieu à Rocca Saint-Jean (Province de Chieti) en 1988 et pour la basilique Saint-Just à Trieste en 1990.

Frère Séraphin travailla principalement à des sujets carmélitains à l'occasion du quatrième centenaire de la mort de Thérèse d'Avila en 1982. Cet événement l'amena à exécuter le portail de bronze de l'église Sainte-Thérèse, Cours d'Italie, à Rome en 1984, et la statue de bronze de sainte Thérèse, placée en 1985 dans le jardin de la Maison généralice des Carmes Déchaux.

180

Au Mont Carmel

Ces «pièces à conviction» signalèrent Frère Séraphin comme étant l'artiste le plus apte à intervenir dans les travaux de restauration et d'enrichissement des édifices sacrés que les Carmes Déchaux gèrent au Mont Carmel.

Leur collaboration commença en 1987, par la réparation de la statue de bois de Notre-Dame qui trône sur l'autel principal, première intervention depuis que cette statue était revenue au Mont Carmel en 1933.

La même année fut placé le portail de bronze de la basilique, représentant les deux personnages qui sont vénérés en ce lieu: le prophète Elie et Notre-Dame du Mont Carmel. En haut se détache la Stella Maris, tandis qu'aux quatre angles sont traités des sujets en rapport avec le lieu: le sacrifice d'Elie, le prophète en prière dans la grotte au pied du Mont Carmel, la visite à la grotte d'Elie de la Sainte Famille au retour d'Egypte (épisode raconté par la tradition) et enfin le pape Jean-Paul II qui invite à vénérer Marie, lis de pureté.

Ensuite, Frère Séraphin sculpta le tabernacle de l'église d'el-Muhraqa, représentant Elie assis à l'ombre d'un palmier, recevant de l'ange le pain qui lui donnera la force nécessaire pour marcher 40 jours et 40 nuits, jusqu'à l'Horeb, lieu de sa rencontre avec Dieu.

En Février 1990 trouvèrent place dans le sanctuaire sur le Mont, quatre bas-reliefs en marbre de Carrare: de même que la spiritualité carmélitaine se développe autour de Notre-Dame du Carmel, de même les principaux saints de l'Ordre viennent aujourd'hui représenter la continuité d'une histoire. Le Château intérieur de Thérèse de Jésus et la Montée du Carmel de Jean de la Croix créèrent le contexte où deux Carmélites contemporaines en étroite relation avec la Terre Sainte trouvèrent une nourriture spirituelle: Edith Stein, de famille juive, qui théorisa et vécut la Science de la Croix et Maria Baouardy, la Rose d'Orient, née dans un village de Galilée.

En 1992, furent restaurées les peintures de la coupole, réalisées vers la fin des années 20 par Frère Luigi Poggi. Frère Séraphin remit en évidence les frises et reproduisit encore une fois l'étoile au sommet de la coupole.

Sa dernière grande oeuvre — jusqu'à maintenant! — est de 1994: le portail de l'église paroissiale des Carmes Déchaux à Haïfa, dédié à la Sainte Famille. Le Saint-Esprit abrite sous l'ombre de ses rayons Joseph, Marie et Jésus, tandis que les six carreaux latéraux reproduisent des épisodes de la vie de saint Joseph, titulaire de l'église. C'est un hommage à la famille dans l'année internationale qui lui a été consacrée. Ce portail a été inauguré le 19 Mars par le patriarche latin de Jérusalem, Michel Sabbah.

D'autres projets sont en gestation dans le chantier de Frère Séraphin. Ainsi se situe-t-il dans le sillon des Carmes qui ont contribué à exalter la beauté du Carmel.

179. Frère Serafino à côté du portail de Stella Maris.

180. La Scientia Crucis d'Edith Stein, Carmélite Déchaussée, de famille juive, morte à Auschwitz. Sculpture en marbre de Carrare, oeuvre de Frère Serafino Melchiorre, placée dans la basilique de Stella Maris.

Chapitre Cinquième

Se tenir devant Dieu pour tous

En veillant dans l'attente de l'époux

«Le don total de tout son être et de toute sa vie, c'est la volonté de vivre et de travailler avec le Christ, ce qui veut dire aussi souffrir et mourir avec lui de cette mort terrible d'où jaillit la vie de grâce pour l'humanité. Ainsi, la vie de l'épouse de Dieu se transforme en maternité spirituelle pour toute l'humanité rachetée, et peu importe si c'est elle-même qui oeuvre directement pour le salut des âmes ou si c'est seulement son sacrifice qui donne des fruits de grâce, dont ni elle-même ni peut-être aucun être humain n'est conscient». Ainsi s'exprimait la Carmélite Déchaussée, Edith Stein, en méditant sur l'oeuvre de Marie collaboratrice du Christ Rédempteur.

Les Carmélites Déchaussées présentes en Terre Sainte recueillent le message des lieux où s'est manifestée l'action salvatrice de Dieu, de la manière la plus tangible et «en méditant la Parole du Seigneur et en veillant dans la prière» elles témoignent de l'espérance de l'Eglise qui attend la venue de son Seigneur.

181. Haïfa. Monastère des Carmélites Déchaussées. Notre-Dame du Mont Carmel se dresse au-dessus de la baie d'Haïfa.

181

LE CARMEL DE JÉRUSALEM

D'un côté du Mont des Oliviers, il y a l'immensité du désert de Juda, où prophètes et moines cherchaient la solitude. De l'autre côté, c'est Jérusalem, vers laquelle les fidèles montèrent de génération en génération pour trouver Dieu en communauté. Comme point de rencontre entre le désert et la ville, une grotte, dans laquelle, selon la tradition, Jésus se réunissait avec ses disciples pour prier. En ce lieu Jésus aurait prononcé ses discours eschatologiques, concernant la destruction de Jérusalem et le jugement final. C'est peut-être ici aussi que, toujours selon la tradition, Jésus enseigna à ses disciples la prière de l'unité, le *Pater noster*.

Si l'on en croit l'historien Eusèbe, évêque de Césarée, mort en 338, quand Constantin mit fin aux persécutions (313 après Jésus-Christ), trois endroits, qui se glorifiaient d'avoir une grotte mystique, furent dotés par lui d'un édifice somptueux. Sa mère, Hélène, fit élever une église sur le Mont des Oliviers, au point où le Seigneur avait séjourné et avait initié ses disciples aux mystères cachés. La dédicace fut célébrée en 334, on donna à l'édifice le nom d'Eglise des Disciples et de l'Ascension, désignation que très vite le public changea en «Eléona» (l'église de l'Oliveraie). Dès lors elle fut vénérée autant que celle du Saint-Sépulcre.

182

182. Monastère du Pater noster. *Le cloître carré central avec le caractéristique calvaire breton.*

183

184

183. *Jérusalem. Monastère du* Pater noster. *Vue générale. Au premier plan, des oliviers, cultivés sur ce mont depuis toujours et qui lui ont donné son nom.*

184. *La grotte du* Pater noster. *Selon une tradition, c'est ici que Jésus se serait souvent retiré pour prier et qu'il aurait enseigné à ses disciples la prière du* Pater.

Egérie, qui fit un pèlerinage en Terre Sainte vers 385, raconte dans un écrit que, pendant les fêtes de Pâques, l'évêque de Jérusalem y célébrait les offices divins. Il s'y rendait le Mardi saint pour lire le grand discours eschatologique rapporté par l'Evangéliste Matthieu; il y retournait le Jeudi saint pour proclamer le discours prononcé par Jésus après le dernier repas, avant de se rendre à Gethsémani. Pendant l'octave de Pâques, chaque jour dans l'après-midi, il accompagnait les nouveaux baptisés «à la grotte où le Seigneur enseignait à ses disciples».

De 334 à 614, les évêques de Jérusalem voulurent que leurs dépouilles fussent déposées près de cette basilique. Quelques-unes de ces tombes sont encore visibles.

Incendiée par les Perses en 614 et rasée au sol par les Arabes musulmans qui occupèrent la Terre Sainte en 638, la basilique d'Eléona recouvrit la grotte de ses ruines et l'on perdit la trace de ces deux monuments.

Les Croisés reconstruisirent l'église. Ce fut sans doute le moment où s'établit la tradition qui lie ce lieu à l'enseignement du *Pater noster*.

La princesse de la Tour d'Auvergne

Héloïse-Aurélie était fille du comte Bossi, Piémontais, vice-ministre des affaires étrangères de Charles-Emmanuel IV, roi de Sardaigne. En 1805, Bossi avait été nommé par Napoléon Baron d'Empire.

Aurélie naquit le 14 Juillet 1809. Quelques années après la mort de son père, elle épousa Eugène Le Roux, banquier de Paris. Restée veuve, elle se remaria à Gênes avec Maurice-César d'Apchier, prince de La Tour d'Auvergne et duc de Bouillon. Plus tard, la princesse se retira à Paris, au couvent de Notre-Dame de Sion, comme pensionnaire.

Un jour, à la chapelle, elle écouta le sermon de Mgr Poyet, vicaire général du patriarche latin de Jérusalem: il prêchait sur la désolation des Lieux Saints. Sept siècles après Godefroy de Bouillon, la duchesse entendit l'appel de la Terre Sainte. Etant musicienne et artiste, elle était attirée par la vie contemplative. Elle décida donc d'employer ses biens à relever les Lieux Saints en ruine. En Novembre 1856, elle arriva à Jérusalem. Avec patience et diplomatie, en dix ans, elle réussit à acquérir, parcelle après parcelle, six hectares de terrain sur le Mont des Oliviers.

En 1870, elle put retrouver les restes de l'Eléona, autour desquels elle fit construire un cloître de 30 mètres sur 20, d'après un projet de Viollet-le-Duc. Sur les murs elle fit apposer la traduction du *Pater noster* en 32 langues qui, avec le temps, devinrent plus nombreuses. La princesse fit don de cette construction à la France, en confiant à son pays le devoir de conserver pour toujours ce lieu saint à la Chrétienté. Des fouilles successives permirent de retrouver aussi la grotte du *Pater,* qui avait été totalement protégée par les ruines de l'ancienne basilique.

185

Mère Xavière du Coeur de Jésus

En Novembre 1836, Marie Deschamps fut baptisée dans la cathédrale de Lisieux. C'était la fille d'Adolphe Deschamps, président du groupement des avocats. A 20 ans, elle annonça à ses parents son projet d'entrer au Carmel, mais elle reçut un net refus accompagné de l'invitation à attendre sa majorité. Le jour-même de ses 21 ans, elle quitta sa maison pour le monastère.

En 1861, elle fit partie du groupe qui laissa Lisieux pour aller fonder le premier Carmel en mission, à Saïgon. Au bout de six ans, elle fut élue prieure pour trois ans. Toutefois, dès son arrivée en Cochinchine, sa pensée s'était orientée vers une fondation à Jérusalem. Quand sa charge de prieure arriva à son terme, elle put repenser sérieusement à son rêve et, le 18 Avril 1872, elle parvint à Jérusalem.

La princesse de La Tour d'Auvergne habitait en ce temps-là une petite maison sur le Mont des Oliviers, où elle avait déjà fait construire une chapelle et le cloître du Pater.

Le lendemain de son arrivée, Mère Xavière du Coeur de Jésus alla au Saint-Sépulcre avec Mgr Poyet, qui y célébra la messe. Elle se rendit ensuite en visite chez le Père Marie-Alphonse Ratisbonne, qui lui conseilla de prendre contact avec la princesse de La Tour d'Auvergne. Celle-ci voulait construire un couvent, mais elle n'avait pas encore une communauté à qui le confier.

La princesse et la Carmélite s'entendirent bien vite. Mère Xavière visita le lieu, qui lui parut excellent pour un Carmel: «La princesse m'accueillit avec plaisir et à ma deuxième visite, elle me montra les cloîtres du *Pater*. La conversation se centra sur le Carmel. La princesse me donna de bonnes espérances et me montra le lieu où l'on pourrait construire le futur monastère. Quel magnifique panorama! D'un côté toute la ville de Jérusalem, de l'autre la Mer Morte, la route de Béthanie et de Bethphagé. Plus près, à droite, le lieu de

186

185. Jérusalem, monastère du Pater. *Nef centrale de l'église, de style néo-gothique.*

186. Le choeur, adapté aux nouvelles exigences liturgiques. Sur le devant de l'ancien autel adossé au mur, est gravé le Pater *en latin.*

l'Ascension, à gauche la grotte des enseignements, dite du *Pater*. Au pied de la montagne, la grotte de l'Agonie, le jardin de Gethsémani, le torrent du Cédron, la source de Siloë. Il serait très heureux pour nous de pouvoir construire ici un Carmel».

La princesse elle-même se chargea de commencer les pourparlers pour la fondation, avec les autorités ecclésiastiques de Jérusalem. Elle s'offrit à aller à Rome pour obtenir les autorisations nécessaires.

Mère Xavière revint en France afin de réunir les fondatrices. Le monastère de Carpentras fournit le premier groupe de Carmélites. Mère Aloysia fut désignée comme prieure, secondée par Mère Saint François. Le Carmel de Rennes donna Soeur Marie de la Trinité. Le 9 Octobre 1873, la princesse de La Tour d'Auvergne accompagna les moniales à Jérusalem. Le 26 Août 1874, Mère Xavière revint aussi à Jérusalem.

Dans l'intervalle, le 18 Juin 1874, Mgr Vincenzo Bracco, patriarche latin de Jérusalem, avait inauguré le sanctuaire du *Pater*. Peu après, la princesse de La Tour d'Auvergne quitta Jérusalem pour l'Europe.

Mère Xavière prit la direction des travaux d'édification du monastère. La première pierre fut posée le 12 Avril 1875. En attendant que la construction fût achevée, la princesse mit sa villa à la disposition des religieuses.

Les travaux furent exécutés assez vite et bientôt put débuter la vie monastique. En 1881, la princesse revint à Jérusalem pour la dernière fois. Puis elle se retira à Versailles et enfin à Florence, où elle mourut le 4 Mai 1889. Un mois après, le 28 Juin, disparut à son tour Mère Xavière du Coeur de Jésus, emportée par une broncho-pneumonie.

La vie claustrale

La vie claustrale se déroula tranquillement jusqu'en 1914. A la fin de Septembre de cette année-là, les luttes qui opposaient les pays d'Europe retentirent jusqu'au Moyen-Orient. Les relations diplomatiques furent interrompues entre la France et la Turquie et, en conséquence, le traditionnel protectorat de la France sur les catholiques perdit toute puissance.

Les moniales décidèrent de rester à Jérusalem, arguant du fait que la situation était calme. Cependant, le 3 Novembre, elles reçurent l'ordre de quitter le monastère et de se rassembler avec d'autres communautés religieuses à Casa Nova, un hospice des Pères franciscains. L'ordre émanait du patriarche auquel le gouverneur militaire avait promis de protéger les religieuses. A Casa Nova se trouvèrent réunies environ 200 religieuses cloîtrées.

Ainsi commença un exode qui vit les différentes communautés, et donc les Car-

187

187. *Nef centrale de l'église, vers la porte d'entrée. On voit quelques panneaux en céramique polychrome qui reproduisent le* Pater noster *en diverses langues. Dans l'église on en compte vingt.*

mélites, soumises à toutes les incertitudes de la vie des réfugiés et à l'arbitraire des autorités. La situation était encore aggravée par les diversités raciales et religieuses.

Enfin, on décida de transporter les contemplatives en Egypte. Le 26 Décembre 1914 190 religieuses environ, s'embarquèrent sur le paquebot italien *Firenze*, qui mouillait au large de Jaffa. Les Carmélites Déchaussées s'établirent temporairement au Caire, où elles demeurèrent jusqu'en 1919.

Revenues à leur base, à la fin de la guerre, les moniales durent tout reprendre à zéro. Le monastère avait été saccagé et il était dépourvu des objets de première nécessité. Elles trouvèrent une aide très efficace auprès du Dominicain suisse, Matthieu Saliman, de l'Ecole Biblique.

Les Carmélites Déchaussées eurent à leur tour l'occasion de se prodiguer auprès des réfugiés, lors de la guerre entre Arabes et Israéliens, en Juin 1967, dite «Guerre des Six jours». A la demande du patriarche de Jérusalem, Mgr Giacomo Giuseppe Beltritti, le monastère abrita environ 120 personnes, femmes et enfants musulmans habitants du village d'El-Tour, dont les maris et pères étaient partis sur le front. L'infirmerie accueillit les Soeurs protestantes de Darmstadt, dont la maison avait été bombardée. Heureusement, le conflit fut de brève durée et bientôt la situation se normalisa.

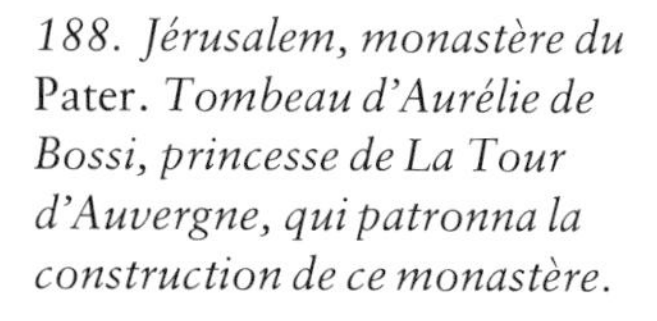

188. Jérusalem, monastère du Pater. *Tombeau d'Aurélie de Bossi, princesse de La Tour d'Auvergne, qui patronna la construction de ce monastère.*

189. Galerie du cloître. On voit quelques-uns des soixante-huit panneaux qui reproduisent le Pater noster *en diverses langues. C'est la caractéristique la plus connue du monastère.*

Vie quotidienne

Actuellement, l'aspect extérieur du monastère est caractérisé par les nombreuses inscriptions du *Pater noster* sur des panneaux de céramique polychrome exposés sur les murs; cela attire beaucoup les pèlerins. On peut en compter 88, dont 20 à

188

189

l'intérieur de la chapelle, les autres sont appliqués aux murs du cloître. De nombreuses langues des divers continents y sont représentées, y compris le *braille*, que les aveugles peuvent lire avec leurs mains sur une plaque plus petite. En outre, il est possible de visiter la grotte du Pater.

Le Carmel de Jérusalem comprend l'édifice monastique, le potager avec l'oliveraie, et une salle souterraine qui permet à la communauté d'assister aux messes célébrées à la grotte. Le potager, cultivé avec l'aide de la main-d'oeuvre locale, assure la majeure partie de la consommation de légumes du monastère.

Au milieu du cloître carré, orné de 28 puissantes colonnes de pierre, se dresse un calvaire breton, entouré de fleurs multicolores.

Chacune des cellules rappelle un lieu de pèlerinage, selon le désir de celle qui l'habite. Aussi sont-elles dédiées au Cénacle, au Calvaire, à Gethsémani, au Mont Carmel... La salle capitulaire conserve deux grandes toiles peintes à l'huile qui représentent sainte Thérèse de Jésus et saint Jean de la Croix, peut-être oeuvres de la princesse de La Tour d'Auvergne, ainsi qu'un portrait plus petit de sa patronne, sainte Aurélie.

La communauté, composée d'une quinzaine de Soeurs, a un souffle international. Ses membres proviennent de divers

190. Quelques moniales occupées à la récolte annuelle des olives.

Dans la page suivante:
191. Un des travaux quotidiens. Reproduction d'icônes en tissu.

192. Jérusalem vue du clocher du monastère orthodoxe russe. Au premier plan à gauche, le monastère du Pater.

190

pays et de diverses cultures: France, Angleterre, Suisse, Belgique, Liban, Jordanie, Italie, Canada, Etats-Unis d'Amérique...

Le Carmel du *Pater*

Jérusalem, ville de la paix! Pourtant si déchirée! Ville sainte où le Fils de l'Homme révéla les secrets les plus intimes de sa vie trinitaire et où il proclamait: «Quand je serai élevé, j'attirerai à moi tous les hommes».

En effet, des quatre points cardinaux il nous a attirées à lui, en ce Carmel, afin qu'à notre tour, unies entre nous, comme des filles bien-aimées du Père, nous attirions aussi, par une vie sacrifiée par amour, tous nos frères encore éloignés.

Carmel du *Pater,* lieu de l'enseignement de Jésus, porteur du nom du *Notre Père* qu'il enseigna à ses disciples. Peut-être devons-nous penser que cette prière nous a été confiée d'une manière spéciale, que sa méditation et sa valorisation constituent un appel spécifique qui nous est adressé?

On dirait aussi que le long commentaire du Pater noster par notre Mère sainte Thérèse, nous a été confié comme une sorte de testament. Rappelons les paroles par lesquelles sainte Thérèse montre que le Pater noster conduit à la plus haute contemplation: «Je m'étonne, affirme-t-elle, de voir qu'en si peu de mots sont renfermées toute la contemplation et toute la perfection; il semble que nous n'ayons pas besoin d'autres livres, mais qu'il suffit d'étudier celui-là... Le *Pater noster* contient tout le chemin spirituel, depuis le début jusqu'au moment où Dieu absorbe l'âme et la fait boire abondamment à cette source d'eau vive qui se trouve au bout du chemin».

Oui, le Pater noster est une prière merveilleuse, conçue de toute éternité dans le Verbe, qui l'a réalisée par son Incarnation. Et nous, comme Jésus et avec Lui, filles confiantes et tout abandonnées, nous nous efforçons d'accomplir sa volonté, afin que son Nom soit sanctifié et que son règne vienne. Vivre le Pater, c'est vivre l'Evangile, dont il est l'essence.

La position de notre Carmel, près de Bethphagé et de Gethsémani, en face du Cénacle et du Saint-Sépulcre est une invitation à suivre notre Sauveur durant sa dernière semaine de vie terrestre, du Dimanche des Rameaux jusqu'à Pâques.

Nous avons sous les yeux l'infini du désert, perçu au-delà du petit désert de Juda, qui nous pousse à écouter l'appel provenant des régions encore immergées dans les ténèbres, pour y rayonner la resplendissante lumière de Jérusalem, à son tour image de la seule vraie lumière: le Christ, venu pour éclairer tout homme en ce monde auquel, précisément du lieu où

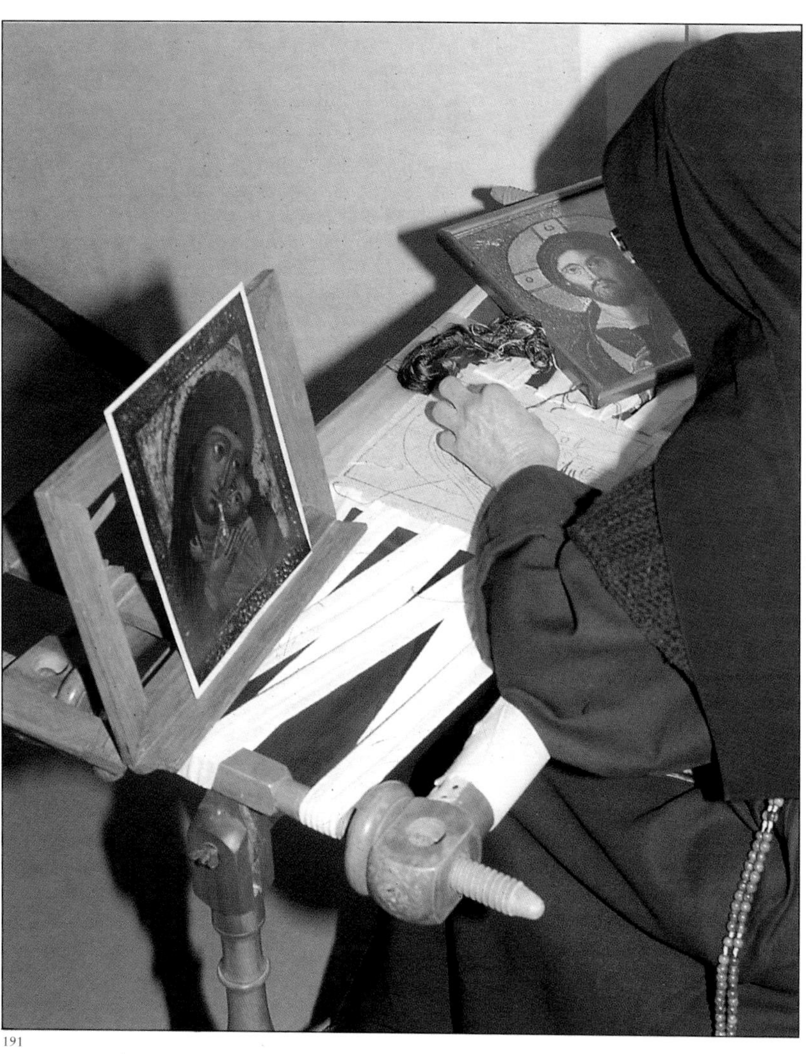

191

nous nous trouvons, les apôtres furent envoyés. Au Mont des Oliviers, il n'est pas possible de ne pas évoquer l'Ascension et le retour du Seigneur.

Nous pourrions résumer les divers aspects de notre identité dans cette parole de Jésus: «Maintenant, Père, je viens à toi» (Jean 17/3). Tel est le chemin que Jésus veut refaire dans notre vie quotidienne et selon la grâce personnelle de chacune. Comme tous les fils du Père, nous le laissons vivre en nous et nous faisons monter vers lui l'immense clameur du monde, inconscient de son identité.

Puisse ce Carmel vivre chaque jour, avec joie et fidélité, le message du *Pater noster,* afin que l'expérience de la paternité de Dieu facilite la fraternité dans le Christ.

192

LE CARMEL DE BETHLÉEM

193

Soeur Marie de Jésus Crucifié fut sans aucun doute l'animatrice de la fondation du Carmel de Bethléem. C'était une fille de la Terre Sainte, née le 5 Janvier 1846 à Abellin, village situé entre Nazareth et Acre, d'une famille catholique de rite grec.

Bientôt orpheline, elle dut, pour vivre, travailler comme domestique à Alexandrie, à Beyrouth et enfin à Marseille (France), au service de la famille Najjiar.

Son désir d'embrasser la vie religieuse crût avec le temps et elle fit une première tentative infructueuse auprès des Soeurs de Saint-Joseph de l'Apparition. Plus tard, le 15 Juin 1867, elle entra au monastère des Carmélites Déchaussées de Pau.

En 1870, peu après le début de son noviciat, elle partit avec un groupe de consoeurs fonder à Mangalore le premier Carmel indien. Là, elle prononça ses voeux. Toutefois, peu de mois après, une série de problèmes l'obligea à revenir à Pau, où mûrit son désir de fonder un nouveau monastère à Bethléem en Palestine. Ce fut elle qui suggéra les démarches nécessaires et qui indiqua les moyens pour mener à terme cette initiative.

Berthe Dartigaux

Du point de vue financier, l'apport fourni par Mademoiselle Berthe Dartigaux fut déterminant. Fille d'un ex-ministre du Commerce de Charles X, elle était née à Pau, le 20 Novembre 1835. Elle reçut dans sa famille une solide éducation culturelle et religieuse. Dès sa jeunesse, elle se sentit attirée par le Carmel, mais sa santé délicate ne lui permit pas de réaliser son désir. Elle décida donc de ne pas se marier et de consacrer sa personne et ses biens à des oeuvres de charité.

Elle connut Soeur Marie de Jésus Crucifié à Pau, par l'intermédiaire du Père Pier-

Dans la page précédente:
193. Nocturne à Bethléem, au clair de lune.

194. Le monastère dans sa réalité actuelle.

195. Eglise et monastère des Carmélites Déchaussées, peu de temps après la construction.

196. La médaille commémorative de la béatification de Marie de Jésus Crucifié, fondatrice du monastère (Entreprise D. Colombo-Milan).

197. Bethléem, monastère des Carmélites Déchaussées. Raccourci sur la façade de l'église.

re Estrate, des prêtres du Sacré-Coeur de Bétharram. C'était la période où l'on projetait la fondation de Bethléem et Mgr Lacroix, évêque de Bayonne, accorda son appui à cette entreprise quand Berthe Dartigaux promit son soutien financier.

Le 20 Juillet 1874, pour la fête de saint Elie, Mgr Lacroix célébra la messe au monastère des Carmélites, puis il franchit la clôture, accompagné d'un prêtre, Monsieur de Saint-Martin, du Père Pierre Estrate, chapelain et confesseur du monastère et de Berthe Dartigaux, bienfaitrice de la communauté.

A genoux devant l'évêque, Marie de Jésus Crucifié désigna Berthe comme la personne qui pouvait financer l'initiative de la fondation de Bethléem. L'évêque invita les moniales à présenter leur requête à la Congrégation de la Propagation de la Foi, car la Terre Sainte était de la compétence de cet organisme.

La Propagation de la Foi, poussée par le patriarche latin de Jérusalem, était tentée de répondre négativement, en raison des difficultés financières du patriarcat. Cependant, Mgr Lacroix envoya une délégation au pape pour solliciter son intervention. L'assurance que les fonds nécessaires à la construction du monastère et à l'entretien de la communauté étaient déjà disponibles et l'intervention du pape obtinrent la permission nécessaire. La Congrégation de la Propagation de la Foi décréta que le patriarche de Jérusalem et l'évêque de Bayonne agiraient d'un commun accord pour le succès de l'entreprise.

Vers la Terre Sainte

Les fondatrices s'embarquèrent à Marseille le 20 Août 1875. Le groupe de dix moniales était composé d'Anne de Jésus, prieure, Thérèse de Jésus, sous-prieure, Emmanuelle, Marie de l'Enfant-Jésus, Marie de la Croix, Marie-Magdeleine, Marie-Thérèse-Véronique, Joséphine du Très Saint Sacrement, Marie de Jésus Crucifié, l'inspiratrice de l'oeuvre, et Elia, encore novice. Elles étaient accompagnées du Père Pierre Estrate, confesseur de la communauté de Pau et directeur spirituel de Marie de Jésus Crucifié.

Le bateau fit escale à Alexandrie et quelques jours plus tard poursuivit sa route vers la Palestine. Le 6 Septembre, les religieuses débarquèrent à Jaffa, accueillies par le vice-consul français et par des Pères franciscains. Le même jour elles repartirent pour Jérusalem où elles arrivèrent le 8 Septembre. Après avoir été reçues par le patriarche latin, les moniales purent visiter les Lieux Saints et enfin, le 11 Septembre, elles accomplirent le bref trajet jusqu'à Bethléem.

Le journal du chapelain Pierre Estrate décrit l'émotion du groupe quand il arriva en vue de la petite ville: «La ville de

194

195

196

Bethléem s'étendait devant nous, un peu à gauche, sur une verte colline couverte d'oliviers. Ici tout était frais et riant, tout respirait la joie. A gauche nous vîmes la vallée des Bergers, où les anges chantèrent le Gloria, et au fond les montagnes de Moab; à notre droite s'étendaient les riches plantations d'oliviers. En face de nous, sur un arrière-plan verdoyant, nous aperçûmes le village où se trouve le séminaire latin. Bientôt nous arrivâmes au centre de l'agglomération, après avoir visité la tombe de Rachel et la citerne de David. Nous franchîmes l'antique porte que Marie traversa souvent. Immédiatement nous nous rendîmes à la grotte de la Nativité, sur laquelle s'élève la basilique construite par sainte Hélène. Nous nous agenouillâmes devant la plaque d'argent autour de laquelle sont écrits ces mots: 'Ici de la Vierge Marie est né Notre-Seigneur Jésus-Christ'. Pendant les dix-huit jours que nous passâmes à Bethléem, nous avons pu célébrer la messe presque tous les jours près de cette grotte».

197

A Bethléem

Immédiatement commencèrent les travaux d'installation du monastère provisoire, situé à l'extrémité opposée de Bethléem par rapport à la basilique de la Nativité. Plusieurs ouvriers, appelés par les Pères franciscains, adaptèrent en quelques jours la maison qui avait été choisie. Marie de Jésus Crucifié fut particulièrement active, malgré son état de santé toujours précaire.

Le 24 Septembre, fête de Notre-Dame de la Merci, eut lieu l'inauguration solennelle. Le patriarche de Jérusalem, Mgr Vincenzo Bracco, présidait la cérémonie. Le consul de Jérusalem et le vice-consul de Jaffa étaient présents en qualité de représentants de la France. On notait aussi la présence des Franciscains et d'autres religieux. La procession se déroula à travers le centre de Bethléem, suivie par toute la population, qui faisait une haie épaisse le long du parcours. Arrivé à la maison, le patriarche la bénit, célébra la messe et établit la clôture. Le Carmel de Bethléem était fondé.

La communauté demeura un an encore dans la maison provisoire. Ce fut Marie de Jésus Crucifié qui indiqua quel était le lieu où il convenait de construire le Carmel définitif. Il s'agissait d'une hauteur, non loin de la basilique de la Nativité, dont elle était séparée par un profond vallon, appelé Wadi Im Ali. Elle était située sur la ligne de partage des eaux entre la Mer Morte et la Méditerranée. Bien aérée, elle jouissait d'une vue enchanteresse sur la ville de David, le désert de Juda, luimême dominé par l'Hérodion et les montagnes de Moab.

L'achat du terrain se révéla difficile, car la colline était divisée entre de multiples propriétaires, dont quelques-uns étaient turcs. Un accord passé entre le consul français et le pacha débloqua la situation; aux termes de cet accord les réfractaires furent contraints de vendre leurs parcelles au prix fixé par une commission d'arbitrage.

Marie de Jésus Crucifié devint l'architecte du futur Carmel. Elle indiqua d'abord le lieu où il fallait creuser une citerne. Celle-ci devait se trouver au centre du cloître et, tout autour de ce point, le monastère s'élèverait en forme de tour: la «Turris Davidica», Tour de David, pour rappeler que le monastère devrait être un lieu de solitude et de silence. En quelques circonstances, elle fit aussi allusion à une construction en forme d'étoile, l'Etoile de Bethléem.

Aidée de Mère Véronique, Marie de Jésus Crucifié mit par écrit ses intentions. Le rez-de-chaussée devait être réservé aux ateliers communs, l'étage aux cellules. Le choeur, la chapelle, le parloir et l'appartement des tourières seraient construits hors de la tour. L'édifice laisserait transparaître une totale pauvreté, pour rappeler la

198

198. Berthe Dartigaux: elle finança la construction du monastère de Bethléem où elle mourut en 1887.

199

nudité de la crèche: aucune décoration, pas d'arbres ornementaux, mais seulement des arbres fruitiers. Un architecte de Bethléem, Ibrahim Nassar, apporta un support technique à ces indications. Ce fut lui qui dirigea les travaux de construction. Le Vendredi 24 Mars 1876 on posa la première pierre. La cérémonie fut présidée par le patriarche de Jérusalem, en présence de quelques moniales de la communauté. Y assistèrent aussi le consul de France, des Franciscains, des prêtres du patriarcat et un groupe de Soeurs de Saint-Joseph de l'Apparition qui accompagnaient leur Supérieure générale. Le patriarche et le consul de France posèrent ensemble la première pierre.

Les mots par lesquels le Père Estrate nota l'événement décrivent bien l'esprit qui présidait à la fondation: «Nous avons perçu avec une profonde satisfaction, pour le temps présent et pour l'avenir, que l'Eglise et la France jetaient avec intérêt et amour les fondations d'une maison qui leur appartenait entièrement, et qui était entièrement vouée à l'Eglise et à la France».

Dans la nouvelle maison

Vers la fin de l'année, les travaux étaient suffisamment avancés pour que l'édifice puisse déjà abriter la communauté. Le 21 Novembre 1876, fête de la Présentation de Notre-Dame, la communauté se transporta dans le nouveau monastère. Le patriarche permit qu'au cours du trajet, les moniales puissent visiter la grotte de la Nativité.

La construction subit un ralentissement en 1877, mais reprit son rythme normal l'année suivante. Tout allait bien, au point que l'on commençait à projeter une nouvelle fondation à Nazareth. Marie de Jésus Crucifié s'y rendit elle-même pour chercher un terrain adapté. Toutefois, elle ne put voir la maison de Bethléem terminée. A la suite d'une chute, qu'elle fit en portant à boire aux ouvriers, elle se brisa le bras. La gangrène l'emporta le 26 Août 1878.

Le 27 Mai 1879, Berthe Dartigaux alla s'installer définitivement au Carmel de Bethléem. Ses mérites de bienfaitrice lui donnaient le droit d'habiter à l'intérieur du monastère. Ce ne fut pas un hôte encombrant: son unique préoccupation fut celle de se mettre au service de la communauté.

Au début de 1887, sa santé, qui avait toujours été délicate, déclina rapidement. Elle mourut le 5 Mars, au choeur, pendant la célébration de la messe communautaire.

En 1888 commença la construction de la chapelle actuelle du monastère, qui fut bénie solennellement le 19 Novembre 1892. Les plans furent l'oeuvre de l'architecte français A. Boutaud, de Poitiers, qui la réalisa en style néo roman-byzantin. Simple à l'extérieur, elle présente à l'intérieur une décoration sobre de lignes élégantes. De beaux marbres et des vitraux exécutés par un artiste de Bordeaux, M. Dagrand, contribuent à son atmosphère solennelle et recueillie. La chapelle est dédiée à saint Joseph, pour rappeler les difficultés endurées par la Sainte Famille à son arrivée à Bethléem. Le rétable du maître-autel, oeuvre également de A. Boutaud, représente la Sainte Famille. Derrière le maître-autel repose la dépouille du Père Pierre Estrate, mort en 1910, qui dépensa beaucoup d'énergie pour édifier et pour assister dans ses premiers pas le Carmel de Bethléem.

Récemment, en 1982, peu après sa béatification, les restes de Soeur Marie de Jésus Crucifié furent déposés dans une urne artistique, ouvrage de Francesco Redaelli, des Missionnaires du Sacré-Coeur de Bétharram, placée près du choeur contre le mur de droite en regardant l'autel.

200

201

202

199. Ibrahim Nassar, architecte de Bethléem. Il fit le projet du monastère d'après les indications de Marie de Jésus Crucifié.

200. Le cloître intérieur à plan circulaire.

201. Père Pierre Estrate, des missionnaires du Sacré-Coeur de Bétharram. Ami des Carmélites Déchaussées de Pau, il assista assidûment le groupe des fondatrices de Bethléem.

202. Le choeur de la communauté avec la grille ouverte sur l'église.

203. Galerie supérieure du cloître avec la statue de Notre-Dame.

204. Préparation des hosties pour la célébration de la messe.

Dès le début du Carmel de Bethléem les vocations accoururent nombreuses. En 1910, la communauté se composait de trente moniales, nombre qui rendit possible la fondation de Nazareth.

Pendant la guerre de 1914-18, il y eut un moment difficile. Les religieuses françaises furent contraintes par les autorités turques de quitter le pays et elles furent accueillies par leurs consoeurs du monastère de La Calade, à Marseille. Le reste de la communauté demeura sur place, malgré la situation précaire. Tous les religieux de Bethléem furent expulsés par la force. Seul le monastère resta inviolé, en dépit de multiples tentatives des Turcs pour y pénétrer.

En 1919, les Soeurs françaises purent retourner en Terre Sainte. Ce fut un nouveau commencement, à partir duquel la vie s'est déroulée à l'enseigne de la continuité et de la simplicité.

Aujourd'hui, le Carmel de Bethléem est connu sous le nom de Carmel de l'Enfant-Jésus et il se sent appelé à vivre le mystère du dépouillement: mystère de pauvreté et de simplicité, de proximité de ceux qui souffrent, au milieu d'une population qui éprouve des difficultés d'ordre politique et économique et dont l'avenir est incertain.

Chanter autour de la Crèche

Chaque Carmel a sa physionomie, sa vocation particulière et répond à une pensée de Dieu. Notre Carmel est celui du Saint Enfant-Jésus de Bethléem et de Soeur Marie de Jésus Crucifié, le Carmel de la crèche et de la «Petite». Cela résume une double grâce qui nous marque profondément et qui trace notre route, notre mission dans l'Eglise.

Bethléem, la mangeoire dans le rocher, le Nouveau-né adoré par sa divine Mère, saint Joseph, les mages! L'étoile resplendissante au milieu du firmament, le chant des anges, le *gaudium magnum.* «Et toi, Bethléem, tu n'es pas la plus petite des villes de Juda». Le soleil divin t'éclaire et cette lumière montre la route aux grands et aux petits.

Le soleil divin, cet Enfant de la crèche, qui depuis deux mille ans éclaire l'univers, le réchauffe, inspire les poètes, séduit et plonge en extase les saints, attire à lui les simples et les petits, nous a appelées, nous aussi les Carmélites de Bethléem; il nous a réunies des quatre points cardinaux et a tracé notre vocation particulière, notre mission dans l'Eglise.

203

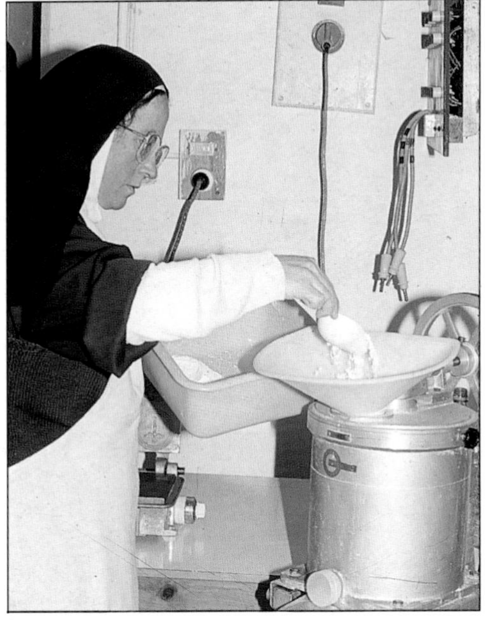

204

205. La communauté réunie autour du patriarche de Jérusalem, Giacomo Giuseppe Beltritti, après la réexhumation des restes de Soeur Marie de Jésus Crucifié.

206. Solennelle célébration d'action de grâces pour la béatification de Soeur Marie de Jésus Crucifié (20 Décembre 1983).

205

206

«Nous sommes appelées à chanter comme les anges autour de la crèche!». Ainsi s'exprimait une de nos anciennes Mères, une Mère vénérée et aimée: Marie-Thérèse du Saint-Esprit. Ainsi résumait-elle l'esprit propre à notre Carmel et elle nous le transmettait.

Oui, chanter, louer, glorifier le Seigneur au nom de tous nos frères du monde entier, au nom de toutes les générations passées, présentes et futures, au nom de toutes les créatures. Mission de louange aux dimensions universelles. Mission que nous devrons réaliser en nous maintenant en esprit près de la crèche, en pratiquant les vertus de l'Enfant-Jésus, en devenant pauvres, petites, humbles, cachées. Mission qui nous immerge dans la joie: joie de posséder Dieu, de pouvoir l'aimer et le faire aimer, par notre vie cachée et nos sacrifices. Notre identité, c'est ce mystère d'enfance spirituelle, mystère réellement compris et vécu, qui marque d'une empreinte spéciale notre communauté: aspect de joie dans la pauvreté, de simplicité, de vie de famille.

Ces traits distinctifs ont été particulièrement imprimés en nous par l'exemple et la vie héroïque de Soeur Marie de Jésus Crucifié, véritable instrument dans les mains de Dieu pour la fondation de notre Carmel.

Dans le sillon de notre tradition carmélitaine, Marie de Jésus Crucifié nous a montré en détail les vertus de la crèche et nous a rendu familier le culte de la petitesse: «Soyez toutes petites: celui qui se fait tout petit plaît à Jésus et le rencontre». Nous avons été formées à cette école, et tout en désirant devenir petites, humbles, simples et joyeuses, nous ne cessons d'aspirer à être aussi des âmes ferventes, de feu, au grand coeur et aux désirs immenses. Marie de Jésus Crucifié disait encore: «Seigneur, je voudrais un coeur plus grand que le ciel, que la terre et que la mer pour t'aimer!».

C'est beau de vivre au Carmel de l'Enfant-Jésus et de Soeur Marie de Jésus Crucifié. C'est beau de donner sa vie en chantant: «Gloire à Dieu au plus haut des cieux et paix sur la terre aux hommes qu'Il aime!».

Le Carmel de Nazareth

Au dernier tournant de la route qui monte de la plaine d'Esdrelon, Nazareth, la ville des fleurs apparaît comme une fleur,comme une coupe scintillante dans la lumière débordante du soleil. C'est aussi la ville des dix collines, dont le centre conserve, à l'ombre de la basilique, la relique inestimable de la grotte de l'Incarnation. Dans ce rocher, la Vierge reçut Dieu dans son coeur pour lui donner chair: «Hic Verbum de Maria Virgine caro factum est».

En ce lieu si saint où commença le mystère du salut des hommes, il fallait qu'il y eût un Carmel. On dut néanmoins attendre la fin du siècle dernier et le début du nôtre pour pouvoir l'édifier.

Marie de Jésus Crucifié

L'initiative de sa fondation revint à Soeur Marie de Jésus Crucifié, Mariam, la petite Arabe. Le Carmel de Bethléem n'était pas encore terminé que déjà elle pensait à Nazareth.

Dès 1876, elle en parlait à Mgr Vincenzo Bracco, patriarche de Jérusalem. Souvent, après l'arrivée des moniales de Pau, fondatrices de Bethléem, elle lui rappelait, avec une simplicité affectueuse mais insistante, qu'il avait été opposé à cette fondation. Et elle lui demanda d'obtenir de Rome, presque en geste de réparation, le permis de fonder Nazareth. Mgr Bracco s'engagea même à trouver le terrain sur lequel devrait s'élever le monastère.

L'unique obstacle sérieux à la nouvelle fondation était encore le problème économique. Le patriarcat n'avait pas les moyens d'aider financièrement la communauté, qui se trouverait bientôt en difficulté. La somme nécessaire à l'achat du terrain fut offerte par Berthe Dartigaux, la bienfaitrice de Bethléem, qui fournit aussi une partie des ornements et du mobilier de la sacristie.

En 1878, le permis était déjà arrivé de Rome et le chancelier du patriarcat de Jérusalem, don Joseph Tannous, acquit à Nazareth quelques terres sur lesquelles on pouvait construire le monastère. Au mois de Mai, la prieure de Bethléem, accompagnée de Soeur Marie de Jésus Crucifié et d'une autre Soeur, se rendit sur les lieux pour les voir.

207

207. Panorama de Nazareth. On voit, l'un en face de l'autre, le monastère des Carmélites Déchaussées (dans le petit cercle) et le sanctuaire de l'Incarnation.

En ce temps-là, pour aller de Bethléem à Nazareth, il était nécessaire d'aller à Jaffa, de poursuivre le trajet par mer de Jaffa à Haïfa, et ensuite de reprendre la route jusqu'à Nazareth. Au cours de ce voyage, les religieuses reçurent l'hospitalité du couvent du Mont Carmel et visitèrent la grotte d'Elie, au pied du promontoire.

Le 18 Mai, elles parvinrent à Nazareth. Mgr Bracco arriva quelques jours plus tard. Ensemble, ils décidèrent de bâtir le nouveau monastère en face du sanctuaire de l'Incarnation. Le projet semblait promis à une prompte réalisation. Les Carmélites revinrent à Bethléem, où Marie de Jésus Crucifié reprit son travail auprès des ouvriers. Quelques mois plus tard, quand elle mourut (26 Août 1878), la construction de Bethléem était presque achevée.

Pour Nazareth, il fallut attendre encore. Les autorités turques, d'une part, contraires à l'établissement d'institutions européennes sur leur territoire, refusaient avec constance l'autorisation de construire l'édifice et, d'autre part, la communauté de Bethléem n'était pas encore assez nombreuse pour pouvoir fonder un nouveau monastère.

En Avril 1893, à la mort de don Joseph Tannous, un groupe de Carmélites dut de nouveau se rendre à Nazareth pour régler de façon définitive les titres de propriété des terrains depuis longtemps achetés. Elles furent accompagnées par quelques Pères de Bétharram, parmi lesquels Pierre Estrate, et le futur architecte et constructeur du monastère de Nazareth, le Père Planche.

L'opposition des autorités turques à la construction du monastère ne fut surmontée qu'en 1903. La comtesse de Noailles, bienfaitrice du monastère de Pau, avait un cousin à l'ambassade française de Constantinople, lequel s'offrit à obtenir l'autorisation nécessaire. Tout de suite après, Père Planche se mit au travail, faisant à la fois fonction d'architecte et d'animateur de chantier.

Comme on devait bâtir sur la pente de la colline, les travaux préliminaires furent assez laborieux. En outre, il fallut pourvoir à la réalisation de deux vastes citernes pour recueillir les eaux de pluie, unique ressource hydrique disponible en ce temps-là.

Un petit château

Le projet du monastère était simple, structuré autour du cloître central. L'architecte voulut qu'il ait l'aspect d'un petit château, pour rappeler le *Château intérieur* de Thérèse de Jésus.

Le 28 Juillet 1907, on posa la première pierre, qui fut bénite par le Carme Déchaux Père Cyrille, Vicaire du Mont Carmel.

En 1910, lorsque la construction fut achevée, la nouvelle communauté fut formée. Elle provenait du monastère de Bethléem qui comptait alors 32 moniales. Le Père Pierre Estrate voulut choisir per-

208. Nazareth, façade du monastère des Carmélites. L'architecte qui a fait les plans a voulu qu'il rappelle le Château intérieur *de sainte Thérèse de Jésus.*

208

209

sonnellement les fondatrices. Il comptait les accompagner à leur nouvelle demeure; mais la mort vint le prendre et il fut enseveli dans la chapelle du monastère de Bethléem.

Au mois d'Octobre 1910, Mgr Filippo Maria Camassei, patriarche de Jérusalem depuis trois ans et demi, alla au Carmel de Bethléem pour accomplir les formalités nécessaires à la nouvelle fondation. Entre autres choses, il s'agissait aussi du titre à attribuer au monastère. Tandis que la prieure de Bethléem proposait de l'intituler «Carmel de l'Annonciation», le patriarche préféra le titre de la Sainte Famille.

Le 24 Octobre 1910, les onze fondatrices quittèrent Bethléem. Il y avait six Françaises, trois Palestiniennes, une Italienne et une Allemande. Le chapelain, le Père Roy, de Bétharram, et Georges Baouardy, neveu de Soeur Marie de Jésus Crucifié, les accompagnaient.

Soeur Marie-Elisabeth de la Visitation, Bretonne, âgée de 28 ans, avait été choisie comme prieure. Soeur Maria-Pia, de la famille romaine De Magistris, était sous-prieure. A part trois ou quatre Soeurs, la majorité du groupe était composée de religieuses très jeunes, autour de 22 ans.

Le 27 Octobre, elles arrivèrent à Nazareth, leur nouvelle demeure. Le monastère les attendait, construit dans la pierre blanche locale, à mi-pente sur la colline au pied de laquelle se trouvait la ville. En face, se dressait le sanctuaire de l'Annonciation; au loin, on distinguait la forme arrondie du Thabor, la plaine d'Esdrelon et les premiers contreforts du Carmel.

Les préparatifs furent terminés le 13 Novembre. Le lendemain, 14 Novembre, le Père Brocardo, Carme du Mont Carmel, célébra la première messe dans le parloir, car la chapelle n'était pas encore finie. La clôture fut ensuite officiellement établie. La chapelle fut inaugurée le 15 Janvier 1911, en la fête du Saint Nom de Jésus.

L'âme de la communauté

Marie-Elisabeth de la Visitation, la prieure, fut l'âme de la communauté. Dès son adolescence elle avait désiré la vie religieuse et, quand elle entendit parler du Carmel de Bethléem, elle demanda d'y

210

209. *La* Sainte Famille, *à qui est dédié le Carmel de Nazareth. Détail du choeur.*

210. *Nef centrale de l'église.*

être accueillie. Par une heureuse coïncidence, elle fit le voyage de France en Palestine en compagnie de la comtesse de Noailles qui finançait le monastère de Nazareth. Son noviciat terminé, elle fut nommée maîtresse des novices. Ses qualités d'équilibre et de goût exquis furent précieuses pour les débuts du monastère.

La première guerre mondiale arriva trop vite. Le 26 Novembre 1914, les moniales de nationalité française furent expulsées de Palestine. Soeur Marie de l'Annonciation, Allemande, put rester pour assiter Soeur Thérèse-Marie, malade et dans l'impossibilité de voyager.

La communauté fut d'abord l'hôte du Carmel français d'Oloron, puis elle se transféra à Montpellier où elle accueillit deux novices: Marie-Cécile de l'Eucharistie, qui devait être par la suite et longtemps prieure, et Marie-Thérèse de l'Enfant-Jésus, guérie d'une grave forme de tuberculose par l'intercession de la Sainte de Lisieux.

Le 4 Juillet 1919, la communauté regagna son monastère de Nazareth. Pendant la guerre, les Turcs l'avaient transformé en hôpital, avec toutes les conséquences imaginables! En outre, les conditions économiques étaient rendues précaires, à cause de la difficulté à trouver des travaux pour assurer le nécessaire à la communauté. Mère Marie-Elisabeth était de nouveau prieure du monastère. Entre l'état défectueux de la maison et la situation du pays, il semblait qu'il s'agît d'une nouvelle fondation!

Néanmoins, grâce à l'effort commun, la vie reprit et de nouvelles vocations se présentèrent. Mère Elisabeth fit preuve en ces circonstances de ses dons maternels à l'égard de sa communauté. Elle exerçait aussi ce don envers les étudiants et les jeunes Pères de Bétharram dont elle comprenait les difficultés.

Diverses autres Soeurs contribuèrent à augmenter l'union de la communauté: Soeur Maria-Pia, sous-prieure, toujours affable et joyeuse envers ses consoeurs, Soeur Paule de Saint Jérôme, première conseillère et «ancienne» de la fondation; Mère Marie-Cécile, qui exerça la fonction de prieure pendant 24 ans, en prolongeant l'oeuvre de Mère Elisabeth.

Quand, en 1927, un tremblement de terre endommagea beaucoup le monastère, Mère Marie-Cécile dut chercher de l'aide en France et en Amérique. Toutefois, l'amélioration constante de la situation générale et l'arrivée de Belgique de Soeur Marie-Christine de Jésus, qui employa ses capacités d'organisatrice en étroite collaboration avec la prieure, permirent de trouver suffisamment de travail pour subvenir aux besoins de la communauté.

Il faut aussi rappeler l'humble rôle de Soeur Rose de Sainte Marie, née à Bethléem près de la grotte, qui fut la tourière

211

211. Nazareth, monastère des Carmélites. Maître-autel et choeur des religieuses vu à travers la grille.

212

212. *Le cloître central du Carmel de Nazareth.*

du monastère et, à ce titre, chargée des petits rapports quotidiens avec le monde extérieur à la clôture. Pendant sa longue vie religieuse — elle vécut 105 ans, dont 85 passés au monastère — elle fut en contact avec de multiples personnes: les voisins, les familles des Soeurs, les pèlerins, les prêtres, les religieuses.

Nazareth aujourd'hui

Aujourd'hui, à huit décennies de la fondation du monastère, la vie à Nazareth a complètement changé. Ce n'est plus le petit village palestinien blotti au milieu des collines désertes; c'est au contraire une grande ville, divisée en deux parties: la zone arabe, qui comprend l'agglomération d'autrefois, et la zone hébraïque, la ville nouvelle appelée Nazareth 'Illit, Nazareth Haute. Les maisonnettes basses sont remplacées par de grands immeubles qui portent l'empreinte de la modernité.

Le Carmel est aujourd'hui entouré par les maisons et les bruits des autos et des avions; il chante l'Incarnation d'une façon différente de celle du temps passé, où il chantait dans le silence. Toutefois, les Soeurs ne sont pas moins attentives au mystère et pas moins saisies par sa grandeur. Ce mystère a pris, en quelque manière, une plus grande actualité, au moins pour les milliers de pèlerins et de touristes qui passent chaque année.

Les fouilles archéologiques, menées par le Franciscain Bellarmino Bagatti, ont prouvé l'authenticité des lieux vénérés depuis toujours. On a découvert une vingtaine d'habitations pauvres qui formaient le village de Jésus; le four, le seul du village, où Marie allait cuire le pain pour la Sainte Famille. Tout autour, des grottes préhistoriques prouvent l'antiquité de l'installation humaine en cet endroit.

Une grande basilique a été édifiée sur la grotte de l'Annonciation pour préserver et honorer ce Lieu Saint. De notre monastère, nous avons suivi les travaux. Au début, nous pouvions voir la grotte; puis la construction s'est élevée peu à peu, jusqu'à de-

213

213. Rose de Sainte Marie (Rose Chiadé), dernière survivante des onze fondatrices du monastère. Elle est morte le 1er Septembre 1992. Elle était née le 1er Janvier 1888. A l'âge de 80 ans, elle avait demandé à saint Joseph de lui «conserver sa tête» jusqu'à la fin. Elle fut exaucée. A 104 ans elle pouvait encore chanter des airs de sa jeunesse. «Soyez fidèles, conservez soigneusement l'union des coeurs, le bon esprit», telles furent ses ultimes recommandations. (Photo du 1er Décembre 1983).

venir le grandiose sanctuaire qui attire chaque année un grand nombre de pèlerins.

Le 25 Mars 1965, Nazareth fêtait la consécration solennelle de sa basilique. Notre communauté aussi était en fête en raison du jubilé de diamant de quatre moniales. Le délégué apostolique en Terre Sainte, Mgr Laghi, nous permit de nous rendre en pèlerinage pour visiter et admirer «notre» basilique.

La communauté est aujourd'hui formée de 14 membres de 9 nationalités différentes. C'est un Carmel de la Pentecôte, dans lequel une intense grâce ecclésiale constitue un seul coeur et une seule âme, parce que chacune de nous appartient au pays de Jésus et donc au monde entier. L'universalisme et la diversité se concilient dans la commune attraction de la Parole incarnée et de la Vierge Marie, de même que dans l'humble présence de la Sainte Famille dans la vie cachée de Nazareth.

Vie de prière et d'adoration sous le regard du Père et dans le souffle de l'Esprit-Saint; sanctification des humbles travaux de la vie quotidienne, climat de simplicité et de joie cimenté par un grand amour fraternel. Telle est notre vie à Nazareth.

Présence dans l'Eglise

Sainte Thérèse de Jésus confia à ses Carmélites le devoir d'être, comme elle, filles de l'Eglise. Berthe Dartigaux et la comtesse de Noailles, au moment de la fondation, attribuèrent au monastère de Nazareth la mission de prier pour l'Eglise et pour la France. Soeur Marie de Jésus Crucifié y ajouta sa dévotion filiale au Pape.

Aujourd'hui, grâce à la presse, nous sommes informées des intentions du Pape et de la vie de l'Eglise; chacune de nous apporte les espérances et les préoccupations de son pays d'origine. Enfin, les pèlerins qui nous font visite, nous communiquent les nouvelles et les demandes de leurs pays respectifs. Même en ce sens, Nazareth continue d'être le centre du monde parce que Jésus s'est incarné ici.

En outre, avec tous ses campaniles et toutes les églises appartenant aux diverses confessions chrétiennes, les minarets, les synagogues, Nazareth rappelle le monde réuni autour de la grotte de l'Annonciation! Après Jérusalem, elle est le second centre «oecuménique» de Terre Sainte.

Si chaque matin, à quatre heures et demi, d'un des nombreux minarets, le muezzin, par son appel à la prière, avertit qu'«il vaut mieux louer le Très-Haut plutôt que de dormir», si la vue de la ville israélienne et les obligations du Shabbat nous rappellent la présence de nos frères juifs, il est évident que notre première pensée va à nos frères chrétiens.

Dans la mesure où la ville s'étend et en raison de notre position sur la colline, nous sommes actuellement moins connues qu'auparavant, quand la vie se déroulait «en famille». Cependant, les relations amicales se sont perpétuées, surtout avec nos voisins. Et cela, souvent, grâce à nos Soeurs tourières qui ont continué à visiter les familles, à les aider dans leurs besoins et à recevoir leurs confidences dans leurs moments de souffrance. Quand le monastère s'est trouvé lui-même en état de nécessité, les amis l'ont aidé par leurs aumônes et leurs dons. Et quand le monastère a été en mesure de se suffire, il a pu aider ceux qui étaient en difficulté.

En ce qui concerne la liturgie, après le Concile Vatican II, notre communauté a commencé à prier en arabe. En conséquence, la présence et la participation du peuple ont augmenté. Ce qui attire principalement nos voisins, ce sont les dévotions populaires. Il y a 25 ans, une voisine nous demanda l'autorisation de «faire le mois de mai» dans notre chapelle. La communauté y assistait et les dames récitaient le rosaire et faisaient les lectures. Avec les années, l'initiative s'est étendue et son importance s'est accrue: Notre-Dame, *el-Adra,* à Nazareth, est vénérée par les Musulmans aussi.

Marie de Jésus Crucifié est toujours présente parmi la population qui l'appelle *Kadissa,* la Sainte. Non loin de nous habitent ses cousins Baouardy, qui nous aident à conserver intact son souvenir.

Quelques groupes de prière s'adressent aussi à notre monastère et se réunissent dans notre chapelle ou en d'autres lieux de la ville. Nous sommes presque une petite paroisse très vivante. Religieux et religieuses participent, selon leurs possibilités, à notre prière et nous entretenons avec eux un lien fraternel. A travers l'union des religieuses de Galilée, nous partageons leurs programmes, leurs préoccupations et leurs espérances même si nous ne pouvons pas être présentes à leurs réunions.

Enracinées dans le pays

Tous savent que les moniales carmélites, *rahbat carmelites,* sont les soeurs de tous, sans distinction de rite ou de nationalité, c'est pourquoi ils viennent à nous spontanément. Tous savent qu'ils sont bien accueillis et qu'ils reçoivent un témoignage d'amitié. Autour de nous, nous percevons la présence de Chrétiens, de Musulmans, de Juifs.

Pendant la guerre du Golfe, nous avons vraiment senti que nous faisions partie de ces gens. Etant donné la situation difficile, le consul de France, nos familles et d'autres personnes, nous invitèrent à quitter ce pays. A l'unanimité, nous avons décidé de rester et, quand nous avons vu avec quelle attention quelques-uns venaient nous enseigner à employer le masque à gaz, d'autres venaient voir si nous avions besoin de quelque chose ou si nous avions reçu toutes les instructions nécessaires, nous avons compris qu'il n'était venu à l'esprit de personne que nous puissions nous en aller. Nous étions avec eux, une partie de la population et le départ aurait été un vilain contre-témoignage.

Toutefois, nous avons eu la douleur de voir émigrer beaucoup de Chrétiens vers l'Amérique et l'Australie. Les perspectives d'avenir ne sont pas roses. Au moment de la fondation du monastère à Nazareth, 80% de la population étaient chrétiens et 20% musulmans. Les familles comptaient en général une dizaine d'enfants. Aujourd'hui si, parmi les Musulmans, la natalité est restée plutôt élevée, parmi les Chrétiens au contraire elle s'est notablement abaissée, comme en Europe. En ajoutant ce phénomène à l'émigration, on comprend pourquoi aujourd'hui les proportions sont inversées. En 1960, il y avait à Nazareth une seule mosquée; aujourd'hui il y en a une quinzaine. Les pèlerins qui passent en hâte dans les sanctuaires ne s'en rendent pas compte. Au premier rang de nos préoccupations il y a la paix, si problématique, si difficile. Grâce à Dieu, à Nazareth prévaut le calme, mais nous savons qu'ailleurs existe beaucoup de souffrance.

Du reste du monde nous arrivent beaucoup de lettres qui nous font connaître ce qui advient sur la terre, espérances, joies et souffrances. Ici, flotte le souvenir de la Sainte Famille, qui a connu le monde de son temps et qui nous aide à nous offrir pour celui d'aujourd'hui.

Nous avons conscience de représenter nos pères, frères et soeurs de l'Ordre du Carmel devant le mystère de l'Incarnation et dans la grâce de la Sainte Famille. Nous accueillons avec joie nos Pères qui viennent en mission ou en pèlerinage et, par les publications carmélitaines, nous recevons spiritualité et informations. Par la correspondance, nous nous maintenons en contact avec beaucoup de monastères dans le monde, dans une atmosphère d'union fraternelle. Nous pensons souvent à la dévotion de sainte Thérèse pour Jésus, Marie, Joseph: «Notre-Dame m'assura que la fondation du monastère se ferait et que Notre-Seigneur, elle et saint Joseph y seraient fidèlement servis. Je ne devrais pas craindre de voir la ferveur refroidie parce qu'elle-même et saint Joseph nous protégeraient et que son Fils nous avait déjà promis d'être toujours au milieu de nous» (*Vida,* ch. 33).

214

214. Nazareth, le cloître du Carmel thérésien. La clochette rappelle les moments importants de la vie de la communauté.

Le travail pour le pain quotidien

Les temps ne sont plus, où les Soeurs vivaient misérablement en confectionnant de petits carrés de carton recouverts d'étoffe ou d'autres petits objets, parce qu'il n'y avait pas d'autres possibilités, ni d'au-

215. La communauté des Carmélites de Nazareth, joyeusement groupée autour d'une nouvelle professe.

216. Travail quotidien: confection de rosaires.

217. Travail quotidien: statuettes confectionnées et peintes.

218. Vue de Nazareth prise de la terrasse du monastère. Au premier plan, le sanctuaire de l'Incarnation.

215

tres débouchés que le milieu environnant. Cette situation dura bien des années durant lesquelles, par la générosité et l'ingéniosité de chacune, on tentait d'améliorer un peu les choses. Il fallait se faire prêter un peu d'argent par les voisins, parce qu'il n'y avait rien et que les aumônes n'arrivaient pas.

En 1948, les Israéliens firent la guerre d'occupation. Nombreux furent les réfugiés, dont quelques-uns campèrent sur le terrain du monastère. D'Amérique, nous recevions des paquets de vêtements et de vivres à distribuer. Nous eûmes des contacts avec nos bienfaiteurs et une dame nous envoya le matériel pour fabriquer des hosties. Ainsi commença le plus beau travail dont on puisse rêver à Nazareth: sous le regard de Marie, faire des hosties au lieu-même où Jésus s'est incarné. On en fit des milliers. Aujourd'hui, le nombre des Soeurs ayant diminué, nous avons dû céder la plus grande partie du travail à nos Soeurs clarisses.

Vers 1960, une autre dame d'Amérique demanda des tableaux de fleurs naturelles. Les pèlerinages devenaient toujours plus nombreux et le tourisme s'organisait. Alors, avec la collaboration de toutes, Mère Marie-Cécile et Soeur Marie-Christine commencèrent à faire des cartes et des signets qui eurent un grand succès et furent commandés par centaines.

Il fallait cultiver les fleurs, les étirer avec grand soin et méthode pour les faire sécher en conservant leurs couleurs vives, les coller d'une certaine manière. Les cartes postales, de couleurs et de formes diverses portaient aussi des dessins artistiques imprimés, de sujets variés, paysages, lieux saints, faits par une de nos Soeurs. Les pèlerins les appréciaient beaucoup.

Plus tard, on fit des rosaires, grands et petits, avec le bois d'olivier du pays, puis des lampes en terre cuite et tout un travail de céramique. Les modèles originaux des lampes nous ont été donnés avec précision par des archéologues. Nous avons dix-sept modèles différents, du temps de David à l'époque byzantine, trouvés à Jérusalem, aux alentours de Qumrân ou à Nazareth. Les lampes chrétiennes portent des symboles caractéristiques: l'arbre de vie, le cerf qui se désaltère à la source; les lampes judéo-chrétiennes sont décorées du rameau d'olivier, du *shofar* et de *la menorah.*

A côté des lampes, il y a aussi les cendriers, les vases, les services à thé en céramique émaillée de différentes couleurs. Nous avons dû suspendre aussi ce travail, par manque de bras, mais nous espérons pouvoir le reprendre bientôt. Nous confectionnons en outre des statues de la Vierge Marie en plâtre. Nous avons commencé par faire des statuettes de Notre-Dame de Lourdes. Aujourd'hui, on nous demande de grandes statues de Notre-Dame de la Médaille miraculeuse, celle qui ouvre les bras à tous.

Il ne faut pas oublier le jardin. Pendant longtemps on n'y trouva que des pissenlits et des feuilles de mauve pour la cuisine, car

216

217

le terrain calcaire et caillouteux ne laissait pousser que cela. Puis on prépara quelques plates-bandes travaillées à la bêche et à la pioche. Comme nos ressources augmentaient, nous avons fait apporter des chargements de bonne terre rouge de la plaine d'Esdrelon toute proche. Maintenant, les Soeurs peuvent cultiver un potager, un verger et une petite vigne. Elles ont adopté la méthode de la culture biologique, sans engrais chimiques, actuellement très appréciée.

Grâce à leur travail, aidées de deux petits motoculteurs envoyés par un bienfaiteur américain, elles pourvoient en grande partie aux besoins de la communauté.

Vers l'avenir

Cartes et signets de fleurs, rosaires, lampes antiques et céramiques, jardin... et toutes les autres occupations de la vie quotidienne. Nazareth est l'endroit rêvé pour travailler, là où le Verbe de Dieu, créateur du monde, a appris le travail de l'homme. Là, il a travaillé de ses mains divines, à côté de Marie et de Joseph.

A l'occasion de son voyage en Terre Sainte, en 1964, le pape Paul VI affirma: «Ici, tout parle, tout a un sens. Nazareth nous donne une leçon de travail, Nazareth maison du Fils du charpentier: ici nous voulons comprendre et célébrer la loi sévère et rédemptrice du travail humain. Ici nous voulons rétablir la conscience et la noblesse du travail. Ici nous voulons rappeler que le travail ne peut être une fin en soi, mais que la liberté et la noblesse qui en dérivent proviennent plus des valeurs qui sont son but, que de son intérêt économique. Nous voudrions en outre saluer tous les travailleurs du monde entier, en leur montrant leur grand modèle, leur Frère divin, le prophète de toutes les causes justes, le Christ notre Seigneur».

Le Christ, à travers nos mains, à travers nos coeurs, continue son oeuvre pour nos frères du monde entier. Nous lui prêtons notre humanité afin qu'il puisse participer à la totalité de l'expérience humaine, pour qu'il prolonge en nous le mystère de son Incarnation.

Existe-t-il sur terre un lieu plus merveilleux où l'on puisse être pour Lui «une humanité de surcroît», selon l'expression d'Elisabeth de la Trinité? Existe-t-il au monde un lieu qui parle davantage au plus profond de notre âme? Les yeux du Christ ont contemplé ces collines de Nazareth. On est ici pénétré d'une impression inexprimable: la perception d'une présence mystérieuse, la personne de Jésus qui a marqué ce lieu et l'a sanctifié pendant presque toute la durée de sa vie terrestre.

«Par le reflet de son visage, il les laissa revêtus de beauté» (Jean de la Croix, *Cantique spirituel*). Existe-t-il un lieu où l'on puisse plus admirablement vérifier la vérité du mystère de l'abaissement du Fils dans son Incarnation? Saint Paul affirme qu'il nous est impossible de l'apprécier à sa juste mesure, parce que nous n'avons aucun moyen de comparaison pour mesurer la distance qui sépare l'humanité de la divinité, le fini de l'infini. Il a choisi de s'incarner dans les conditions les plus humbles et les plus pauvres possibles.

Dans nos coeurs résonnent ces paroles: Bienheureux les pauvres, les doux, les hommes au coeur humble. Aux petits sont révélés les mystères du Royaume.

Les merveilles de Dieu ne sont pas épuisées, ni même l'histoire du Carmel de Nazareth. Il invite toutes celles qui sont attirées par la Terre Sainte et par le mystère de l'Incarnation du Verbe: «Venez et voyez», s'il n'est pas beau de vivre dans le rayonnement silencieux du mystère qui nous fait pressentir la sagesse insondable de l'amour infini de notre Dieu. Ici le Verbe s'est fait chair et il a demeuré parmi nous.

218

LE CARMEL DU MONT CARMEL

Un Carmel au Mont Carmel! Un Carmel sur les lieux de notre origine, à la source de notre existence! Fascination mystérieuse d'un Mont qui, en la personne d'Elie, parle du Dieu vivant dont la présence ensorcelle le prophète, Mont vers lequel se tourne le regard charismatique de sainte Thérèse de Jésus qui veut, avec ses filles et dans la contemplation, suivre les traces «de nos saints Pères du Mont Carmel», dédiés uniquement à cette présence. Mont devenu pour saint Jean de la Croix le symbole privilégié de la Montée capable de nous faire atteindre, dans la plénitude, la présence de Dieu.

Mont aussi et surtout de Marie. L'expression biblique: «decor Carmeli» tire sa signification d'un des attributs spécifiques de Marie. C'est elle, Notre-Dame, «la beauté du Carmel». Cette expression en dit la centralité, l'exemplarité pour qui, en s'exerçant à aimer, veut s'immerger dans la Divine Beauté, «non seulement pour lui-même, mais aussi pour tout le Corps mystique de l'Eglise» et qui en voit le miroir, le reflet très pur en Marie: Marie est le raccourci qui conduit à la cime.

De nombreux Carmels, éparpillés dans le monde, ont pour titulaire Notre-Dame du Mont Carmel. Et c'est juste. Un seul Carmel toutefois en porte le titre non point comme un symbole ou une évocation, mais existentiellement: c'est le Carmel qui est situé précisément sur le Mont Carmel.

Une communauté de Carmélites Déchaussées y réside en effet depuis plus d'un siècle. Elle vit là, comme pour représenter, sur le sol de Marie, ses consoeurs de toutes races et de toutes nations. Dans l'humilité, dans une grande simplicité de vie. Mais avec un coeur qui se veut, à l'exemple du coeur de leur sainte Mère Thérèse «vaste comme le sable au bord de la mer».

219

219. Haïfa. Le premier monastère des Carmélites Déchaussées, construit au bord de la mer, au pied du Mont Carmel.

220

220. Soeur Marie du Sacré-Coeur, fondatrice et première prieure du monastère d'Haïfa.

La montée au Mont

Le 28 Mars 1882, trois Carmélites Déchaussées, après une nuit de tempête passée en mer sur un chalutier, débarquèrent au pied du Mont Carmel. C'étaient Soeur Marie du Sacré-Coeur (de Causans), Soeur Marie de la Croix (de Chalan Belval) et Soeur Marie-Noël, tourière, toutes trois françaises. Elles venaient examiner le terrain que le patriarche de Jérusalem avait choisi pour leur fondation au Mont Carmel.

En 1873, un Carme du couvent de Laghet, près de Nice, de la Province d'Avignon-Aquitaine, doit se rendre en Palestine. La prieure du Carmel de Nice, Soeur Marie de Jésus, qui le connaît bien, lui confie son ardent désir d'une fondation de moniales au Mont Carmel. Le Père, arrivé à destination, ne tarde pas à écrire: cette fondation est une chose raisonnable et faisable, pourvu qu'elle soit dûment financée. Mais il faut que la décision soit définitive et rapide: les demandes des Carmels qui convoitent ce lieu privilégié sont trop nombreuses.

Le beau rêve de Soeur Marie de Jésus s'évanouit: elle se rend compte que son Carmel, de fondation récente (1865) n'a ni personnel, ni moyens pour une semblable entreprise. Cependant, elle ne répond pas négativement. Elle veut d'abord tâter un autre terrain, celui du Carmel d'Avignon dont elle est professe et d'où elle a essaimé pour la fondation de Nice.

La prieure d'Avignon, Soeur Marie-Louise, est indécise. Quelques mois auparavant, son Carmel avait subi un douloureux affront: la princesse Aurélie de La Tour d'Auvergne, fille de Carlo Bossi, écrivain et homme politique piémontais (1758-1823), femme généreuse et capricieuse, était venue offrir la fondation d'un Carmel à Jérusalem, mais seulement parce que le Carmel de Carpentras (filiale lui-même du Carmel d'Avignon fondé en 1627), auquel elle s'était adressée en premier, était réticent. Avignon avait adhéré avec enthousiasme à ce projet, mais une semaine après tout s'effondrait! Les Carmélites de Carpentras, réflexion faite, avaient protesté: elles étaient les premières choisies, elles avaient exercé des pressions partout et, quinze jours plus tard, le 4 Octobre 1873, elles levaient l'ancre en direction de la Terre Sainte, en compagnie de la princesse.

La déception du Carmel d'Avignon avait été cuisante. Elle avait provoqué de la tristesse, du découragement. La prieure parla à la communauté de la possible fondation au Mont Carmel. Il ne s'agissait pas maintenant d'une entreprise dont une princesse assumait tous les frais, mais d'une initiative dont le poids reposerait uniquement sur leurs épaules. Leurs moyens, en personnel comme en finances, étaient insuffisants. La communauté le comprit et opta, bien qu'avec peine, pour le refus.

Humainement, le chapitre semblait clos. Mais la graine, jetée et tombée apparemment sur des ronces et des épines, trouve une motte féconde où elle va pouvoir germer: le coeur ardent de deux moniales, soeurs de chair, les plus enthousiastes à l'idée d'une fondation au Mont-Carmel, Soeur Marie du Sacré-Coeur (1846-1894) et Soeur Marie de Jésus-Hostie (1847-1882), Marie et Berthe de Causans. Elles mettent à la disposition de la prieure leurs personnes et leurs biens pour la réalisation de l'entreprise. Soeur Marie Louise, femme surnaturelle, y voit le doigt de Dieu; elle n'a pas le courage d'opposer un refus. Elle les prévient seulement que sur elles tombera le devoir d'obtenir les autorisations nécessaires, de trouver les aides économiques et d'assumer toutes les responsabilités. La seule chose que le Carmel d'Avignon pourra faire pour les aider, sera de leur céder deux ou trois religieuses pour les accompagner.

Une préparation difficile

Les soeurs Causans répondent donc positivement à la proposition, aussi bien en

221

leur propre nom qu'au nom du Carmel d'Avignon: la fondation au Mont Carmel est acceptée. Elles se mettent immédiatement au travail, en l'enveloppant d'une incessante, d'une pressante prière.

Avant tout, il faut avertir leur vieux père. Il s'enthousiasme à cette idée et promet son appui. Mais en face de la complexité de la situation du Proche-Orient, il change d'opinion, au point d'écrire au Père général des Carmes Déchaux (qui ne connaît pas encore le projet) pour lui demander d'interdire à ses filles de s'occuper d'une affaire semblable. Cela donne lieu à de douloureuses incompréhensions.

Juste à ce moment-là, se manifeste un prêtre français, protonotaire apostolique au patriarcat de Jérusalem: Mgr Poyet, personnage influent qui, d'une manière fortuite, a eu vent de la future fondation. Il ne connaît ni Avignon, ni ses Carmélites, mais il se sent poussé à leur écrire en les assurant de ses conseils et de son appui. Ils se révéleront plus que précieux!

221. Joseph et Augustin Lehmann, Juifs convertis et prêtres, patronnèrent la construction du monastère d'Haïfa.

Un jour, deux prêtres du clergé de Lyon, venus en Avignon pour prêcher le Carême, se rendent au Carmel. Ce sont des frères jumeaux, Joseph (1836-1915) et Augustin (1836-1909) Lehmann, Juifs convertis, provenant de la communauté israélite d'Alsace, contemporains et disciples du Vénérable Libermann (1802-1852). Les deux soeurs Causans — «les Orientales» comme aiment les appeler en plaisantant leurs consoeurs — les reçoivent au parloir. La conversation tombe, presque par la force des choses, sur le projet de Carmel en Terre Sainte. Les frères Lehmann, apprenant les initiatives en cours, s'en enthousiasment et promettent de les aider au maximum. Ils obtiennent l'assentiment du papa Causans, l'autorisation du Saint-Siège, accordée le 14 Août 1880, celle du Supérieur de l'Ordre, celle du patriarche de Jérusalem, qui était à cette époque Mgr Vincent Bracco.

Cette rencontre donnera lieu ensuite à une autre avancée décisive du futur monastère. En 1895, le pape Léon XIII, sur les instances de l'abbé Joseph Lehmann, fixera l'objectif définitif du monastère — dans l'ecclésialité de la vocation carmélitaine —: la réconciliation et l'union des coeurs.

Un monastère-procure

Entre hauts et bas, les années passent. Les fonds promis par les soeurs Causans manquent; ils arriveront plus tard, avec le versement de la dot maternelle qui revient aux deux soeurs. En attendant, voici deux insignes bienfaitrices disposées à soutenir financièrement une partie de l'entreprise: l'une d'elles est la comtesse de Villeneuve, apparentée aux Causans, fille spirituelle d'un autre Juif converti célèbre, le Père Hermann Cohen, Carme Déchaux.

Une décision provisoire est prise sagement: fonder, dans l'attente, un Carmel en France où l'on formerait les éléments du futur monastère et où l'on recueillerait les moyens financiers. Nous l'appellerions aujourd'hui une sorte de procure. Le 3 Mai 1878, cinq religieuses dirigées par Soeur Marie du Sacré-Coeur quittent le Carmel d'Avignon pour aller s'établir près de Lyon, à Ecully, village célèbre pour la période qu'y passa le saint Curé d'Ars. Actuellement, un semblable Carmel subsiste à Liesse, dans l'Aisne, en France.

Le nouveau Carmel se peuple bientôt d'un personnel jeune et généreux. Mais, en même temps qu'on mène une fervente vie monastique, il faut travailler dur pour financer ce qui a été entrepris en Terre Sainte. Travaux de couture et de broderie, si bien que la responsable pourra s'écrier: «Le Carmel du Mont Carmel a été fait à l'aiguille, point par point».

Du pied de la montagne au sommet du Mont: Zaourah

Nous avons vu Soeur Marie du Sacré-Coeur et ses deux compagnes débarquer à Haïfa le 28 Mars 1882, jour de bon augure, puisque c'est l'anniversaire de naissance de sainte Thérèse d'Avila.

Il leur suffit d'un coup d'oeil pour se rendre compte que le terrain, désigné par le patriarche de Jérusalem pour la construction du Carmel, est inadéquat. Le quartier est trop éloigné, malsain et mal fréquenté. Parmi les diverses propositions, leur choix tombe sur une étendue appartenant aux Pères Carmes, qui peut être agrandie par l'achat de quelques propriétés limitrophes. Léchée par la mer, immédiatement au pied du Mont, à deux kilomètres seulement du centre de Caïffa de l'époque, cet emplacement était celui de l'antique Porphyrium du temps des Romains. La zone prit ensuite le nom de Zaourah – et aujourd'hui elle se nomme Bat-Galim.

Les tractations furent relativement faciles, mais l'alternance des circonstances tour à tour adverses ou favorables continuait, comme une caractéristique de cette fondation. Pour construire, surgirent des difficultés apparemment insurmontables: le gouvernement turc ne voulait pas admettre d'ingérences européennes sur son territoire, parce qu'il craignait l'influence de l'Europe sur son avenir personnel. Mgr Poyet, de Jérusalem, suggéra de s'adresser de sa part à Mgr Azarian, patriarche arménien résidant à Constantinople, qui avait ses entrées à la «Sublime Porte», la Cour turque. Le 16 Août 1886, les Carmélites d'Ecully virent arriver par la poste un «firman» (décret des souverains turcs). C'était le permis de construire si fortement désiré!

La première pierre fut posée le 8 Septembre 1888, en l'absence des moniales. Les travaux commencèrent sous la direction du Père Joseph-Marie du Sacré-Coeur (Caruil), Carme Déchaux, autrefois ingénieur. Puis ils se poursuivirent sous la surveillance du comte Amédée de Piellat (1850-1925), figure de gentilhomme français entièrement dévoué aux communautés religieuses de Terre Sainte, bien connu pour avoir dirigé, à Jérusalem, la construction du Centre Notre-Dame et de l'hôpital Saint-Louis.

Exordes d'une présence

Le 15 Décembre 1891, le groupe des huit premières fondatrices, guidé par Soeur Marie du Sacré-Coeur, arrivait, alors que les travaux n'étaient pas terminés. Cependant, en raison des intentions peu bienveillantes du gouvernement ottoman, on préférait anticiper, afin d'éviter des obstacles ultérieurs. Le 1er Janvier 1892, le Père Félix de Jésus, Vicaire du Mont Carmel, inaugurait le monastère

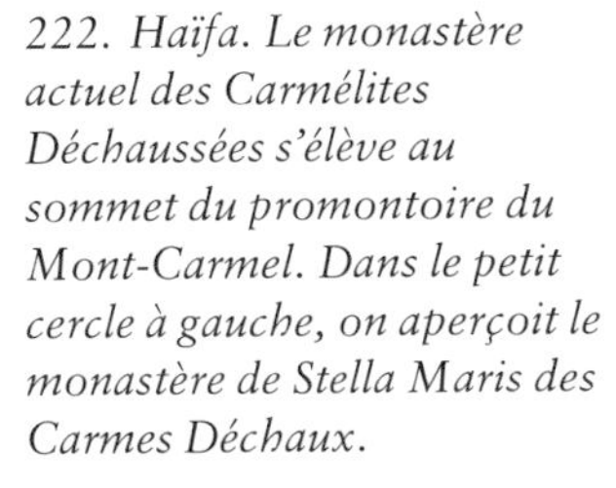

222. Haïfa. Le monastère actuel des Carmélites Déchaussées s'élève au sommet du promontoire du Mont-Carmel. Dans le petit cercle à gauche, on aperçoit le monastère de Stella Maris des Carmes Déchaux.

222

par la célébration de la première messe dans la chapelle provisoire.

Jetons un rapide coup d'oeil à ce premier Carmel. Un vaste terrain d'environ 9 hectares, le cimetière inclus, entre le mont et la plaine, des oliviers, des figuiers, des caroubiers, des palmiers. Une noria assure l'irrigation. L'ensemble est protégé par de hauts murs de plus de 5 mètres, précaution indispensable à l'époque. L'édifice quadrangulaire est un reflet fidèle du plan architectural de notre sainte Mère Thérèse de Jésus pour le Carmel de Malagon inauguré en Novembre 1579, l'unique qu'elle put construire entièrement selon ses idées et les exigences qu'elle souhaitait pour ses maisons. L'église est belle; on y accède par une allée bordée d'arbres, puis par un grand escalier. La façade comporte une fenêtre à deux meneaux avec, au centre, Notre-Dame du Carmel. A l'intérieur, de grands panneaux portent des figures représentatives de toute la spiritualité carmélitaine dans ses saints. Dans l'abside, au-dessus de l'autel, saint Elie, éblouissant de lumière, est montré ravi au ciel dans un char de feu. Le cloître est riant. Au premier étage, une vaste terrasse unit les deux ailes du bâtiment. Une photo du temps, de l'allée principale du jardin, porte l'inscription manuscrite suivante: «On dit que Jésus y est passé en revenant d'Egypte». Cette légende devait faire battre le coeur des Carmélites: Jésus enfant, Marie et Joseph seraient passés précisément par ce chemin!

Le bâtiment du premier monastère existe encore, utilisé maintenant comme école d'infirmières et il fait partie du complexe de l'hôpital civil d'Haïfa. Du monastère actuel, à la cime du promontoire, nous le reconnaissons aisément, en bas, à son toit de tuiles rougeâtres, qui le distingue des habitations orientales généralement couvertes d'une terrasse.

Une petite histoire dans la grande

Les complications, sinon les coïncidences, continuent, comme s'il s'agissait d'une constante de notre parcours, alternant malheurs et grâces. Le 10 Janvier 1894, meurt Soeur Marie du Sacré-Coeur, qui n'a jamais voulu être appelée fondatrice. Elle disait: «L'unique fondatrice du Carmel au pied du Mont, c'est Notre-Dame». Le jour-même de ses funérailles, deux de ses nièces, Laure et Paule de Lafarge, filles d'une de ses soeurs, débarquaient à Haïfa. Elles venaient voir leur tante. Elles furent frappées et attirées par le Carmel. Quelques années plus tard, toutes deux entrèrent à Zaourah, offrant au Seigneur leurs personnes et leurs biens. L'aînée, Laura, Soeur Jeanne de la Croix, marcha dans le sillon tracé par sa tante, dont elle poursuivit l'oeuvre. Prieure à 28 ans, elle reçut plusieurs postulantes, finit de construire le monastère au bord de la mer et, après quelques décennies, le transféra sur le Mont.

223. Haïfa. Monastère des Carmélites Déchaussées. Intérieur de l'église. La fresque de l'abside représente le prophète Elie en contemplation devant l'Immaculée-Conception, visible dans le nuage.

223

224. La Vierge et l'Enfant dans la mandorle, au-dessus du portail de l'église.

225. Haïfa. Monastère des Carmélites Déchaussées. Façade de l'église.

224

Mais auparavant, les moniales devaient subir un autre malheur. C'était le début de la première guerre mondiale (1914-18) et elles en supportèrent les conséquences. Expulsées par les Turcs, elles furent contraintes de retourner en Europe. Elles arrivèrent à Naples, s'arrêtèrent quelques jours à Rome, où elles obtinrent une mémorable audience du pape Benoît XV, elles rencontrèrent le Général de l'Ordre, le Père Clément des Saints Faustin et Jovite, elles firent une rapide visite aux basiliques, aux catacombes, au Colisée.

Elles pensèrent un moment s'établir provisoirement dans la Ville Eternelle. Mais la famille Lafarge les invita à se rendre en France dans une de leurs propriétés, à Manissy dans le Gard. Elles y restèrent jusqu'à ce que la guerre soit finie. En Mai 1919, elles retournèrent à Haïfa, accompagnées de jeunes et ardentes novices. Elles retrouvèrent leur monastère en mauvais état, car il avait été utilisé d'abord comme caserne, puis comme hôpital militaire. Rapidement, tout se réorganisa et la vie reprit sa marche régulière.

Les ans passèrent. La Providence rendit possible ce qui semblait impossible: la Palestine passa sous mandat britannique et les Anglais eurent besoin, à Haïfa comme ailleurs, de terrains pour des constructions. Les Carmélites furent menacées d'expropriation, tandis que les Pères se trouvaient dans le même temps contraints de vendre des terres. Occasion merveilleuse! Les Mères, invitées à choisir, fixèrent leur préférence sur le point le plus haut du promontoire de ce Mont dont elles avaient si longtemps rêvé. On se lança donc dans une nouvelle construction où elles emménagèrent en 1936.

Aujourd'hui: signification d'une présence

Pour nous, être sur le Mont veut dire avoir retrouvé en plénitude la piste de lancement initiale qui a fait que le Carmel soit le Carmel, quelque chose de dynamique, de nouvellement créatif. Non que la vie carmélitaine soit ici à réinventer, mais parce que, de tout ce qui émane de ce Mont, de l'air qu'on y respire, de l'atmosphère qui nous enveloppe, naît une modalité de vie qui actualise notre charisme et en même temps le tend vers l'avenir. Il serait naïf de notre part de supposer que nous possé-

225

dons le privilège de l'esprit carmélitain et de ses dévotions fondamentales: le prophète Elie, Notre-Dame, nos saints. Ce que nous voulons exprimer, c'est la manière singulière, si ce n'est unique, de les vivre, justement par le fait que nous habitons une terre sainte et, en même temps, carmélitaine.

«Domina»: la châtelaine du Mont Carmel

Le monastère est imposant; trop peut-être pour notre mentalité moderne, habituée à des lignes bien plus dépouillées. Construit dans les années 30, conforme au plan «classique» des Carmels d'alors, inspirés par le Carmel thérésien de Malagon, il porte l'empreinte de son époque et il est analogue à la majeure partie des couvents et des maisons religieuses de Palestine, érigés dans la première moitié du XXe siècle.

Remontons la large allée qui part du portail devant la façade. L'église se dresse avec sa masse robuste et ses fenêtres hautes et étroites, presque des meurtrières, elle évoque les donjons des forteresses d'autrefois. L'entrée, ornée d'un arc ogival, est surmontée d'un médaillon de style gothique, sculpté en haut-relief par Roger de Villiers, un des meilleurs sculpteurs de cette période-là. La voici, la «Domina», la châtelaine du lieu, la Sainte Patronne, la Reine incontestée du Mont! Elle est le point focal de la construction.

Entrons dans l'église: une lumière diffuse nous enveloppe; elle pénètre par les fenêtres en marbre transparent égayé de petits vitraux ronds bariolés, sur lesquels le soleil joue de l'aube au couchant, créant une fantasmagorie légère. Quatre colonnes monolithiques, de granit rose, surmontées de chapiteaux représentant les saints du Carmel: le temple de la Bienheureuse Vierge soutenu par les saints de l'Ordre!

Chaque détail inspire le recueillement et guide le regard, comme d'instinct, vers le fond de l'abside dominée par une grande mosaïque: le prophète Elie en prière devant le petit nuage qui annonce le mystère de la Mère et du Fils. Le prophète Elie est agenouillé sur le promontoire, exactement à l'endroit où est édifié le monastère. Notre-Dame n'est pas l'habituelle Mère avec l'Enfant, elle est l'Immaculée, la première annonce de la rédemption, elle a des traits très purs, la toute-belle, le reflet de la beauté divine qui nous a séduites et à laquelle la *«Beauté du Carmel»* nous conduit depuis toujours.

226

226. Haïfa. Monastère des Carmélites Déchaussées. Galerie du cloître intérieur.

L'Immaculée, donc, domine le maître-autel de marbre blanc, sur le rétable duquel est gravé, en haut-relief et en gros caractères, le *Credo* en latin, défini par Paul Claudel «la distillation des mystères chrétiens». Pous nous, dont l'existence tourne quotidiennement autour de cet autel et de ce tabernacle, ce fait a une profonde signification. Notre-Dame semble nous montrer du doigt, dans le *Credo,* le point de départ et le point d'arrivée de notre vie d'orantes.

Dans le jardin, au point le plus haut du promontoire, sur des chapiteaux du temps des Croisades, avec la mer qui l'entoure de trois côtés et se confond avec le bleu du ciel, au milieu d'une luxuriante végétation méditerranéenne de chênes, de cyprès, de pins maritimes se trouve la statue de notre Stella Maris, Notre-Dame du Carmel, notre préférée. Pourquoi? Parce qu'elle renferme un secret qui nous est cher. Elle a son enfant assis sur ses genoux et la main qui le soutient soutient en même temps une petite balle sur laquelle Jésus pose une petite main bénissante. Représentation délicieuse de l'anxiété apostolique qui dévore toute fille de sainte Thérèse d'Avila: cette boule représente pour nous le monde que nous sommes et dans lequel nous sommes; nous enfermons en elle, en silence, mais parfois aussi communautairement, les aspirations les plus profondes, les intentions les plus pressantes de chaque homme et de l'humanité entière. Et nous prions pour que, toujours soutenue par Marie, le Fils pose sur elle, en signe de réconfort et de grâce, sa main divine.

Nous avons demandé à nos Soeurs: «pour toi, être au Carmel, qu'est-ce que cela signifie?». La convergence des témoignages est symptomatique: pour toutes, sans exception, cela consiste à vivre «près», «à côté», de Marie, ou «en union» avec Marie. Nous pouvons la résumer dans le témoignage spontané d'une des plus jeunes moniales: «Vivre sur le Mont Carmel, c'est comme une douce provocation pour une Carmélite, à se cacher sous la protection de Marie, à respirer Marie jour et nuit et, pour moi, c'est le faire d'une manière plus intime et plus profonde que si j'étais dans tel ou tel autre Carmel. Ici nous sommes dans le vrai jardin de Marie (étymologie controversée du mot «Karmel») et nous sommes ses petites filles, nous jouons sous son regard maternel. Quelle joie, cette vocation: être filles de Notre-Dame et vivre en sa présence en son jardin!».

Albert, par la grâce de Dieu...

Le cloître est une invitation constante au recueillement. Carré, avec cinq arcades ogivales de chaque côté, il a une spécificité toute particulière, qu'à notre connaissance il ne partage avec aucun autre Carmel. De tous les cloîtres masculins et féminins de l'Ordre, il est situé le plus près du Wadi 'ain es-Siah. Cette prérogative, qui est pour nous une humble fierté, nous est toujours rappelée par six grandes plaques de marbre blanc, maçonnées symétriquement sur trois de ses côtés. Sur ces plaques est gravé le texte de la Règle en latin, en caractères très nets; il est subdivisé en six parties. Une dalle centrale porte, toujours gravée, la scène traditionnelle d'Albert, patriarche de Jérusalem, coiffé de la mitre, solennellement assis sur sa cathèdre, en train de remettre «à son bien-aimé fils B. et aux ermites» le parchemin de la Règle. Dans le fond, sont esquissées les pentes du Mont avec, en haut, le sanctuaire *Stella Maris* et, tout près, l'hospice et le phare. Anachronisme? Nous ne le pensons pas. L'auteur — Frère Luigi Poggi — a probablement voulu exprimer la continuité et le développement de l'Ordre qui a pris son essor à partir de cette remise initiale de la Règle. Du moins est-ce ainsi que nous comprenons l'ensemble de cette oeuvre.

Près de la fontaine d'Elie

Elle jaillit si près de nous qu'il nous semble presque l'entendre. Car le Wadi 'ain es-Siah est une partie de notre raison d'être ici, et son importance est si grande pour nous que nous en imposons la visite aux candidates qui frappent à notre porte, afin que pour toujours elles en conservent l'image dans leurs yeux et dans leur coeur.

L'idéal contemplatif est *in nuce* né à cet endroit, dans ce vallon près de cette source qui n'a pas pris par hasard le nom d'Elie, ce prophète de feu, à la lumière et à la chaleur duquel le Carmel est né et a toujours vécu. Elie est une puissante figure, qui peut être considérée sous des aspects variés. Certes, nous habitons en Israël, mais topographiquement ni sur les rives du torrent Kerit, ni dans la vallée de Sarepta, ni dans le désert de Juda, ni dans les grottes de l'Horeb et encore moins dans les steppes de Moab ou sur les berges du Jourdain, où il fut enlevé au ciel. Nous sommes sur le Mont Carmel, son principal séjour.

227. Albert de Jérusalem donne la Règle au prieur des Carmes. Interprétation contemporaine, de Luigi Poggi, Maltais. Ce panneau fait partie d'une série qui reproduit le texte de la Règle carmélitaine et qui est placée dans le cloître.

D'ici, que nous enseigne-t-il donc de particulier? Le témoignage d'une de nos Soeurs résume en peu de mots ce que nous ressentons toutes: «Dans le prophète Elie, qui sur ce mont élimina par sa prière les 450 prophètes de Baal et par sa muette imploration mit fin à trois ans de sécheresse, comment ne pas toucher du doigt la puissance d'intercession de la prière, essence et spécificité de notre vocation?»

Le prophète nous donne encore un autre exemple: il faut savoir attendre, être mis à l'épreuve. Elie a attendu jusqu'au coucher du soleil l'heure de Dieu pour faire flamber le feu du sacrifice; sept fois de suite il a envoyé son serviteur voir si, de la mer, montaient quelques signes précurseurs de la pluie, six fois en vain. La constance dans la prière. Il ne faut pas oublier que la prière — mystère de foi — peut être le vide et la nuit; qu'il faut persévérer, tenir bon, en une présence qui, parfois, a toutes les apparences d'une absence.

227

Un Carmel sur le Mont Carmel ne peut-il signifier cela aussi à l'homme d'aujourd'hui, quelle que soit la rive religieuse d'où il élève vers Dieu sa supplication?

Lien de fraternité thérésienne

La Règle gravée dans notre cloître parle aussi d'autre chose: elle est le premier maillon d'une chaîne qui fait des moniales et des moines une seule famille religieuse. Sainte Thérèse de Jésus a été très claire: il était nécessaire qu' «en fondant des monastères de moniales, on en fonde aussi de Frères de la même Règle» (*Fondations* 2,5). «La possession commune de l'héritage thérésien» (*Constitutions 1991* n° 241) est une des valeurs mises en relief par notre Carmel du Mont. Nous en sentons la responsabilité et en même temps nous en sommes fières. Pour deux motifs: à cause de sa continuité et de sa portée, pour hier et pour aujourd'hui.

Le 11 Avril 1568, Dimanche des Rameaux, Soeur Thérèse de Jésus, accompagnée de sept consoeurs, fondait le Carmel de Malagon. Pous nous, ce 11 Avril 1568 est la véritable date de naissance du Carmel du Mont Carmel. Qu'aurait pensé sainte Thérèse d'Avila, dans les veines de qui courait du sang juif, si elle avait prévu qu'en franchissant le seuil de la maison de Malagon, elle posait la première pierre d'un autre monastère qui serait édifié un jour, sur une terre lointaine, et qu'elle ressentirait comme particulièrement sien à deux titres: humainement en raison de ses origines familiales, et spirituellement à cause de sa nostalgie des «premiers Pères» du Carmel et de son aspiration à en suivre les traces?

Un fil ininterrompu nous relie en effet à la fondation de Malagon: Gênes 1590, Avignon 1613, Ecully 1878, Mont Carmel (Israël) 1892. Ces noms évoquent une indéfectible communion entre moniales et pères, participants du même charisme.

Le 17 Juillet 1898, les Mères présentèrent directement au pape une supplique qui résumait en bloc ce qu'elles désiraient de mieux pour le bien de leur communauté: observer les constitutions «données par sainte Thérèse et approuvées par les souverains pontifes», avoir les voeux solennels et la clôture papale, jouir de la juridiction de l'Ordre. Le moment était délicat, car un récent décret de la Sacrée Congrégation des religieux (27 Août 1887) autorisait les Carmels de France à suivre, «la conscience tranquille», les constitutions dites «thérésiennes-bérulliennes», jamais présentées à l'approbation du Saint-Siège. Léon XIII hésita un instant: il ne voulait probablement pas compliquer les choses en créant un précédent; puis il donna son accord par un décret de la Sacrée Congrégation pour la Propagation de la Foi du 30 Décembre 1898. Dès lors, depuis presque un siècle, nous sommes directement confiées au Définitoire général des Carmes Déchaux, et nous restons ainsi avec joie, persuadées d'assurer, de cette manière, la continuité de la pensée de la sainte Mère Thérèse et de bénéficier de son authentique héritage.

Juridiction de l'Ordre, en même temps qu'assistance et formation. Depuis les débuts de Zaourah et jusqu'à maintenant, nos Pères se sont succédés comme confesseurs et guides spirituels de notre communauté. Leur voisinage a facilité les choses. En effet, depuis que nous sommes installées sur le Mont, à peine plus d'un kilomètre nous sépare de *Stella Maris*. De plus, s'est ajouté à notre avantage le fait que le couvent a été pendant des années la maison internationale d'études de philosophie et de théologie, et qu'actuellement il est le siège de cours de recyclage en quatre langues, pour des groupes de Provinces. Les meilleurs professeurs de l'Ordre dans les diverses spécialisations, sont appelés à venir y donner des leçons et nous jouissons grandement des miettes: conférences, instructions, rencontres. En outre, les étudiants du premier cours de notre collège international de Rome y passent chaque année une partie de leurs vacances d'été; ce sont pour nous de nouvelles occasions de contact avec les espoirs de l'Ordre. Communion donc et dialogue de fraternité thérésienne à tous les niveaux.

Diverses et unies: cantate à plusieurs voix

Nous formons une seule grande famille religieuse: nous voudrions que notre présence au Mont Carmel en soit un témoignage non seulement pour hier et pour aujourd'hui, mais aussi pour demain et pour l'Ordre tout entier.

Terre Sainte, carrefour des races et des nationalités. Si, au début, les religieuses étaient exclusivement françaises, peu à peu, par une lente évolution, la communauté s'est internationalisée; puis, à partir de 1967, l'internationalisation s'est accélérée. La communauté traversant un moment difficile, en raison de l'âge avancé et des infirmités de plusieurs religieuses, on dut recourir à Rome, aux Supérieurs de l'Ordre et demander des renforts. Le Père général s'adressa avec succès au Carmel de Brescia, de fondation récente (1934), riche de jeunes et ardentes professes. Entre 1968 et 1975, il en partit six, échelonnées en trois temps.

Maintenant, la communauté est vraiment cosmopolite: nous appartenons à trois races, quatre continents, neuf nations; nous comptons trois converties et d'autres qui ont dû renoncer à leurs rites respectifs — maronite, melchite, copte — pour embrasser chez nous le rite latin. Rien de surprenant dans un Etat comme Israël, où rien que les familles d'immigrés proviennent d'environ 175 ethnies différentes. Rien de surprenant non plus en Terre Sainte, dont la fascination attire des gens du monde entier.

La langue commune du monastère est le français, mais sans exclusion: à l'intérieur du monastère comme dans la liturgie — qu'il s'agisse de la messe, de l'office des Heures, des offices privés ou publics, simples ou solennels — tout se déroule dans un pluralisme de langues.

La liturgie des Heures varie aussi quotidiennement, surtout dans les parties fixes comme le *Magnificat* et le *Pater*. Plus rarement, à l'occasion de célébrations particulières, nous nous réunissons pour les Vêpres «en langues étrangères», en récitant psaumes, antiennes, lectures et versets en langues diverses.

Notre pluralisme de personnes et de langues revêt aussi d'autres aspects: il favorise en nous le «sens de l'Eglise» (*Constitutions* n° 130) et notre insertion dans l'Eglise particulière (ib. n°128). Le patriarcat de Jérusalem, notre diocèse, a une configuration toute personnelle, parce qu'il est situé dans un Etat où confluent les fidèles des trois religions monothéistes, sans compter les adeptes des innombrables ramifications et sectes. L'Eglise d'Haïfa, avec ses paroisses de divers rites catholiques, reflète cette situation et nous cherchons à la faire nôtre «en offrant le témoignage particulier de la vie contemplative du Carmel thérésien» (ib.).

En effet, nos Constitutions, en se rattachant aux directives données par sainte Thérèse de Jésus dans le *Chemin de Perfection,* nous demandent explicitement:

«Dans le style du Carmel thérésien, que les soeurs offrent à tous un accueil fraternel et un joyeux témoignage de leur vie, en répandant l'amour par la prière» (ib.).

228

229

Nous sommes donc heureuses que, depuis vingt ans, un professeur israélien et ses collègues nous amènent, cinq ou six fois par an, quelques-unes de leurs classes. Ce ne sont pas des rencontres banales, les garçons sont bien organisés et bien surveillés; c'est un enrichissement très intéressant pour eux et pour nous. Ceci n'est qu'un exemple, et non le seul, de notre vie de Carmélites avec nos frères Juifs.

Evidemment, nos portes sont toujours grandes ouvertes aux élèves de l'école italienne d'Haïfa, tenue par les Soeurs thérésiennes de Florence; elle compte environ un millier d'élèves, surtout arabes. Les Soeurs savent que notre église et notre jardin *extra muros* sont toujours prêts à accueillir les plus petits pour des journées de recueillement en préparation à la première communion ou à autre chose, et les classes plus avancées pour des réunions de découverte de vocation, ou des assemblées de prière, avec échanges d'expériences.

C'est aussi cette école, en union avec la paroisse latine, qui forme notre *schola cantorum,* à l'occasion de fêtes ou de cérémonies. Alors notre chapelle est remplie de familles et d'amis arabes du quartier chrétien d'Haïfa. Plusieurs fois par an nous admettons aussi chez nous des célébrations dans d'autres rites catholiques et nous y participons fraternellement.

Nous sommes donc en symbiose avec une population de différentes couleurs, mais également aimée, et nous sommes solidaires «des joies et des espérances, des tristesses et des angoisses» (ib. n° 130) de cette portion d'humanité sur laquelle la Providence nous a greffées, dans la ligne de notre vocation cloîtrée.

Solitaires et ensemble

Mais cette communauté, un peu «arc-en-ciel», un peu polyglotte, que fait-elle en dehors de son engagement à une prière commune? La réponse est donnée par la plaque du cloître où se lit le paragraphe de la Règle qui prescrit de «s'occuper de quelque travail» en nous exhortant «à manger notre pain en travaillant en silence» (n° 17). Le travail est donc une obligation comme exigence de la pauvreté professée, comme expression de la charité fraternelle et comme moyen nécessaire pour subvenir à nos besoins.

Travail ménager, comme c'est l'habitude de toute communauté humaine, et tra-

228. Haïfa. Monastère des Carmélites Déchaussées. Travail quotidien: la confection de petits scapulaires.

229. Travail quotidien: petits cartons décorés avec des fleurs de Terre Sainte.

230. Le chant solennel du Salve Regina dans l'après-midi du samedi.

vail rémunérateur pour gagner notre vie et aider, à notre tour et si nous le pouvons, qui est plus pauvre que nous.

Mais toujours «en silence et dans le recueillement», sans salle commune, même si le travail requiert une collaboration (n° 84).

Comme d'autres communautés en Terre Sainte, nous faisons des objets religieux pour les pèlerins et pour les touristes: chapelets petits ou grands avec des grains de bois d'olivier, scapulaires de Notre-Dame du Mont Carmel, cierges et lumignons de cire, icônes et petits tableaux et surtout images et petits cartons avec des fleurs ramassées sur notre Mont. Occupations quotidiennes faites avec soin, dans lesquelles nous cherchons à mettre le meilleur de nous-mêmes pour que le moindre petit objet, aussi simple soit-il, porte l'empreinte de la prière que nous sommes, avec laquelle nous le faisons et pour qui nous le faisons, frère inconnu mais immensément aimé. Nous cultivons aussi le potager et le verger dont les produits nous sont nécessaires. Pour les Soeurs qui en sont chargées, ce travail aussi est tout une prière.

Ainsi, en communauté, les qualités variées et les capacités des unes et des autres nous permettent de joindre les deux bouts, même si c'est parfois difficile; mais la gaîté et la joie des filles de sainte Thérèse ne disparaissent jamais.

Moniales sans frontière

Evidemment, nous ne sommes pas en terre chrétienne, et même pas en terre de mission. Du reste, la seule qualification de «Carmel en pays de mission», comme il y en a tant d'éparpillés par le monde, est impensable en Israël. L'Etat interdit tout prosélytisme manifeste ou latent et il a banni le terme même de «mission», dans le sens que lui donnent les catholiques.

«Moniales sans frontière», on ne peut pas prendre ce terme dans son sens géographique ou topographique, même si, en montant sur la vaste terrasse qui couvre le monastère, notre regard plane sur le splendide panorama, jusqu'à l'extrémité de la baie d'Haïfa qui délimite la frontière avec le Sud Liban, même si nous apercevons le Mont Hermon, même si nous savons qu'au-delà des douces collines de Nazareth et du Mont Thabor, que nous distinguons les jours limpides, il y a plus au Nord les hauteurs du Golan qui séparent Israël de la Syrie. Haïfa est située en effet dans le Nord du pays, avec tout ce que cela comporte de risques éventuels.

D'autres frontières existent: les culturelles et les politiques, les spirituelles et les religieuses. Nous aurions presque le droit de nous réclamer de ces dernières. Regardons encore du haut de la terrasse: en dessous de nous, les édifices catholiques, les clochers des églises chrétiennes d'autres dé-

230

231. Vue d'Haïfa, du haut du monastère. Dans le petit cercle, le monastère primitif.

232. Autre vue d'Haïfa. A droite, le campanile du monastère.

nominations, la coupole dorée du Centre international Bahai, les minarets de la nouvelle grande mosquée et, sur la pente, cachée, la principale synagogue de la zone. Symptomatique et impressionnant est le grand silence qui monte de la ville et imprègne l'atmosphère le jour du shabbat, consacré à la sanctification du Nom du Très-Haut.

Ce sont donc des frontières réelles et vécues. Toutefois, ce n'est pas encore à celles-ci que nous nous mesurons. Nous voulons parler de «cette frontière vraiment ultime et menaçante, infranchissable, qui se trouve derrière toutes les autres et qui les rend dangereuses et peu sûres», — en ces termes s'est exprimé magistralement le cardinal Carlo-Maria Martini — «qui est la frontière du mal, de la haine, de l'injustice, du péché». Etre sur cette frontière, ajoute-t-il, «prend toujours, de quelque manière, l'aspect de la réconciliation».

231

La réconciliation et l'union des coeurs

Ainsi sommes-nous arrivées à la signification définitive de la présence — hier, aujourd'hui et demain — du Carmel du Mont Carmel. Le Seigneur a touché les ultimes frontières en se heurtant au mal, en le prenant sur lui, en opérant la réconciliation dans son corps, en payant de sa personne sur la croix.

C'est à cela qu'est appelée chaque Carmélite. Pour la première fois dans l'histoire de notre législation, a été pour ainsi dire codifié, dans les Constitutions de 1991, le sens de la communauté thérésienne: «Exemple de fraternité et témoignage d'unité, signe de réconciliation universelle dans le Christ». Pour toutes. Mais nous pouvons affirmer qu'il l'est, pour nous, d'une façon très spéciale: par un mandat explicite de l'Eglise, quand Léon XIII au début de notre présence ici, en 1895, nous confia le devoir d'être ici «pour la réconciliation et l'union des coeurs». Depuis lors nous veillons comme des sentinelles qui dans la nuit attendent l'aurore.

Tel est le sens ultime de la présence des Carmélites Déchaussées sur le Mont d'Elie et de Notre-Dame.

232

LA PETITE ARABE

LA BIENHEUREUSE MARIE DE JÉSUS CRUCIFIÉ (1846-1878)

Abellin est un petit village de Galilée, dans le diocèse grec-melkite de Saint-Jean d'Acre, situé à mi-chemin entre Haïfa et Nazareth.

De la cime de la colline sur laquelle s'étend la bourgade, on jouit d'une vue merveilleuse sur la Galilée. Au Nord les montagnes se suivent jusqu'à la cime neigeuse de l'Hermon. A l'Est, les collines ferment l'horizon, et derrière elles se trouve la ville de Nazareth. Au Sud la vaste plaine d'Esdrelon, brusquement barrée par la chaîne du Mont Carmel.

233. Détail du tableau d'Alfovino Missori (mort en 1993).

233

La famille

Ici vivait Georges Baouardy, originaire de Khourfesh, village de Haute Galilée, situé à une vingtaine de kilomètres au Nord-Est d'Acre. Comme tous ses concitoyens, il exerçait la profession de fabricant de poudre à fusil, un métier peu rémunérateur.

Georges Baouardy était un Chrétien convaincu, qui eut plusieurs fois à souffrir pour sa foi dans un milieu où ses coréligionnaires étaient en minorité et où la persécution se manifestait souvent sous la forme d'ennuis administratifs. Un meurtre ayant été commis au village de Tarshiha, Georges en fut injustement accusé et il fut jeté en prison. Quand son innocence fut reconnue et qu'on lui rendit la liberté, il préféra aller s'installer à Abellin.

Sa femme, Maria Shahine, était originaire de Tarshiba. Les deux époux, qui vivaient pauvrement de leur modeste travail, n'eurent pas beaucoup de chance avec leurs enfants. Douze garçons leur naquirent, qui moururent tous en très bas âge.

Enfin, le 5 Janvier 1846, arriva une petite fille qui fut appelée Mariam. Selon le rite grec, elle fut baptisée et confirmée dix jours après, dans l'église du village, dédiée à saint Georges.

Deux ans plus tard naquit un autre fils auquel fut donné le nom de Boulos (Paul). La tranquillité dura peu. Quand Mariam eut trois ans, elle perdit ses parents en l'espace de quelques jours. Un oncle paternel, qui habitait Abellin, recueillit Mariam chez lui, la considérant comme sa propre fille. Boulos au contraire fut adopté par une tante maternelle qui résidait à Tarshiha. A partir de ce jour le frère et la soeur restèrent toujours séparés et ne se revirent plus.

234

L'adolescence

Quelques années après, l'oncle se transféra à Alexandrie d'Egypte. Mariam grandissait sereinement sous l'oeil attentif de ses parents adoptifs et en compagnie de ses cousins. Dans cette famille elle put librement développer son penchant religieux. A sept ans, elle prit l'habitude de se confesser chaque semaine et, un peu avant ses huit ans, elle fit sa première communion.

Selon l'usage oriental, son oncle l'avait fiancée à un cousin qui vivait au Caire. Quand Mariam eut treize ans, elle apprit qu'elle devait se marier. On fit les préparatifs nécessaires mais, à la grande surprise de tous, la jeune fille refusa de se marier. Son attitude paraissait tout à fait insolite dans le milieu social auquel elle appartenait.

On s'efforça en vain de la convaincre, en usant de bonnes manières. Même l'intervention d'un prêtre et d'un évêque, amis de la famille, qui voulurent l'exhorter à l'obéissance, n'eut aucun résultat. C'est pourquoi son oncle, pour la punir, la contraignit à travailler à la cuisine.

Trois mois passèrent. La situation restait la même. La jeune fille pensa que son frère Boulos, resté en Palestine, pourrait l'aider. Elle lui fit donc écrire une lettre, le priant de venir la secourir. Puis elle porta cette lettre à un Musulman, ancien domestique de son oncle et qui devait se rendre à Nazareth. C'était le soir. La petite fut accueillie avec cordialité et l'homme, sa mère et sa femme l'invitèrent à souper. La conversation tomba sur sa difficile situation et les hôtes lui offrirent de l'aider si elle se faisait musulmane.

Evidemment, Mariam refusa. Le Musulman, enflammé de colère, la frappa et la blessa gravement au cou avec une arme blanche. Ensuite, les trois hôtes abandonnèrent le corps, apparemment sans vie, dans une rue déserte.

Cet épisode dut advenir en Septembre 1858. Mariam ne sut jamais comment elle avait pu survivre ni qui l'avait soignée. Elle raconta par la suite qu'elle avait été recueillie par une religieuse inconnue qui l'assista pendant environ quatre semaines, puis l'accompagna à l'église de Sainte-Catherine, desservie par les Franciscains. Pendant toute sa vie elle garda une large cicatrice dans la partie antérieure du cou. Son frère Boulos reçut effectivement sa lettre. Plus tard, il raconta aux Carmélites de Bethléem qu'il s'était rendu à Alexandrie et qu'il avait trouvé la famille de l'oncle encore affligée de sa disparition.

Après ces événements, Mariam jugea inopportun de retourner chez cet oncle. Née dans une famille pauvre, elle suivit le sort des gens de sa condition et gagna sa vie comme domestique dans diverses familles. D'Alexandrie elle alla à Jérusalem, puis à Beyrouth où elle entra au service de la famille Atalla.

234. Bienheureuse Marie de Jésus Crucifié dans la Gloire du Bernin *le 13 Novembre 1983. Ce tableau est d'Alfovino Missori.*

235. Abellin, aujourd'hui Ibillin, en Haute-Galilée, village natal de Mariam Baouardy.

235

Concernant ce moment de sa vie, il existe des nouvelles provenant d'une lettre du 16 Octobre 1869, écrite par Soeur Gélas, supérieure des Filles de la Charité de Beyrouth, sur la demande de la prieure du Carmel de Pau. La religieuse put fournir d'excellents renseignements sur le compte de Mariam, dont elle affirmait le sérieux et la vertu.

Pendant son séjour à Beyrouth, il lui fut proposé de se rendre à Marseille pour entrer au service de la famille Najjiar, d'origine syrienne. Mariam arriva en France en Mai 1863 et fut embauchée comme cuisinière. Elle commença à fréquenter l'église Saint-Charles, où elle écoutait habituellement la messe, et l'église Saint-Nicolas, de rite grec-catholique, où elle pouvait retrouver les cérémonies auxquelles elle était habituée et les prêtres qui parlaient sa langue. Elle choisit comme confesseur don Philippe Abdou, recteur de l'église, qui l'assista plus tard, dans les diverses épreuves de sa vie religieuse.

236

L'Institut de Saint Joseph

A vingt ans, Mariam Baouardy avait encore l'aspect d'une fillette de douze ou treize ans. Les souffrances, les privations, le travail avaient empêché son développement physique; sa santé était gravement compromise et peut-être abîmée pour toujours. Elle n'avait d'autre dot que ses pauvres habits et enfin, comme elle parlait toujours arabe chez Madame Najjiar, elle ne connaissait que quelques mots de français.

Eprouvant l'appel de la vie religieuse, elle essaya de faire quelques demandes. Les Filles de la Charité l'attiraient parce qu'elles servaient les pauvres. Mais Madame Najjiar, craignant de perdre son excellente domestique, s'interposa et bloqua les démarches qui commençaient. La

236. L'église d'Abellin telle qu'elle se présentait pendant la vie de Mariam.

237. L'intérieur de l'église actuelle.

237

238

239

238. Abellin. Eglise paroissiale. Fonts baptismaux dans lesquels fut baptisée Mariam.

239. Marseille. Maison-mère des Soeurs de Saint-Joseph de l'Apparition, où Mariam fit sa première expérience de vie religieuse en qualité de postulante.

demande adressée aux Clarisses fut repoussée en raison de sa mauvaise santé.

En 1865, Mariam fut présentée aux Soeurs de Saint-Joseph de l'Apparition, dont la maison-mère se trouvait dans un faubourg de Marseille. L'Institut comptait de nombreuses postulantes et novices arabes, provenant de Syrie, qui pouvaient aider Mariam au début. Elle fut reçue en Mai de cette année-là au noviciat qui groupait, entre postulantes et novices, une vingtaine de jeunes filles de nations diverses. Mariam, tout de suite, se sentit à son aise au couvent et se fit aimer de la communauté par sa simplicité et son activité, malgré la difficulté qu'elle éprouvait à s'exprimer.

Toutefois, en marge de sa vie quotidienne normale, elle était aussi sujette à des phénomènes insolites, tels que des extases, des stigmates, que Mariam prenait pour des symptômes de lèpre. La répétition périodique de ces phénomènes poussa les Soeurs à la tenir le plus possible occupée à des travaux manuels. Toute la communauté ne jugeait pas de la même manière ces manifestations. C'est sans doute pourquoi, le 10 Mai 1867, après que Mariam eut accompli deux ans de postulat et qu'il fallut décider si on devait l'admettre ou la renvoyer, on préféra la seconde solution. L'un des motifs avancés était que les faits extraordinaires dont elle était l'objet étaient plus adaptés aux religieuses cloîtrées qu'aux Soeurs de vie active.

Toutes les Soeurs n'étaient pas d'accord avec cette décision. Mère Véronique, qui l'avait guidée pendant la dernière période de son postulat et qui se préparait à entrer au Carmel de Pau, lui proposa de l'accompagner. Mariam se déclara toute disposée à le faire et, de leur côté, les Carmélites Déchaussées l'acceptèrent.

Le 30 Mai 1867, Mariam quitta les Soeurs de Saint-Joseph pour passer deux semaines au presbytère des grecs-catholiques, avec la mère de don Abdou. Le Samedi 15 Juin, veille de la fête de la Trinité, elle arriva au monastère de Pau.

Le Carmel de Pau

En présentant Mariam Baouardy aux Carmélites, Mère Véronique avait loué surtout sa grande obéissance. Quand la jeune fille arriva au monastère, les Carmélites furent d'abord frappées par son apparence délicate, sa simplicité, son innocence.

Mère Marie-Thérèse Elie de Jésus, alors prieure, lui avait ouvert les portes de la clôture. Peu après, elle fut maîtresse des novices et, à ce titre, fut plus proche de Mariam pendant les années suivantes.

Mariam avait été admise au Carmel comme soeur converse. En effet, elle ne savait ni lire, ni écrire et n'avait jamais fréquenté une école. On lui confia les travaux de la cuisine, qu'elle avait toujours faits.

Son temps de postulat fut bref. Le 27 Juillet 1867, en présence de la seule communauté, selon l'usage, elle reçut l'habit carmélitain et le nom de Soeur Marie de Jésus Crucifié. Considérant combien elle était vertueuse, le chapitre avait jugé opportun qu'elle devienne soeur de choeur, avec le devoir, donc, de participer à la prière du choeur.

240

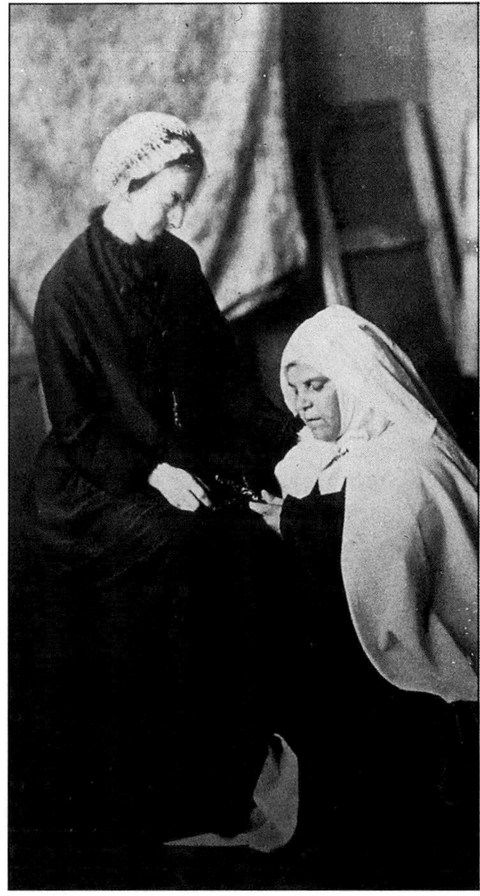

241

240. Pau (France). Eglise de l'ancien monastère des Carmélites Déchaussées. Ici, Mariam prit l'habit et commença son noviciat.

241. Carmel de Pau. Marie de Jésus Crucifié novice et Berthe Dartigaux.

On lui donna un bréviaire et la Mère sous-prieure fut chargée de lui apprendre à lire. La novice y mit toute sa bonne volonté; on la voyait dans le choeur, très attentive, suivre avec le doigt les lignes des lectures et des psaumes. Mais la lecture du latin et du français était trop difficile pour elle. Les résultats furent médiocres et ne correspondirent pas à ses efforts. Elle réussit à réciter les versets avec la communauté, mais ne put jamais arriver à lire seule. Plusieurs fois, elle renouvela sa demande de reprendre la condition qu'elle aurait préféré n'avoir jamais quittée. Ce n'est qu'au bout de quatre ans, en 1871, que ses supérieurs lui permirent de redevenir soeur converse.

Pendant son noviciat, Marie de Jésus Crucifié subit différentes épreuves: sa mauvaise santé, qui pourtant ne l'empêchait pas de collaborer autant que possible au travail de la communauté, son désir de mortification, la tentation de quitter le Carmel, les phénomènes insolites qui se produisaient souvent.

A ce sujet, reste un jugement serein de Mère Elie, maîtresse des novices: «Je sens que je ne fais son portrait qu'à moitié. Il faudrait une autre plume plus exercée pour faire connaître cette belle âme, son ingénuité, sa simplicité, son humilité, sa générosité, sa charité, son amour pour Dieu et pour le prochain, sa force d'âme dans les épreuves, sa confiance en Dieu, sa constance pour lutter contre l'Adversaire qui la poursuit sans cesse, son amour pour la vie cachée, commune, ordinaire. Il faut la voir et la suivre pour se faire une idée de cette enfant. Tout ce qui arrive en elle d'extraordinaire, dans le passé comme dans le présent, vient-il de Dieu? Ce n'est pas à nous d'en juger. Ce que nous pouvons dire, c'est que, si l'esprit de Dieu n'en était pas l'auteur, notre novice apparaîtrait encore plus digne d'admiration, de pouvoir, soumise à l'action du démon, rester fidèle à son Dieu, pleine d'espérance en Lui, humble et petite en elle-même, ne cherchant jamais l'estime des créatures, ne voulant en toute chose que la volonté de Dieu et sa plus grande gloire. J'ai longuement scruté ses sentiments et j'ai constaté qu'elle n'a jamais dévié de son chemin, celui d'une âme pleine de rectitude, qui ne cherche que Dieu seul».

242

242. Marie de Jésus Crucifié, d'après une photo prise à Mangalore (Inde) vers la fin du noviciat.

Le Carmel de Mangalore

Le 21 Août 1870, un petit groupe de Carmélites s'embarquait, à destination de l'Inde, pour fonder un monastère à Mangalore. L'initiative venait de Mgr Lucien Garrelon, Carme Déchaux, en religion Père Marie-Ephrem du Sacré-Coeur de Jésus.

Né le 19 Novembre 1827 à Casteljaloux au diocèse d'Agen, Lucien Garrelon avait effectué une brillante carrière dans le clergé séculier avant d'entrer dans l'Ordre du Carmel. Professeur de théologie dogmatique et prédicateur renommé, il partit pour l'Inde en 1859. Successivement missionnaire à Mahé et Vicaire apostolique du diocèse de Quilon, il reçut, en 1868, la consécration épiscopale. Il participa au Concile du Vatican, au terme duquel il repartit pour l'Inde avec le titre de Vicaire apostolique de Mangalore.

Quand en 1866 il annonça aux Carmélites de Pau son désir de fonder un Carmel à Mangalore, il reçut une réponse enthousiaste. Juste au moment où l'on faisait les préparatifs, Marie de Jésus Crucifié entra au Carmel de Pau et demanda de pouvoir aller aux Indes. Sa requête fut acceptée.

En Août 1870, à Marseille, s'embarquèrent six Carmélites et trois religieuses du Tiers-Ordre, fondé récemment par Mère Véronique. Elles étaient accompagnées de deux Carmes Déchaux, le Père Lazare, vicaire général du vicariat apostolique de Mangalore et le Père Gratien.

Le voyage se déroula normalement jusqu'à Suez. Pendant la traversée de la Mer Rouge, les moniales tombèrent malades et furent contraintes de débarquer à Aden, où deux d'entre elles moururent. Les autres, ayant repris leur voyage, arrivèrent à Calcutta le 23 Octobre. Quelques jours après, mourut aussi Mère Elie. Des six moniales qui étaient parties, il n'en restait plus que trois! Les monastères de Pau et de Bayonne envoyèrent des renforts, si bien qu'à la fin de 1870, on put inaugurer la vie cloîtrée.

Marie de Jésus Crucifié supporta avec sérénité la perte de Mère Elie et poursuivit, à Mangalore, son noviciat sous la tutelle de Soeur Marie de l'Enfant-Jésus, provenant du Carmel de Bayonne. Mgr Garrelon voulant suivre de près l'évolution de son esprit, lui donna comme confesseur et directeur spirituel le Père Lazare, son vicaire général. Celui-ci joua donc un rôle prépondérant dans la décision qui fut prise de laisser Marie de Jésus Crucifié redevenir converse selon son désir. Délivrée ainsi des obligations du choeur, elle put s'adonner pleinement aux travaux manuels propres à son état et qui lui convenaient beaucoup mieux.

Une fois terminée l'année de noviciat, Soeur Marie de Jésus Crucifié fut admise à la profession et elle émit ses voeux le 21 Novembre 1871.

Tout de suite après, commença une période de malentendus au sujet des phénomènes insolites qui l'accompagnaient régulièrement. Marie de Jésus Crucifié n'en parlait qu'à son confesseur. Tant qu'elle bénéficia de l'assistance spirituelle du Père Lazare, sa vie se déroula normalement. Mais en Janvier 1872, le confesseur dut changer de résidence et Marie perdit son appui. Du côté des moniales comme du côté de l'évêque naquit un climat de méfiance à l'égard de la Soeur, au point qu'en peu de temps sa situation fut bouleversée: on jugeait mauvais ce qu'on avait estimé bon dans les semaines précédentes. Quelques comportements insolites de Marie, attribués à l'influence directe du démon, vinrent aggraver les choses. On alla jusqu'à considérer invalide la profession qu'elle avait faite peu de temps auparavant.

La tension créée par ces circonstances induisit l'évêque à prendre une décision drastique: Marie de Jésus Crucifié fut renvoyée au monastère de Pau.

Le Carmel de Bethléem

Vers la fin de 1872, peu après son retour de Mangalore, Soeur Marie de Jésus Crucifié commença à parler d'une fondation à Bethléem. L'idée fut accueillie avec une certaine froideur. La fondation indienne subissait encore les difficultés du début, et la petite converse était revenue de sa première tentative humiliée et blessée.

Malgré tout, l'idée fit son chemin. Il fallut un certain temps pour obtenir les financements nécessaires, lesquels furent assurés par Berthe Dartigaux, fille unique du président du tribunal de Pau et petite-fille, par sa mère, du comte de Saint-Cricq, ministre de Charles X et pair de France. Son confesseur était Pierre Estrate, des prêtres du Sacré-Coeur de Bétharram, qui approuva sa résolution. Et ce fut l'occasion qui mit en contact le Père Estrate et Soeur Marie de Jésus Crucifié.

244

244. Père Lazare de la Croix (Jean Bayle) o.c.d. vicaire général de Mangalore. Il conseilla et soutint, comme directeur spirituel, Soeur Marie de Jésus Crucifié pendant son année de noviciat.

Le soutien financier étant assuré, il était nécessaire d'obtenir du Saint-Siège l'autorisation de s'établir en Terre Sainte. L'évêque de Bayonne, Mgr Lacroix, s'en occupa directement, sur les instances de Soeur Marie de Jésus Crucifié. Une première demande adressée à la Congrégation pour la Propagation de la Foi se heurta à une opi-

243

243. Les Carmélites Déchaussées fondatrices du monastère de Bethléem: Marie de Jésus Crucifié est la seconde, debout, à gauche.

245. Carmel de Bethléem. La cellule habitée par Soeur Marie de Jésus Crucifié.

246. Billet autographe de Marie de Jésus Crucifié adressé à son confesseur, le Père Pierre Estrate.

nion négative, car le patriarche de Jérusalem jugea difficile de pourvoir aux besoins d'un monastère de cloîtrées. L'intervention d'une délégation envoyée par Mgr Lacroix, et l'assurance que les fonds nécessaires étaient trouvés, amenèrent Rome à changer d'avis.

Les religieuses partirent du monastère de Pau le 20 Août 1875. Elles étaient sept professes, une novice choriste et deux converses. La fondatrice, Berthe Dartigaux, voulut les accompagner jusqu'à Bethléem. Au groupe s'ajoutèrent le Père Pierre Estrate, des missionnaires de Bétharram et le chanoine Bordachar, qui avait activement négocié, à Rome, la fondation. La caravane fit une première halte à Lourdes et une autre à Marseille, où Soeur Marie de Jésus Crucifié put retrouver l'ambiance et les personnes avec qui elle avait passé le début de son séjour en France: don Abdou, recteur de l'église des grecs-catholiques, et les Soeurs de Saint-Joseph de l'Apparition qui comblèrent d'attentions les Carmélites.

L'embarquement eut lieu le 26 Août. Le 6 Septembre, les moniales accostèrent à Jaffa et s'acheminèrent vers Jérusalem. Elles arrivèrent finalement à destination le 12 Septembre.

Après avoir convenablement installé la communauté dans une maison provisoire, on commença la construction du véritable monastère. Marie de Jésus Crucifié indiqua la colline sur laquelle devait s'élever le bâtiment et elle en décrivit les caractéristiques.

Elle seule connaissait l'arabe. La prieure la chargeait donc volontiers de surveiller les ouvriers. Elle se rendait au chantier, contrôlait les fournisseurs, stimulait les maçons et réglait les disputes. Elle se plongeait «dans la chaux et dans le sable», selon sa pittoresque expression. Sa manière de faire, simple, cordiale et prévenante lui attira la sympathie des ouvriers.

La pose de la première pierre eut lieu le Vendredi 24 Mars 1876 et le transfert de la communauté dans le nouveau monastère advint le 21 Novembre de la même année. Les travaux ralentirent en 1877, mais reprirent avec une nouvelle vigueur l'année suivante.

Dès son arrivée à Bethléem, Marie de Jésus Crucifié déclara qu'il était nécessaire de fonder un Carmel à Nazareth également. Elle en parla au patriarche de Jérusalem, Mgr Vincenzo Bracco, à qui elle répétait avec simplicité que Nazareth devait lui fournir l'occasion de réparer ses torts anciens à l'égard de Bethléem: s'étant opposé à la fondation du premier, il devait faire lui-même les dé-

245

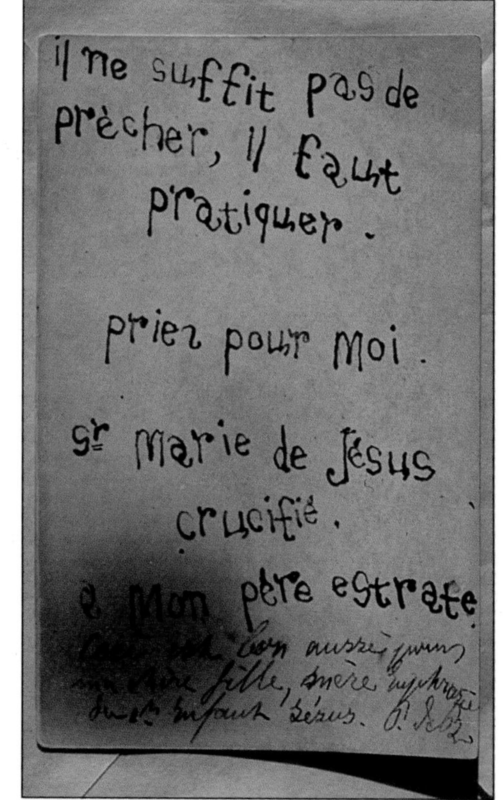

il ne suffit pas de prècher, il faut pratiquer.

priez pour moi.

Sr Marie de Jésus crucifié.

à Mon père estrate

246

247. Carmel de Bethléem. L'escalier construit près du lieu où tomba Soeur Marie de Jésus Crucifié. Les complications de la fracture provoquée par cette chute conduisirent Soeur Marie à la mort.

marches nécessaires pour la fondation du second.

Marie de Jésus Crucifié put voir le terrain sur lequel on pensait construire le nouveau monastère. Elle effectua le voyage en Mai 1878, après que le permis de fonder eut été obtenu de Rome. Avec elle se rendirent à Nazareth la prieure et la maîtresse des novices de Bethléem.

A Nazareth, elle put visiter les sanctuaires, surtout les grottes de l'Incarnation. Souvent elle se retirait dans celle qu'on appelait alors familièrement «la cuisine de la Sainte Vierge».

Les derniers jours

Revenue à Bethléem, elle reprit sa fatigante charge de surveiller les ouvriers. Il parut vite évident qu'elle s'acheminait à grands pas vers sa fin. Ses journées étaient dures et ses nuits pires encore. Au mois de Juillet, sa faiblesse et ses crises de suffocation se multiplièrent. Elle avait la poitrine et les pieds enflés et était secouée par une toux oppressante qui l'empêchait de dormir. Cependant, chaque matin, elle retournait à son poste, près des bâtiments en construction.

Le Jeudi 22 Août, la maîtresse des novices notait: «Soeur Marie de Jésus Crucifié continue à souffrir beaucoup; pourtant elle se traîne toujours à son travail avec des efforts inouïs et une admirable abnégation. Elle nous a dit quelquefois: Je fais mon possible pour hâter les choses, afin qu'après ma mort vous soyez tranquilles et que vous puissiez vous reposer. Ce matin, elle se sentait très faible; néanmoins, elle se préparait à redoubler sa vigilance pour surveiller les ouvriers. Elle est tombée deux fois dans le jardin».

Ce jour-là, en allant prendre deux seaux d'eau fraîche pour les ouvriers, tandis qu'elle gravissait un sentier assez escarpé, elle tomba pour la troisième fois et se fractura le bras gauche en trois endroits. Dès le premier instant, ses douleurs furent atroces et tous les soins qu'on lui prodiguait ne parvinrent même pas à les calmer. Le mal s'aggrava et le lendemain la gangrène se déclara.

Dimanche 25, un chirurgien vint de Jérusalem. Il constata que la gangrène s'était étendue déjà à l'épaule et au cou. Les remèdes qu'il appliqua n'eurent aucun effet, le bras semblait déjà presque insensible.

On administra donc les sacrements à la malade. Plusieurs prêtres vinrent la voir, parmi lesquels le chapelain et le confesseur du monastère. Elle reçut la visite du Franciscain Guido Corbelli, qui devait devenir «Gardien de la Terre Sainte» et vi-

247

248

caire apostolique d'Alexandrie. Il était son confesseur extraordinaire et avait dès le début suivi les affaires du monastère. Marie de Jésus Crucifié étant novice tertiaire de Saint François, elle émit ses voeux sur son lit de mort. Tout de suite après, le Père Guido lui-même lui apporta le viatique.

Un peu plus tard, arriva le patriarche de Jérusalem, Vincenzo Bracco. En sa présence, la malade demanda pardon à la communauté de tous ses manquements. Elle reçut ensuite des mains de Mgr Bracco l'huile sainte.

L'état de Soeur Marie s'aggravait. Les moniales voulurent la veiller toute la nuit. Selon le journal rédigé par Mère Marie de l'Enfant-Jésus: «A cinq heures moins un quart elle eut une forte crise d'étouffement. Tout à coup, elle se mit à genoux sur sa couche et joignant les mains, elle dit avec force: «Je vais mourir, c'est le moment, appelez toutes les Soeurs, j'étouffe». Elle eut un moment de grande souffrance. La communauté était réunie. Nos deux bons Pères (le chapelain et le confesseur) étaient revenus pour l'assister. A cinq heures sonna l'Angelus; elle fit le signe de la croix et l'on vit ses lèvres bouger. On lui suggéra l'invocation: Mon Jésus, miséricorde! et elle dit: «Oh oui, miséricorde!» Ce furent ses dernières paroles. On lui fit baiser le crucifix. Le Père Belloni interrompit les prières des agonisants pour lui donner une dernière absolution, et tout de suite elle rendit sa belle âme au Créateur, sans agonie, avec un sourire céleste dans le regard et si doucement que nous pûmes à peine nous en apercevoir».

248. Abellin. Ce simple monument rappelle la vénération de ses concitoyens pour Marie de Jésus Crucifié. Les pierres sont noircies par la fumée des cierges.

C'était cinq heures dix du matin du 26 Août 1878. Marie de Jésus Crucifié avait 33 ans, dont 12 passés au Carmel. Environ trois heures après sa mort, le chirurgien, docteur Carpani, s'occupa d'extraire son coeur pour l'envoyer au Carmel de Pau. Tout de suite, il y remarqua une cicatrice, refermée désormais, qu'il montra à toutes les personnes présentes. En conséquence, un certificat fut rédigé, rapportant ces observations et qui fut signé par tous les assistants.

Le mal qui l'avait si rapidement consumée continua son travail après sa mort; aussi la bière dut-elle être fermée rapidement. Dans l'après-midi, une chapelle ardente fut préparée dans le choeur conventuel.

Le 27 Août eurent lieu ses funérailles solennelles, présidées par Mgr Felice Valerga, secrétaire du patriarche de Jérusalem et accompagnées d'une grande foule. Le corps fut déposé à l'entrée du choeur, à quelques pas de la chapelle.

La glorification

En 1919, commença auprès de la Curie du patriarcat latin de Jérusalem le procès d'information sur sa vie et ses vertus. Il dura jusqu'en 1922; alors fut remis au Saint-Siège la copieuse documentation qui en résulta.

L'introduction officielle de la cause de béatification fut signée par Pie XI le 18 Mai 1927 et elle fut suivie d'un second procès, dit apostolique, qui eut lieu également à Jérusalem. La reconnaissance des restes mortels de la servante de Dieu se fit le 28 Novembre 1928.

1140 témoins cités dans les deux procès furent unanimes pour attester que la Carmélite de Bethléem avait pratiqué les vertus théologales et morales d'une façon héroïque.

Ce jugement fut confirmé par le pape Jean-Paul II, par le décret sur l'héroïcité des vertus de la servante de Dieu, promulgué le 27 Novembre 1981.

Le même Pontife, le Dimanche 13 Novembre 1983, au cours d'une cérémonie solennelle dans la basilique Saint-Pierre à Rome, présenta à la vénération des fidèles la bienheureuse Marie de Jésus Crucifié.

Mgr. Giacomo
Giuseppe Beltritti

UNE FLEUR DE TERRE SAINTE

Lettre pastorale, *par laquelle le patriarche de Jérusalem, Mgr Giacomo Beltritti annonce l'imminente béatification de Marie de Jésus Crucifié. Il y trace le profil spirituel de la future bienheureuse, en en présentant la vie, les charismes et les vertus.*

Jérusalem 15 Août 1983.

Il arrive rarement de rencontrer dans la vie des saints pris en particulier, autant de charismes réunis en une seule personne que nous en trouvons dans la vie de Soeur Marie de Jésus Crucifié. Elle, qui humainement n'était qu'une illettrée et qui, dans sa grande humilité s'appelait «le petit rien», fut choisie par Dieu pour manifester sa sagesse et sa toute-puissance.

Dans la vie de Mariam Baouardy, on remarque, dès son enfance, des interventions particulières de Dieu. Elles devinrent plus manifestes encore avec l'âge. Marie fut une explosion de faits extraordinaires et de charismes. Nous allons rappeler les principaux.

Les stigmates

Soeur Marie avait vingt ans et elle était depuis peu entrée comme postulante chez les Soeurs de Saint-Joseph, quand un soir d'Août, tandis qu'elle se trouvait en prière devant le Saint-Sacrement, elle vit, dans une extase, le divin Sauveur avec le côté, les mains, les pieds et la tête ruisselants de sang. Elle l'entendit se plaindre à sa Mère, prostrée à ses pieds: «Combien mon Père est offensé!». En entendant la Vierge intercéder pour les pécheurs, Soeur Marie, dans un élan d'amour et de zèle, se jeta aux pieds de Jésus et dit: «Mon Sauveur, donnez-moi, je vous en prie, toutes ces souffrances, mais ayez pitié des pécheurs».

Au sortir de l'extase, Mariam éprouva une vive douleur au côté droit et s'aperçut qu'elle y avait une blessure profonde qui saignait. Sept mois plus tard, elle eut aussi les stigmates aux mains et aux pieds tandis qu'une couronne sanglante semblait lui ceindre le front.

A partir de ce moment-là, Soeur Marie portera pendant toute sa vie les marques de la Passion du Christ et elle participera intimement aux douleurs de Jésus pour le salut des pécheurs.

La transverbération du coeur

C'est un phénomène rare dans la vie des saints. Ordinairement, il n'est accordé qu'à ceux qui ont déjà les stigmates et qui sont associés aux douleurs de la Passion du Christ. Il consiste en une blessure physique au coeur, accompagnée de saignements à l'extérieur, et de fortes douleurs. Ces souffrances sont pourtant souvent tempérées par de grandes consolations spirituelles.

Dans la vie de sainte Thérèse d'Avila, réformatrice du Carmel, on lit qu'elle subit cette transverbération. Ce privilège fut aussi concédé à sa fille spirituelle, Soeur Marie de Jésus Crucifié.

Quand, tout de suite après sa mort, pour accéder à son désir exprès, on retira son coeur pour l'envoyer au Carmel de Pau qu'elle aimait tant, on constata qu'il portait une large blessure qui paraissait avoir été provoquée par un dard.

Les extases

On en parle fréquemment dans la vie des saints et elles consistent en un double mouvement: l'âme, mue par une illumination divine inattendue, perd l'usage extérieur de ses sens et elle est totalement absorbée en Dieu.

Mariam Baouardy, toute sa vie, fut une extatique. Déjà, dans sa petite enfance, elle était surprise par de brèves extases, chez elle, au jardin, à l'église. Ces ravissements se vérifièrent encore plus tard, tandis qu'elle était domestique à Beyrouth et à Marseille. Mais c'est surtout après son entrée en religion que le phénomène devint habituel; Soeur Marie sera ravie en extase à la chapelle, en récréation, au dortoir. Après son séjour à Mangalore, les extases devinrent, peut-on dire, quotidiennes. Ces ravissements duraient un temps plus ou moins long, pendant lequel elle révélait parfois ce que le Seigneur lui communiquait. L'extase terminée, la religieuse revenait à l'état normal comme si rien n'était advenu.

Les apparitions

Soeur Marie jouissait souvent d'apparitions célestes. Les plus fréquentes étaient celles du divin Sauveur, de sa très Sainte Mère et de Saint Joseph. Parfois lui apparaissaient aussi des anges, et plus souvent ses saints préférés: sainte Thérèse d'Avila, saint Jean de la Croix, sainte Marguerite-Marie Alacoque. Un saint qui lui était particulièrement cher, saint Elie, lui apparut au Carmel de Pau, le 20 Juillet 1867.

249

249. Rome. Basilique de Sainte Thérèse. Le patriarche de Jérusalem, Mgr Giacomo Giuseppe Beltritti préside la première et solennelle concélébration eucharistique en l'honneur de la bienheureuse Marie de Jésus Crucifié. Novembre 1983. A droite du patriarche, Mgr Adéodat Micallef, Carme Déchaux, Vicaire apostolique du Koweit.

250

250. *Marie de Jésus Crucifié dans la gloire des saints. Célébration d'action de grâces après la béatification, dans l'église du Carmel de Bethléem.*

Les prophéties

Née au pays des prophètes, Soeur Marie fut dotée elle aussi par Dieu de l'esprit de prophétie.

Ses prophéties, ou prédictions, concernaient parfois des événements de sa propre vie, comme par exemple la date de sa mort. D'autres se rapportaient à ses consoeurs, à des personnes étrangères à la communauté, ou à d'autres institutions religieuses. Ainsi prédit-elle la date de la mort du pape Pie IX et le nom de son successeur Léon XIII; elle annonça aussi la désastreuse guerre franco-prussienne de 1870 et celle des Balkans de 1876.

On découvre aussi dans la vie de Soeur Marie de Jésus Crucifié divers autres dons extraordinaires, comme la bilocation, la lévitation et particulièrement la connaissance des secrets des coeurs. Les témoins disent qu'elle lisait dans les coeurs «comme dans un livre» et cette connaissance aida bien des gens à percevoir l'état véritable de leur conscience ou à sortir des tourments du scrupule.

Les vertus théologales

La foi. Née dans un milieu profondément religieux, Marie grandit dans l'amour de la foi chrétienne et dans l'attachement à l'Eglise. Elle en donnera une preuve irréfutable à treize ans, quand elle préféra la mort à l'abandon de sa foi chrétienne. De cette héroïque profession de foi, elle conserva, non seulement un vif souvenir et la disposition à donner jusqu'à sa vie pour la vérité, mais encore lui vint un constant désir du martyre.

De son attachement à la foi, venaient aussi le profond respect et l'affection qu'elle éprouvait pour ceux qui dans l'Eglise représentaient Jésus, c'est-à-dire le pape, les évêques, les prêtres.

L'espérance. Marie comprit dès son bas âge que l'homme est fait pour Dieu, son bien suprême, et qu'il ne doit pas s'égarer en des choses qui le distraient de ce but sublime.

Les biographes racontent qu'un jour la petite Mariam reçut en cadeau deux oisillons. Dans sa naïveté, elle voulut les laver et ainsi provoqua leur mort. Tandis qu'elle les enterrait dans le jardin de son oncle, elle entendit une voix intérieure qui lui disait: «C'est ainsi que tout passe: si tu veux me donner ton coeur, je resterai toujours avec toi!»

Cette voix l'accompagna pendant toute sa vie; elle alimentait son croissant désir de progresser chaque jour vers Dieu, pour atteindre un jour le bonheur éternel.

La charité. L'amour que nous avons pour Dieu nous amène surtout à éviter le péché. «Ce matin, pendant la sainte messe — di-

251

251. Carmel de Bethléem. Urne artistique, oeuvre de Francesco Redaelli, des Pères de Bétharram, dans laquelle reposent les restes de la bienheureuse Marie de Jésus Crucifié. Elle est placée dans l'église du couvent, près du choeur.

252. *Serafino Melchiorre.* La vision du prophète Elie sur le Mont Carmel, *huile sur toile 1994. Par cette oeuvre, l'artiste a terminé le cycle de restauration du sanctuaire de la Bienheureuse Vierge Marie du Mont Carmel. Ce tableau est placé sur le mur central de «Stella Maris».*

sait Soeur Marie le 26 Novembre 1875 — avant tout je me suis offerte à Jésus pour faire et pour endurer ce qui lui plaira. Je n'ai demandé qu'une grâce: celle de ne jamais l'offenser».

Le second pas vers la charité parfaite c'est d'agir pour l'amour du Seigneur. Les déclarations de Soeur Marie à ce sujet sont innombrables. La suivante suffit: «Oui, je veux être toute à Dieu, et je voudrais écrire cette résolution avec le sang de mon coeur, et même je voudrais pouvoir la montrer au ciel, à la terre, à toutes les créatures».

Soeur Marie pratiqua toute sa vie, avec une extrême délicatesse, la charité fraternelle, cherchant le bien matériel et spirituel de son prochain. Voici une citation impressionnante: «Quand vous voyez un accroc dans l'habit de votre frère, ne le déchirez pas plus, mais coupez un morceau de votre vêtement pour réparer la déchirure». «Au lieu de rouvrir la plaie, et de jeter dessus de l'acide, cherchez à l'adoucir et à l'aider à se cicatriser avec l'huile de la charité».

L'Esprit-Saint et Marie

La dévotion à l'Esprit-Saint. L'ancienne maîtresse des novices de Soeur Marie s'exprimait ainsi en 1874: «Soeur Marie a une extraordinaire dévotion à l'Esprit-Saint. Quand elle en parle, elle le fait avec des accents si vifs que même son aspect extérieur en est illuminé».

Non contente de pratiquer cette dévotion personnellement, Soeur Marie s'en faisait l'apôtre auprès des prêtres, des religieux et des laïcs: «Le monde et les communautés religieuses cherchent des nouveautés en matière de dévotion, et ils négligent la vraie dévotion au Paraclet». «Tous ceux qui, dans le monde et dans la communauté, auront une dévotion à l'Esprit-Saint ne mourront pas dans l'erreur». «Tout prêtre qui prêchera cette dévotion recevra une lumière spéciale tandis qu'il en parlera aux autres». «Jésus m'a dit que chaque prêtre devrait célébrer tous les mois une messe en l'honneur de l'Esprit-Saint. Tous ceux qui y assisteront avec foi obtiendront une grâce et une lumière spéciales».

La dévotion mariale. Elevée dans un milieu où la dévotion mariale était profonde, Marie fut toute sa vie pleine de piété envers la Sainte Vierge, spécialement après le miracle d'Alexandrie, où la céleste infirmière vêtue de bleu lui apparut, ramassa son corps inanimé et le ramena à la vie.

La dévotion mariale de Soeur Marie de Jésus Crucifié était filiale, ingénue, ardente. Elle avait toujours sur les lèvres le nom et les louanges de Marie. Elle aimait parler de la Mère de Dieu non seulement à ses consoeurs mais aussi aux personnes étrangères à la communauté.

252

Bibliographie

Albert's Way. The First North American Congress on the Carmelite Rule, ed. Michael Mulhall, Rome-Barrington (Illinois) 1989.

Alex Carmel, *Geschichte Haifas in der Türkischen Zeit (1516-1918)*, Wiesbaden 1975.

Carlo Cicconetti, *La regola del Carmelo. Origine – natura – significato*, Roma 1973.

Bede Edwards, *The Rule of Saint Albert*, Aylesford and Kensington 1973.

Pierre Estrate, *Vie de soeur Marie de Jésus crucifié 1846-1878*, Paris 1913.

Florencio del Niño Jesús, *El Monte Carmelo*, Madrid 1924.

Elias Friedman, *El Monte Carmelo y los primeros carmelitas*, traducción de Antonio Fortes, Burgos 1985.

Nilo Geagea, *María Madre y Decoro del Carmelo. La devoción a la Virgen en el Carmelo durante los tres primeros siglos de su historia*, traducción de Manuel Ordóñez, Burgos 1989.

Clemens Kopp, *Elias und das Christentum auf dem Berg Karmel*, Paderborn 1929.

Stefano Possanzini, *La Regola dei Carmelitani. Storia e spiritualità*, Firenze 1979.

Un proyecto de vida. La regla del Carmen hoy, bajo la dirección de Bruno Secondin, Madrid 1985.

Joachim Smet, *Los Carmelitas. Historia de la Orden del Carmen*. I: *Los orígenes. En busca de la identidad (ca. 1206-1563)*, traducción de Antonio Ruiz Molina, Madrid 1987.

Index des noms propres

Index

Finito di stampare nel giugno 1995
per i tipi della
Sagep Editrice *in* Genova

1. Ptolemaida nunc S. Jean d'Acri
2. Caipha Ciuitas
3. Fluuiolus Nahame idest deliciosus
4. Fluuiolus Mocata
5. Mons in quo Xpus predicauit beatitudines
6. Desertum in quo pauit 7 millia hominũ
7. Fluuius Jordanis
8. Capharnaum
9. Mons Tabor
10. Mare Galileæ 11 Nazareth
12. Tiberias destructa
13. Ruinæ Endor
14. Cauerna S. Elia dicta el Kader
15. Cauerna prius habitão Carm. Discalc
16. Cauerna S. Theresiæ habitão Carm. Di
17. Oppidum S. Eliæ
18. Ædicula prima in Orbe dicata B. V.
19. Oppidum Rusmia 20. Oppi Loub
21. Fons sacer Elia mondchoi dulcis ori
22. Ruinæ conuentũ S. Brocardi
23. Oppid. Boustan in medio est saltus C
24. Oppidum Dali
25. Oppidum Doubel
26. Oppidum Esfia